LES DISPARUS DE MAPLETON

TOM PERROTTA

LES DISPARUS DE MAPLETON

Traduit de l'américain
par Emmanuelle Ertel

Fleuve Noir

Titre original :
The Leftovers

Ouvrage publié sous la direction
de Bénédicte Lombardo.

© 2011 by Tom Perrotta.
© 2013, Fleuve Noir, département d'Univers Poche,
pour la traduction en langue française.
ISBN : 978-2-265-09642-4

Prologue

Laurie Garvey n'avait pas été élevée dans la croyance au Ravissement. Elle n'avait pas été élevée dans la croyance en grand-chose à dire vrai, sinon en l'ineptie de la croyance elle-même. *Nous sommes agnostiques*, disait-elle à ses enfants, à l'époque où, encore petits, ils cherchaient à se définir par rapport à leurs amis catholiques, juifs, ou protestants. *On ne sait pas s'il y a un dieu, et personne ne le sait, d'ailleurs. Certains disent peut-être qu'ils savent, mais en fait ils n'en savent rien.*

La première fois qu'elle avait entendu parler du Ravissement, elle commençait ses études et suivait un cours intitulé « Introduction aux Religions du Monde ». Le phénomène décrit par l'enseignant lui avait fait l'effet d'une blague – des hordes de chrétiens flottant hors de leurs habits, s'élevant dans le ciel à travers le toit de leurs maisons et de leurs voitures pour rejoindre Jésus ; les autres, debout, bouche bée, se demandant où toutes les saintes personnes avaient disparu. La théologie continuait à lui paraître obscure, même après avoir lu la section de son manuel consacrée au « Dispensationalisme prémillénaire », tout ce charabia à propos d'Armageddon, de l'Antéchrist et des Quatre Cavaliers de l'Apocalypse. Cela lui apparaissait comme du kitsch religieux, d'aussi mauvais goût qu'une de ces peintures sur velours noir, le genre de fantaisies appréciées des gens qui mangeaient trop de friture, donnaient des fessées à leurs gosses, et qui ne voyaient rien à redire à la théorie selon laquelle leur dieu plein de bonté aurait inventé le sida pour punir les homosexuels. Parfois, dans les années qui suivirent, il lui était arrivé d'apercevoir quelqu'un en train de lire l'un des volumes des *Survivants de l'Apocalypse*, à l'aéroport ou dans un train, et de ressentir une légère pitié, voire une certaine tendresse pour le pauvre gogo qui n'avait rien de mieux à lire, et rien de mieux à faire que d'être assis là, à rêver de la fin du monde.

Et puis cela eut lieu. La prophétie biblique s'accomplit, du moins partiellement. Des gens disparurent, des millions de gens au même instant, dans le monde entier. Il ne s'agissait pas de l'une de ces anciennes rumeurs – un mort ressuscitant dans l'Empire romain – ou l'une de ces légendes locales et poussiéreuses, comme celle de Joseph Smith découvrant des tablettes dorées quelque part dans l'État de New York et conversant avec un ange. Cette fois, c'était vrai. Le Ravissement était arrivé, dans sa ville, à la fille de sa meilleure amie, entre autres, alors que Laurie se trouvait chez elle. L'intrusion de Dieu dans son existence n'aurait pas pu être plus claire s'Il s'était adressé à elle depuis une azalée en flammes.

Du moins c'est ce qu'on aurait pu penser. Et pourtant elle parvint à nier l'évidence pendant des semaines et des mois, s'agrippant à ses doutes comme à une bouée, se faisant désespérément l'écho des scientifiques, des savants et des politiciens qui insistaient pour dire que la cause de ce qu'ils appelaient la « Soudaine Disparition » restait inconnue, et qui enjoignaient le public à ne pas tirer de conclusion hâtive et à attendre la publication du rapport officiel émanant du comité gouvernemental non partisan qui enquêtait sur la question.

« Il s'est passé quelque chose de tragique, répétaient constamment les experts. Il s'agit d'un phénomène du type Ravissement, mais il ne semble pas que ce soit *le* Ravissement. »

De façon intéressante, parmi les voix qui s'élevèrent le plus fort pour soutenir cet argument, on trouvait celles de chrétiens auxquels n'avait pas échappé le fait que nombre de personnes disparues le 14 Octobre – hindous, bouddhistes, musulmans, juifs, athées, animistes, homosexuels, Esquimaux, mormons, zoroastriens, ou quelle que fût leur conviction – n'avaient pas accepté Jésus comme leur sauveur. Pour autant qu'on pût en juger, il s'agissait d'une moisson aléatoire ; or l'une des choses que *le* Ravissement ne pouvait pas se permettre, c'était bien d'être hasardeux. Toute l'idée était de séparer le bon grain de l'ivraie, de récompenser les vrais croyants et d'envoyer un avertissement au reste de l'humanité. Un ravissement aveugle n'était pas un Ravissement.

Si bien qu'il était assez facile de se sentir confus, de jeter l'éponge et de prétendre qu'on ne savait tout simplement pas ce qui se passait. Mais Laurie savait. Au fond d'elle-même, dès que c'était arrivé, elle *avait su*. Elle faisait partie des laissés-pour-compte. Ils en faisaient tous partie. Peu importait que Dieu eût décidé de ne pas considérer le facteur religieux – d'une certaine manière, cela rendait la chose encore pire, de l'ordre du rejet personnel. Pourtant, elle avait choisi d'ignorer cette évidence, de la repousser dans un coin sombre de son esprit – tel ce sous-sol où sont entreposés les objets auxquels on ne peut pas supporter de penser –, le même coin sombre où l'on cache la connaissance que l'on a de sa propre mort, afin de vivre sans déprimer chaque minute de chaque jour.

Et puis, cela avait été une période chargée, ces quelques mois après le Ravissement, avec l'école annulée à Mapleton, sa fille à la maison toute la journée et son fils de retour de l'université. Il y avait les courses et le linge à faire, tout comme avant, les repas à préparer et la vaisselle. Il y avait aussi les services funèbres auxquels il fallait assister, les albums photos à compiler, les larmes à essuyer, et tant de conversations épuisantes. Elle passait beaucoup de temps avec Rosalie Sussman, lui rendant visite presque tous les matins, essayant de la soutenir dans sa peine insondable. Parfois, elles parlaient de sa fille disparue, Jen – combien elle était gentille, toujours souriante, et ainsi de suite –, mais le plus souvent, elles restaient juste assises sans parler. Le silence leur paraissait profond et approprié, comme s'il n'y avait rien que l'une ou l'autre pût dire qui aurait justifié de le rompre.

On se mit à les apercevoir en ville l'automne suivant – des personnes, vêtues de blanc, se déplaçant en paires du même sexe, toujours en train de fumer. Laurie en reconnut quelques-uns – Barbara Santangelo, dont le fils était dans la classe de sa fille ; Marty Powers, qui jouait autrefois au base-ball avec son mari et dont l'épouse avait disparu dans le Ravissement, ou quelque nom que l'on donnât à l'événement. La plupart du temps, ils vous ignoraient, mais parfois ils vous filaient comme des détectives privés chargés de suivre vos mouvements. Si vous les saluiez, ils vous lançaient juste un regard vide, mais si vous leur posiez une question plus substantielle, ils vous tendaient une carte de visite avec le message suivant imprimé d'un côté :

NOUS SOMMES MEMBRES
DES COUPABLES SURVIVANTS.
NOUS AVONS FAIT VŒU DE SILENCE.
NOUS NOUS TENONS DEVANT VOUS

TELS LES RAPPELS VIVANTS
DE LA TERRIBLE PUISSANCE DE DIEU.
SON JUGEMENT EST SUR NOUS.

En plus petits caractères, de l'autre côté de la carte, il y avait l'adresse d'un site Web que l'on pouvait consulter pour de plus amples informations : www.guiltyremnant.com

Ce fut un étrange automne. Toute une année s'était écoulée depuis la catastrophe ; les survivants avaient accusé le coup et découvert, à leur grand étonnement, qu'ils tenaient toujours debout, bien que certains soient un peu plus chancelants que d'autres. De manière hésitante, fragile, la vie commençait à reprendre son cours normal. Les écoles avaient rouvert et la plupart des gens étaient retournés au travail. Les enfants jouaient au football dans le parc le week-end ; il y en avait même eu quelques-uns pour faire le tour des maisons le soir de Halloween. On pouvait sentir les anciennes habitudes reprendre le dessus, l'existence recouvrer son ancienne forme.

Mais Laurie n'y arrivait pas. Outre qu'elle s'occupait de Rosalie, elle se faisait un sang d'encre pour ses propres enfants. Tom était retourné à l'université au semestre de printemps, mais il était tombé sous la coupe d'un trouble « prophète guérisseur », comme il se désignait lui-même, du nom de saint Wayne ; il s'était fait recaler à tous ses cours et avait décidé de ne pas rentrer à la maison. Il avait appelé deux ou trois fois pendant l'été pour lui assurer que tout allait bien, mais il refusait de lui dire où il se trouvait et ce qu'il faisait. Jill luttait contre une dépression et un état de stress post-traumatique – ce qui n'était pas étonnant, compte tenu du fait que Jen Sussman était sa meilleure amie depuis la maternelle – mais elle refusait d'en parler à Laurie ou de voir un thérapeute. Pendant ce temps, son mari paraissait bizarrement optimiste, des bonnes nouvelles à la bouche en permanence. Les affaires marchaient à merveille, il faisait beau, il venait de courir dix kilomètres en moins d'une heure, incroyable, non ?

— Et toi ? demanda Kevin, nullement gêné dans son pantalon de Lycra, le visage rayonnant de santé et recouvert d'une fine couche de transpiration. Qu'est-ce que tu as fait toute la journée ?

— Moi ? J'ai aidé Rosalie avec son album.

Il fit une moue où se mêlaient compassion et désapprobation.

— Elle continue toujours ?

— Elle ne veut pas arrêter. Aujourd'hui, on s'est un peu occupé de la carrière de nageuse de Jen. On peut la voir grandir, année après année, son corps qui se transforme à l'intérieur de ce maillot de bain bleu. Un crève-cœur.

— Hum.

Kevin se remplit un verre d'eau glacée au distributeur intégré au réfrigérateur. Elle voyait bien qu'il ne l'écoutait pas, savait qu'il ne s'intéressait plus à Jen Sussman depuis des mois.

— Qu'est-ce qu'il y a pour le dîner ?

Laurie devait admettre qu'elle ne fut pas surprise lorsque Rosalie lui annonça qu'elle allait rejoindre les Coupables Survivants. Rosalie était fascinée par les gens en blanc depuis qu'elle les avait vus pour la première fois, s'interrogeant souvent à voix haute sur la difficulté à respecter un vœu de silence, surtout si l'on tombait sur un vieil ami, une personne que l'on n'avait pas vue depuis longtemps.

— Ils doivent te laisser un peu de liberté dans un cas comme celui-là, tu ne crois pas ?

— Je ne sais pas, répondait Laurie. J'en doute. Ce sont des fanatiques. Ils n'aiment pas faire des exceptions.

— Même si c'était ton frère, et que tu ne l'avais pas vu depuis vingt ans ? Tu ne pourrais même pas lui dire bonjour ?

— Ne me demande pas. Demande-leur, à eux.

— Comment est-ce que je peux leur demander ? Ils n'ont pas le droit de parler.

— Je ne sais pas. Va voir leur site Web.

Rosalie visita souvent leur site Web cet hiver-là. Elle se lia d'amitié en tchattant – à l'évidence, le vœu de silence ne s'étendait pas aux communications électroniques – avec la Directrice de Communication, une femme charmante qui répondit à toutes ses questions et l'aida à dissiper ses doutes et ses réserves.

— Elle s'appelle Connie. Elle était dermatologue avant.

— Ah oui ?

— Elle a vendu son cabinet et a fait don de l'argent à l'organisation. C'est ce que font beaucoup de gens. Ce n'est pas évident de maintenir à flot une opération de ce type.

Laurie avait lu un article sur les Coupables Survivants dans le journal local où elle avait appris qu'au moins soixante personnes habitaient dans leur « complexe » de Ginkgo Street, une subdivision qui comprenait huit maisons léguées à l'organisation par le constructeur, un homme riche du nom de Troy Vincent, qui y vivait maintenant comme un simple membre, sans privilèges particuliers.

— Et toi ? demanda Laurie. Tu vas vendre la maison ?

— Pas tout de suite. Il y a une période d'essai de six mois. Je n'ai pas besoin de prendre de décision d'ici là.

— C'est une bonne chose.

Rosalie secoua la tête, comme effarée de sa propre audace. Laurie voyait combien la décision de changer de vie la réjouissait.

— Ça va être bizarre, de porter des vêtements blancs tout le temps. J'aurais bien aimé que ce soit bleu ou gris, ou autre chose. Le blanc ne me va pas.

— Je n'arrive pas à croire que tu vas te mettre à fumer.

— Beurk.

Rosalie fit une grimace. Elle était l'une de ces non-fumeuses acharnées, le genre de personnes à secouer frénétiquement la main à hauteur de son visage dès qu'elle se trouvait à cinq mètres d'une cigarette allumée.

— Il va falloir que je m'habitue. Mais c'est comme un sacrement, tu vois ? Tu es obligée de le faire. Tu n'as pas le choix.

— Tes pauvres poumons.

— On ne vivra pas assez longtemps pour attraper le cancer. La Bible dit qu'il n'y aura que sept ans de Tribulations après le Ravissement.

— Mais ce n'était pas le Ravissement, dit Laurie, autant à elle-même qu'à son amie. Pas vraiment.

— Tu devrais venir avec moi.

La voix de Rosalie était douce et grave.

— Peut-être qu'on pourrait partager une chambre.

— Je ne peux pas, lui répondit Laurie. Je ne peux pas quitter ma famille.

La famille : elle se sentit mal rien que de prononcer le mot. Rosalie n'avait pas de famille à proprement parler. Elle était divorcée depuis des années et Jen était son seul enfant. Elle avait une mère et un beau-père qui vivaient dans le Michigan et une sœur à Minneapolis, mais elle ne leur parlait pas souvent.

— C'est ce que je pensais.

Rosalie eut un petit haussement d'épaules de résignation.

— Je me disais que ça valait tout de même la peine de tenter.

Une semaine plus tard, Laurie conduisit Rosalie à Gingko Street. C'était une belle journée, ensoleillée et emplie de chants d'oiseaux. Les maisons avaient un air imposant – de vastes bâtisses de trois étages dans le style colonial, pourvues de terrains d'un demi-hectare, qui se seraient sans doute vendues pour un million de dollars ou plus au moment de leur construction.

— Waouh ! fit-elle. Pas mal.

— Je sais.

Rosalie sourit nerveusement. Elle était habillée en blanc et portait une petite valise contenant principalement des sous-vêtements et des affaires de toilette, plus les albums sur lesquels elle avait passé tellement de temps.

— Je n'arrive pas à croire que je fais ça.

— Si tu ne te plais pas, appelle-moi. Je viendrai te chercher.

— Je crois que ça ira.

Elles montèrent les marches d'une maison blanche qui portait l'inscription QUARTIER GÉNÉRAL peinte sur la porte d'entrée. Laurie n'avait pas le droit d'entrer dans le bâtiment, aussi étreignit-elle son amie en signe d'adieu sur le porche puis elle regarda une femme au visage pâle et doux, qui aurait pu être ou ne pas être Connie, l'ancienne dermatologue, conduire Rosalie à l'intérieur.

Presque une année s'écoula avant le retour de Laurie à Ginkgo Street. C'était aussi un jour de printemps, un peu plus frais, pas aussi ensoleillé. Cette fois, c'était elle qui était vêtue de blanc et portait une petite valise. Elle n'était pas très lourde, juste des sous-vêtements, une brosse à dents et un album contenant des photos de sa famille choisies avec soin, une brève histoire visuelle des gens qu'elle aimait et qu'elle laissait derrière elle.

PREMIÈRE PARTIE

Troisième anniversaire

La Journée des Héros

C'était une belle journée pour un défilé, une journée ensoleillée et douce pour la saison, le ciel à l'image d'un paradis de catéchisme. Il n'y avait pas si longtemps, les gens se seraient sentis obligés de plaisanter, un peu nerveux, sur un temps pareil – *Hé,* auraient-ils dit, *peut-être que le réchauffement de la planète n'est pas une si mauvaise chose, après tout !* – mais ces jours-ci, personne ne se souciait vraiment du trou dans la couche d'ozone ou de la disparition des ours polaires. Cela paraissait presque risible rétrospectivement, toute cette énergie dépensée en tracas à propos d'un événement aussi distant et incertain, un désastre écologique qui pourrait avoir lieu ou ne pas avoir lieu dans un avenir très lointain, bien après que le temps qui nous était alloué sur Terre, à nous et nos enfants, et aux enfants de nos enfants, se serait écoulé et que nous nous en serions allés, là où l'on va quand tout est terminé.

Malgré l'angoisse qui ne l'avait pas lâché de la matinée, le maire, Kevin Garvey, se sentit pris d'une nostalgie inattendue alors qu'il descendait Washington Boulevard en direction du parking du lycée, où les participants au défilé étaient censés se rassembler. Il restait une demi-heure avant le début de la procession, les chars étaient alignés et prêts à s'ébranler, la fanfare s'échauffait pour le combat, assaillant l'air d'une ouverture discordante de *pouet-pouet, tut-tut* et roulements de tambour sans conviction. Kevin était né et avait grandi à Mapleton, et il ne pouvait pas s'empêcher de repenser aux défilés du 4 Juillet, à l'époque où les choses avaient encore un sens : la moitié des habitants de la ville debout le long de Main Street tandis que l'autre moitié – joueurs de base-ball de la Little League, scouts des deux sexes, vétérans éclopés de guerres lointaines, talonnés par les femmes membres des Ladies Auxiliary – défilait sur la chaussée, saluant de la main les spectateurs, l'air surpris de les voir là, comme s'il s'agissait d'une sorte de coïncidence bizarre plutôt que d'une fête nationale. Tel, du moins, que Kevin s'en souvenait, tout cela paraissait incroyablement braillard, trépidant et innocent – camions de pompiers, tubas, danseurs folkloriques irlandais, majorettes en costumes à paillettes, une année, même, un escadron de l'Ordre arabe ancien des nobles du sanctuaire mystique, coiffés de fez et se déplaçant dans ces hilarantes voitures naines. Ensuite, il y avait les traditionnelles parties de base-ball et les barbecues, succession de rituels réconfortants qui culminaient dans le grand spectacle de feux d'artifice au-dessus de Fielding Lake, avec ces centaines de visages ravis tournés vers le ciel, lançant des *oh !* et des *ah !* aux roues grésillantes et aux lentes explosions d'étoiles qui illuminaient l'obscurité, rappelant à chacun qui il était, d'où il était et pourquoi c'était merveilleux.

L'événement d'aujourd'hui – la première journée annuelle du Souvenir et du Recueillement pour les Héros Disparus – n'allait en rien ressembler à cela. Kevin perçut l'humeur sombre dès qu'il arriva au lycée, la brume invisible de douleur rance et d'hébétude chronique qui épaississait l'air et incitait les gens à parler plus bas et à se déplacer de manière plus hésitante qu'ils ne le feraient normalement à l'occasion d'un grand rassemblement en plein air. D'un autre côté, il était surpris et se sentait également gratifié par le nombre de personnes qui s'étaient déplacées, compte tenu de la tiède réaction que le défilé avait suscitée lorsqu'il avait été proposé pour la première fois. Certains jugèrent que ce n'était pas le bon moment (« Trop tôt ! », avaient-ils insisté), tandis que d'autres suggérèrent qu'une commémoration séculaire le 14 Octobre était malvenue, voire blasphématoire. Ces objections s'étaient dissipées avec le temps, soit que les organisateurs avaient réussi à convaincre les sceptiques, soit tout simplement que les gens aimaient en général les défilés, quelle qu'en fût la nature. En tout cas, les habitants de Mapleton avaient été finalement si nombreux à se porter volontaires pour défiler que Kevin se demandait s'il en resterait pour les acclamer sur le côté de la route lorsqu'ils descendraient Main Street, en direction de Greenway Park.

Il hésita un instant lorsqu'il se trouva à l'intérieur de la ligne des barricades de police, rassemblant ses forces en vue de cette journée qui, il le savait, serait longue et pénible. Partout où il posait son regard, il apercevait des gens brisés et de nouveaux rappels de leur souffrance. Il fit un signe de la main à Martha Reeder, la dame, autrefois loquace, employée au guichet des timbres de la Poste ; elle lui sourit tristement, se tournant pour lui offrir une meilleure vue de la pancarte artisanale qu'elle tenait. Sur celle-ci figurait une photographie agrandie à la taille d'une affiche de sa petite-fille de trois ans, une enfant à l'air sérieux et aux cheveux bouclés, qui portait des lunettes légèrement de guingois. ASHLEY, pouvait-on lire, MON PETIT ANGE. Debout à côté d'elle, se trouvait Stan Washburn – policier à la retraite et ancien entraîneur de football américain de Kevin –, un type trapu, sans cou, sur le T-shirt duquel, tendu sur son impressionnant ventre de buveur de bière, était inscrite cette invitation adressée à tous : POSEZ-MOI DES QUESTIONS SUR MON FRÈRE. Kevin ressentit un besoin soudain et irrépressible de s'enfuir, de rentrer chez lui au pas de course et de passer l'après-midi à soulever des poids ou à ratisser des feuilles – n'importe quelle activité solitaire et qui ne demandait pas de réflexion ferait l'affaire –, mais cela lui passa rapidement, comme un hoquet ou un fantasme sexuel honteux.

Avec un petit soupir de devoir, il s'engagea dans la foule, serrant des mains et interpellant des gens par leur nom, s'efforçant d'incarner au mieux son rôle de représentant politique d'une petite ville. Ex-star de football américain, lycéen de Mapleton et ancien éminent homme d'affaires de la ville (il avait hérité de la chaîne de grands magasins de vins et spiritueux familiale et l'avait développée, en en triplant le chiffre d'affaires au cours de ses quinze années de direction), Kevin était une figure populaire importante de Mapleton, mais l'idée de se porter candidat aux élections locales ne lui avait jamais traversé l'esprit. Puis, l'année dernière, de manière tout à fait inattendue, on lui avait présenté une pétition signée par deux cents habitants, dont un grand nombre qu'il connaissait bien : « Nous, soussignés, cherchons désespérément quelqu'un pour nous diriger dans cette sombre période. Nous aiderez-vous à reprendre notre ville ? » Touché par cet appel et lui-même un peu perdu – il avait vendu son affaire une petite fortune quelques mois auparavant, et ne savait toujours pas ce qu'il allait faire ensuite –, il accepta la nomination pour se présenter au poste de maire d'une nouvelle entité politique qui s'appelait le Parti de l'Espoir.

Kevin remporta les élections haut la main, détrônant Rick Malvern, le candidat sortant, maire pendant trois mandats consécutifs, qui avait perdu la confiance des électeurs après avoir tenté d'incendier sa propre maison en signe de « rituel de purification », comme il le désignait. Cela avait échoué – les sapeurs-pompiers insistèrent pour éteindre les flammes malgré ses amères objections – et depuis, Rick vivait dans une tente plantée au milieu de son jardin, les restes carbonisés de sa maison victorienne, avec ses cinq chambres à coucher, se dressant à l'arrière-plan. Parfois, quand Kevin allait courir tôt le matin, il lui arrivait de tomber sur son ancien rival juste au moment où il émergeait de sa tente – une fois, torse nu et vêtu de son seul caleçon à rayures – et les deux hommes, mal à l'aise, se saluaient dans la rue par ailleurs silencieuse d'un *Yo*, ou d'un *Hé*, ou encore d'un *Comment va ?*, juste pour montrer qu'ils ne se gardaient pas rancune.

Il avait beau ne pas aimer le côté serrement de main et tapes dans le dos de son nouvel emploi, Kevin se sentait une obligation de se rendre abordable pour ses électeurs, y compris pour les excentriques et les mécontents qui inévitablement sortaient du bois lors des événements publics. Le premier à l'accoster dans le parking fut Ralph Sorrento, plombier bourru de Sycamore Road, qui se fraya brutalement un chemin à travers un groupe de femmes à l'air triste portant le même T-shirt rose et se planta devant Kevin, lui barrant la route.

— Monsieur le Maire, dit-il d'une voix traînante et avec un sourire railleur, comme si ce titre était ridicule. J'espérais bien tomber sur vous. Vous ne répondez jamais à mes e-mails.

— Bonjour, Ralph.

Sorrento croisa les bras sur sa poitrine et fixa Kevin d'un air gênant où se mêlaient amusement et dédain. C'était un homme grand, au corps épais, arborant des cheveux ras et un bouc hirsute, vêtu d'un pantalon cargo maculé de taches de graisse et d'un sweat-shirt à capuche doté d'une doublure thermique. Même à cette heure-ci – il n'était pas encore onze heures –, Kevin sentit l'odeur de bière dans son haleine et vit qu'il cherchait les ennuis.

— Juste pour qu'on soit clairs, annonça Sorrento d'une voix trop forte. Je n'ai aucune intention de payer ce putain d'argent.

L'argent en question était une amende de cent dollars qu'il avait reçue pour avoir tiré sur une meute de chiens errants qui s'étaient aventurés dans son jardin. Un beagle était mort sur le coup, mais un berger croisé de labrador était parti en clopinant, une balle dans une patte de derrière, laissant une traînée de sang avant de s'effondrer, trois pâtés de maisons plus loin, sur le trottoir, près du jardin d'enfants Little Sprouts, dans Oak Street. Normalement, la police ne s'émouvait pas trop d'un chien blessé par balle – cela arrivait avec une déprimante régularité – mais une poignée de gamins avait assisté à l'agonie de l'animal et les plaintes de leurs parents et gardiens avaient conduit à la poursuite de Sorrento.

— Surveillez votre langage, le prévint Kevin, conscient des visages qui se tournaient dans leur direction.

Sorrento planta son index dans la cage thoracique de Kevin.

— J'en ai ras-le-bol de ces clebs qui chient sur ma pelouse.

— Personne n'aime ça, concéda Kevin. Mais la prochaine fois, appelez la fourrière, d'accord ?

— La fourrière.

Sorrento répéta les mots avec un ricanement de mépris. De nouveau, il enfonça son doigt dans le sternum de Kevin, le bout du doigt fouillant l'os.

— Ils font que dalle.

— Ils sont en sous-effectif. (Kevin se fendit d'un sourire poli.) Ils font du mieux qu'ils peuvent dans une situation difficile. Comme nous tous. Je suis sûr que vous comprenez cela.

Comme pour indiquer qu'il comprenait parfaitement, Sorrento relâcha sa pression sur le sternum de

Kevin. Il approcha son visage, l'haleine rance, la voix se faisant basse et intime.

— Rendez-moi un service, d'accord ? Dites aux flics que s'ils veulent mon argent, ils vont devoir venir le chercher. Dites-leur que je les attends avec ma carabine à canon scié.

Il sourit, s'efforçant de jouer le sale type, mais Kevin percevait la tristesse dans ses yeux, le regard vitreux et suppliant derrière l'air bravache. Si Kevin ne se trompait pas, Sorrento avait perdu une fille, une petite fille potelée, de neuf ou dix ans peut-être. Tiffany ou Britney, un nom de ce genre.

— Je transmettrai le message. (Kevin lui tapota gentiment l'épaule.) Et maintenant, si vous rentriez à la maison vous reposer ?

Sorrento retira la main de Kevin d'un coup.

— Me touchez pas, putain !

— Pardon.

— Dites-leur juste ce que je vous ai dit, OK ?

Kevin le lui promit, puis s'éloigna rapidement, essayant d'ignorer la boule d'angoisse qu'il ressentit soudain dans le ventre. À la différence de villes voisines, Mapleton n'avait pas encore été témoin d'un suicide perpétré par la police, mais Kevin sentait que Ralph Sorrento en formait au moins l'idée. Son plan ne paraissait pas particulièrement inspiré – la police avait à se soucier de choses plus importantes que d'une amende impayée pour cruauté envers un animal – mais il existait toutes sortes de façons de provoquer une confrontation si on en avait vraiment l'intention. Il devrait prévenir le chef, s'assurer que les officiers de patrouille savaient à qui ils avaient affaire.

Distrait par ces pensées, Kevin ne se rendit pas compte qu'il marchait droit sur le Révérend Matt Jamison, ancien prêtre de l'Église évangélique de Sion, jusqu'au moment où il fut trop tard pour tenter une manœuvre évasive. Il eut juste le temps de lever les deux mains en un vain effort pour repousser le tissu de commérages que le révérend lui fourra sous les yeux.

— Prenez-le, dit le révérend. Il y a des choses qui vous surprendront drôlement.

Ne voyant pas de manière gracieuse de s'en tirer, Kevin prit à contrecœur possession de la gazette qui titrait avec emphase, mais non sans maladresse : « LE 14 OCTOBRE N'ÉTAIT PAS LE RAVISSEMENT !!! » Sur la première page figurait une photographie du Dr Hillary Edgers, pédiatre très appréciée qui avait disparu trois ans plus tôt, avec quatre-vingt-sept autres habitants de la ville et on ne savait combien encore de millions de personnes dans le monde. LA VIE BISEXUELLE DE L'ÉTUDIANTE EN MÉDECINE RÉVÉLÉE ! proclamait le gros titre. Une citation encadrée au milieu de l'article disait : « *On était totalement convaincus qu'elle était homo*", révèle un ancien cothurne. »

Kevin avait connu et admiré le Dr Edgers, dont les fils jumeaux avaient le même âge que sa fille. Elle travaillait bénévolement en ville dans une clinique gratuite pour enfants pauvres et donnait des conférences aux associations de parents d'élèves et enseignants sur des sujets tels que « Les effets à long terme des commotions cérébrales chez les jeunes athlètes », et « Comment reconnaître des troubles du comportement alimentaire ». Les gens l'abordaient tout le temps aux matchs de football et au supermarché, cherchant à lui soutirer des conseils médicaux gratuits, mais la chose ne semblait jamais la déranger, ni même l'énerver un tant soit peu.

— Bon Dieu, Matt. Est-ce vraiment nécessaire ?

La question laissa le révérend Jamison perplexe. C'était un homme mince d'environ quarante ans aux cheveux blonds cendrés, mais son visage s'était amolli et épaissi ces deux dernières années, comme s'il vieillissait à vitesse accélérée.

— Ces gens n'étaient pas des héros. Il faut cesser de les traiter comme s'ils l'étaient. Je veux dire, tout ce défilé...

— Cette femme avait des enfants. Ils n'ont pas besoin de savoir avec qui elle couchait à la fac.

— Mais c'est la vérité. On ne peut pas échapper à la vérité.

Kevin savait qu'il était inutile de discuter. À tout point de vue, Matt Jamison avait été un type décent, mais il avait perdu les pédales. Comme de nombreux chrétiens fervents, il avait été profondément traumatisé par la Soudaine Disparition, tourmenté par la crainte que le jour du Jugement dernier était venu et reparti, et qu'il n'en était pas. Alors que d'autres personnes dans sa situation avaient réagi en redoublant de piété, le révérend avait pris la direction opposée, se lançant à corps perdu dans la cause du Déni de Ravissement, vouant son existence à prouver que les gens qui s'étaient délivrés de leurs chaînes terrestres le 14 Octobre n'étaient ni de bons chrétiens ni même des individus particulièrement vertueux. Ce faisant, il s'était transformé en journaliste d'investigation obstiné et en parfait emmerdeur.

— D'accord, marmonna Kevin, repliant la gazette et la glissant dans sa poche de derrière. J'y jetterai un œil.

Le cortège s'ébranla quelques minutes après onze heures. Une formation de voitures de police ouvrait la voie, suivie d'une petite armada de chars représentant différentes organisations civiles et commerciales, les habituelles, principalement, comme la chambre de commerce de Mapleton et ses environs, la section locale de DARE, association de lutte contre l'usage de drogues, et le club des personnes âgées. Deux ou trois chars proposaient des démonstrations : les élèves de l'institut de danse Alice Herlihy exécutaient un boogie-woogie prudent sur une scène de fortune, tandis qu'un ensemble de jeunes karatékas de l'école d'arts martiaux des frères Devlin lançait une rafale de coups de pied et poing en l'air, émettant à l'unisson de féroces grognements. À un observateur lambda, tout aurait paru ordinaire, semblable à n'importe quel autre défilé qui avait eu lieu à Mapleton au cours des cinquante dernières années. Seul le véhicule qui fermait la marche aurait étonné, un camion à plateau recouvert d'étamine noire, sans une âme à son bord, une désolation absolue qui se passait d'explication.

En tant que maire, Kevin se retrouva dans l'une des deux décapotables d'honneur remorquant le char commémoratif, petite Mazda conduite par Pete Thorne, son ami et ancien voisin. Ils étaient en deuxième position, dix mètres derrière une Fiat Spider transportant le Grand Chef du protocole, une jolie femme à l'air frêle du nom de Nora Durst qui avait perdu toute sa famille le 14 Octobre – son mari et ses deux jeunes enfants –, ce que la plupart des gens considéraient comme la pire tragédie de Mapleton. Nora avait apparemment eu une petite crise de panique plus tôt ce jour-là, mais elle avait surmonté la chose avec l'aide de sa sœur et d'un psychologue bénévole, disponible en cas, précisément, de pareilles urgences. Elle semblait aller bien maintenant, assise, presque royale, sur le siège arrière de la Spider, se tournant d'un côté et de l'autre et levant la main faiblement pour répondre aux applaudissements sporadiques de spectateurs assemblés le long de la route.

— Il y a du monde ! remarqua Kevin d'une voix forte. Je ne m'attendais pas à voir tant de gens !

— Quoi ? hurla Pete par-dessus son épaule.

— Laisse tomber ! lui répondit Kevin en hurlant à son tour, se rendant compte qu'il était vain d'essayer de se faire entendre par-dessus la fanfare.

La section des cuivres était collée au train arrière de la voiture et interprétait depuis si longtemps une version exubérante de *Hawaii 5-0* que Kevin commençait à se demander si c'était le seul morceau qu'ils connaissaient. Impatientés par l'allure funéraire, les musiciens ne cessaient d'avancer par vagues, engloutissant brièvement la Mazda, avant de retomber brutalement vers l'arrière, créant sans aucun doute la cohue dans la procession solennelle qui les suivait. Kevin se tordait sur son siège pour essayer de voir les personnes qui défilaient derrière les musiciens, mais sa vue était bloquée par un bosquet d'uniformes marron, surmontés de jeunes visages aux joues gonflées et de cuivres qui lançaient des éclairs dorés sous le soleil.

Là-bas, pensa-t-il, se trouvait le *vrai* défilé, celui que personne n'avait jamais vu avant, des centaines d'individus ordinaires marchant par petits groupes, certains tenant des pancartes, d'autres portant des T-shirts imprimés du portrait d'un proche ou d'un parent disparu. Il avait vu ces personnes sur le parking, peu après qu'ils se furent répartis dans leurs sections respectives, et cette vision – la somme incompréhensible de leur tristesse – l'avait tellement bouleversé qu'il se sentait à peine capable de lire les inscriptions sur leurs bannières : les Orphelins du 14 Octobre, la Coalition des Épouses Endeuillées, les Mères et Pères des Enfants Disparus, le Réseau des Frères et Sœurs Désespérés, Mapleton Commémore le Souvenir de ses Amis et Voisins, les Survivants de Myrtle Avenue, les Élèves de Shirley De Santos, Bud Phipps Nous Manque, et ainsi de suite. Quelques grandes organisations religieuses participaient aussi – Notre Dame des Douleurs, L'Église du Temple Beth-El et L'Église presbytérienne de St James avaient toutes envoyé des contingents –, mais elles avaient été reléguées complètement à l'arrière, presque comme si on n'y avait pensé qu'à la dernière minute, juste devant les véhicules de secours.

Le centre de Mapleton était bondé de sympathisants, la rue jonchée de fleurs, dont beaucoup avaient été écrasées par les pneus des camions, et seraient bientôt piétinées. Un bon nombre des spectateurs étaient des lycéens, mais la fille de Kevin, Jill, et sa meilleure amie, Aimee, n'en faisaient pas partie. Toutes les deux dormaient profondément lorsqu'il avait quitté la maison – comme d'habitude, elles étaient sorties jusqu'à bien trop tard la veille – et Kevin n'avait pas eu le cœur de les réveiller, ou le courage de se confronter à Aimee qui tenait à dormir en culotte et petit débardeur, si bien qu'il ne savait jamais vraiment où poser les yeux. Il avait appelé à la maison deux fois dans la demi-heure qui venait de s'écouler, espérant que la sonnerie les réveillerait, mais elles n'avaient pas décroché.

Cela faisait des semaines que Jill et lui se disputaient à propos du défilé, de cette manière mi-exaspérée mi-sérieuse dont ils géraient toutes les affaires importantes de leur existence. Il l'avait encouragée à participer en l'honneur de Jen, son amie Disparue, mais elle restait indifférente.

— Tu sais quoi, papa ? Jen se fiche pas mal que je défile ou pas.

— Qu'est-ce que tu en sais ?

— Elle n'est plus là. Elle se fout de tout.

— Peut-être, répondit-il. Mais si elle était toujours là, et qu'on ne pouvait simplement pas la voir ?

L'idée parut amuser Jill.

— Ce serait embêtant. Elle agite probablement les bras toute la journée, pour essayer d'attirer notre attention.

Jill regarda tout autour de la cuisine, comme si elle cherchait à voir son amie. Elle parla d'une voix forte, de la même manière qu'on s'adresse à un grand-parent à moitié sourd.

— Jen, si tu es là, pardon de t'ignorer. Ça aiderait si tu pouvais te racler la gorge ou quelque chose.

Kevin se retint de protester. Jill savait bien qu'il n'aimait pas quand elle plaisantait au sujet des disparus, mais le lui dire pour la centième fois ne servirait à rien.

— Chérie, fit-il doucement, le défilé est pour nous, pas pour eux.

Elle le fixa d'un regard qu'elle avait récemment perfectionné – de totale incompréhension, mêlée d'un soupçon de commisération féminine. Cela aurait été encore plus mignon s'il lui restait des cheveux et sans tout cet eye-liner.

— Dis-moi, répliqua-t-elle. Pourquoi est-ce si important pour toi ?

Si Kevin avait pu fournir une bonne réponse à cette question, il l'aurait fait avec joie. Mais à la vérité, il ne savait pas pourquoi cela avait tant d'importance, pourquoi il ne renonçait pas simplement au défilé comme il avait renoncé à toutes les autres choses au sujet desquelles ils s'étaient disputés au cours de l'année passée : le couvre-feu, le crâne rasé, le fait dè passer autant de temps avec Aimee, de faire la fête la veille de cours. Jill avait dix-sept ans ; il comprenait que, de façon irrévocable, elle avait quitté son orbite et qu'elle faisait ce qu'elle voulait, quand elle voulait, en dépit de tout ce qu'il pouvait souhaiter.

Malgré tout, Kevin aurait vraiment voulu qu'elle participe au défilé, pour montrer que, d'une certaine manière, elle reconnaissait encore l'importance de la famille et de la communauté, qu'elle aimait et respectait toujours son père et qu'elle ferait tout pour le rendre heureux. Elle comprenait la situation avec une parfaite clarté – il le savait –, cependant, pour une raison ou une autre, elle ne pouvait pas se décider à y mettre du sien. Cela le blessait, bien sûr, mais chaque fois qu'il éprouvait de la colère envers sa fille, il l'excusait immédiatement, reconnaissant en son for intérieur combien elle avait souffert, et combien il s'était montré peu capable de l'aider.

Jill était un Témoin Oculaire, et il n'avait pas besoin d'un psychologue pour savoir que c'était une situation avec laquelle elle devrait lutter le restant de sa vie. Elle et Jen étaient ensemble le 14 Octobre, deux jeunes filles en train de rigoler côte à côte sur un canapé, de manger des bretzels en regardant des vidéos sur YouTube, lorsque, le temps de cliquer sur une souris, l'une d'elles se volatilisa et l'autre se mit à hurler. Et les gens avaient continué à disparaître autour d'elle dans les mois et les années qui avaient suivi, même si c'était de façon moins dramatique. Son frère aîné était parti à l'université, pour ne plus revenir. Sa mère avait déménagé et fait vœu de silence. Seul son père demeurait, un homme dérouté qui essayait de l'aider mais ne disait jamais ce qu'il fallait. Comment l'aurait-il pu alors qu'il était aussi perdu et démuni qu'elle ?

Kevin ne s'étonnait pas de voir que Jill était en colère, ou révoltée, ou encore déprimée. Elle avait tous les droits de l'être, et plus. La seule chose qui le surprenait était qu'elle se trouvait toujours là, qu'elle partageait encore une maison avec lui quand elle aurait pu tout aussi facilement s'enfuir avec les Va-nu-pieds, ou bien sauter dans un autocar, en direction de contrées inconnues. Plein de gosses l'avaient fait. Elle avait changé, bien sûr, chauve et hantée qu'elle était, comme si elle désirait que les parfaits étrangers prennent la mesure exacte de son mal-être. Mais parfois quand elle souriait, Kevin avait le sentiment que son identité profonde était toujours là, bien vivante à l'intérieur, mystérieusement intacte en dépit de tout. C'était cette autre Jill – celle qu'elle n'avait jamais eu réellement la chance de devenir – qu'il avait espéré trouver à la table du petit déjeuner ce matin-là, pas la vraie qu'il connaissait trop bien, la fille recroquevillée sur son lit, après être rentrée trop soûle ou droguée pour prendre la peine d'enlever son maquillage de la veille.

Il songea à appeler de nouveau tandis qu'ils approchaient de Lovell Terrace, l'impasse huppée où sa famille et lui avaient emménagé cinq ans plus tôt, à une époque qui semblait maintenant aussi éloignée et irréelle que l'ère du jazz. Il avait beau avoir très envie d'entendre la voix de Jill, son propre sens du décorum le retint. Il se disait que cela serait mal vu, le maire en train de parler sur son téléphone portable au milieu d'un défilé. Et puis, que lui dirait-il ?

Salut, ma chérie, je passe en voiture devant notre rue, mais je ne te vois pas...

Avant même qu'ils lui aient enlevé sa femme, Kevin s'était mis, malgré lui, à éprouver du respect pour les Coupables Survivants. Deux ans plus tôt, lorsqu'ils étaient apparus, il les avait pris pour d'inoffensifs adeptes du Ravissement, un groupe de radicaux séparatistes qui souhaitaient seulement qu'on les laisse souffrir et méditer en paix jusqu'à la seconde venue du Messie, ou jusqu'au miracle qu'ils attendaient, quel qu'il fût (leur théologie demeurait floue à son esprit et il n'était pas sûr que ce ne soit pas le cas pour eux aussi). Il pouvait même comprendre que des gens au cœur brisé comme Rosalie Sussman trouvent un certain réconfort à rejoindre leurs rangs, à se retirer du monde et à faire vœu de silence.

À l'époque, les CS semblaient avoir surgi de nulle part, une réaction spontanée et locale face à une tragédie sans précédent. Il mit du temps à se rendre compte que des groupes semblables se formaient dans tout le pays, tissant un réseau national lâche, avec les mêmes principes de base pour chaque branche – les vêtements blancs, les cigarettes et les équipes de surveillance composées de deux personnes –, mais un mode de gouvernement assez autonome, sans organisation centrale ou intervention extérieure.

Malgré son apparence monastique, le chapitre de Mapleton se révéla vite être une organisation ambitieuse et régimentaire, avec un goût pour la désobéissance civile et le théâtre politique. Non seulement ils refusaient de payer impôts et factures, mais ils enfreignaient une foule de lois municipales à leur complexe de Ginkgo Street, entassant des douzaines de personnes dans des maisons conçues pour une seule famille, méprisant ordonnances du tribunal et ordres de saisie, construisant des barricades pour empêcher les autorités d'entrer. Une série de confrontations s'ensuivit, dont l'une aboutit à la mort par balle d'un membre des CS qui avait lancé des pierres contre des policiers tentant d'exécuter un mandat de perquisition. Le taux de sympathie pour les Coupables Survivants avait flambé à la suite de l'assaut manqué, conduisant à la démission du chef de la police et à une perte de confiance sévère en Malvern, le maire de l'époque, qui avaient tous les deux autorisé l'opération.

Depuis son entrée en fonction, Kevin s'était efforcé d'apaiser la tension entre la secte et la ville, négociant une série d'accords qui permettaient aux CS de vivre plus ou moins comme ils l'entendaient, à condition qu'ils paient leurs impôts et garantissent l'accès à la police et aux véhicules de secours dans certaines situations clairement définies. La trêve semblait tenir, mais les CS restaient une agaçante et impondérable source de stress, surgissant à n'importe quel moment pour semer la confusion et générer l'anxiété chez les loyaux citoyens. Cette année-là, le jour de la rentrée, plusieurs adultes vêtus de blanc avaient organisé un sit-in à l'école élémentaire Kingman, occupant une salle de classe de CE1 pendant toute la matinée. Quelques semaines plus tard, un autre groupe de CS avait pénétré sur le terrain de football du lycée, au milieu d'un match, s'allongeant sur le gazon jusqu'à ce que des joueurs et des spectateurs en colère les chassent par la force.

Depuis des mois maintenant, les officiels de la ville se demandaient quelle action les CS allaient entreprendre pour perturber la Journée des Héros. Kevin avait participé à deux réunions où le sujet avait été discuté en détail, et un certain nombre de scénarios possibles passés en revue. Toute la journée il avait attendu qu'ils se manifestent, ressentant un étrange mélange d'angoisse et de curiosité, comme si la fête n'aurait pas été vraiment complète jusqu'à ce qu'ils s'y invitent.

Mais le défilé s'était déroulé sans eux, et la cérémonie de commémoration touchait presque à sa fin. Kevin avait déposé une couronne au pied du Monument aux Disparus à Greenway Park, une sinistre sculpture en bronze conçue par l'un des enseignants d'art du lycée. Elle était censée représenter un bébé quittant les bras de sa mère étonnée pour s'élever vers les cieux, mais quelque chose avait foiré. Kevin n'était pas critique d'art, mais il lui avait toujours semblé que le bébé tombait au lieu de s'élever, et que la mère pourrait manquer de le rattraper.

Après la bénédiction du Père Gonzalez, il y eut une minute de silence pour commémorer le troisième anniversaire de la Soudaine Disparition, suivie par le carillonnement des cloches de l'église. Le discours de Nora Durst constituait le dernier élément du programme. Kevin était assis sur l'estrade en compagnie de quelques autres dignitaires, et il éprouva un léger trac lorsqu'elle s'avança vers le podium. Il savait par expérience combien prononcer un discours pouvait être intimidant, quel talent et quelle confiance il fallait pour forcer l'attention d'une foule moitié moins nombreuse que celle-ci.

Mais il se rendit vite compte que ses inquiétudes étaient infondées. Un silence se fit parmi les spectateurs tandis que Nora s'éclaircissait la voix et jetait un œil à ses notes. Elle avait souffert – c'était La Femme

Qui Avait Tout Perdu – et sa souffrance lui conférait de l'autorité. Elle imposait l'attention et le respect.

En outre, Nora s'avéra excellente en la matière. Elle parlait lentement et clairement – c'était le B.A.BA, mais le nombre d'orateurs qui ne maîtrisaient pas ces règles de base était surprenant –, avec juste ce qu'il fallait de pauses et d'hésitations pour que l'ensemble ne paraisse pas trop millimétré. Le fait d'être une femme séduisante, grande et bien proportionnée, dotée d'une voix douce mais posée ne la desservait pas. Comme la plupart des personnes dans le public, elle était habillée avec simplicité, et Kevin se rendit compte qu'il fixait un peu trop avidement les broderies sophistiquées sur la poche arrière de son jean, qui lui seyait comme on le voyait peu chez les participants à une cérémonie officielle. Elle avait, remarqua-t-il, un corps étonnamment jeune pour une femme de trente-cinq ans qui avait eu deux enfants. *Avait perdu deux enfants*, se rappela-t-il, en se forçant à relever le menton et à se concentrer sur un objet plus approprié. La dernière chose qu'il voulait voir en couverture du *Messager de Mapleton* était une photographie en couleur du maire fixant les fesses d'une mère en deuil.

Nora commença en disant qu'elle avait d'abord pensé consacrer son discours à célébrer le meilleur jour de sa vie. Le jour en question avait précisément eu lieu deux mois avant le 14 Octobre, lors de vacances en famille sur les plages du New Jersey. Rien de spécial ne s'était passé, et elle n'avait pas, alors, apprécié pleinement l'étendue de son bonheur. Elle ne s'en était rendu compte que plus tard, après la disparition de son mari et de ses enfants et assez de nuits sans sommeil pour prendre la mesure de tout ce qu'elle avait perdu.

C'était, dit-elle, une belle journée de fin d'été, douce et venteuse, mais pas trop ensoleillée, si bien qu'il ne fallait pas constamment penser à se recouvrir de crème solaire. À un moment dans la matinée, ses enfants – Jeremy avait six ans, Erin quatre ; ils n'en auraient jamais plus – se mirent à bâtir un château de sable, et ils y travaillaient avec l'enthousiasme solennel que les enfants apportent parfois à leurs tâches les plus inconséquentes. Nora et son mari, Doug, étaient assis sur une couverture non loin, main dans la main, regardant ces sérieux petits ouvriers courir vers le bord de l'eau, remplir leurs seaux en plastique de sable mouillé, puis revenir à pas lourds, leurs bras en cure-dents peinant sous leurs lourdes charges. Les enfants ne souriaient pas, mais leurs visages rayonnaient d'une détermination joyeuse. La forteresse qu'ils construisirent était grande et sophistiquée ; elle les occupa pendant des heures.

— Nous avions notre caméra vidéo, expliqua-t-elle. Mais pour une raison ou une autre, nous n'avons pas pensé à l'allumer. Je suis contente en un sens. Parce que si nous avions un film de ce jour-là, je passerais tout mon temps à le regarder. Je me consumerais devant la télévision, à me le passer en boucle.

Mais, d'une certaine façon, penser à ce jour lui en avait rappelé un autre, un samedi terrible du précédent mois de mars, quand toute la famille avait eu une grippe intestinale. Il semblait que partout où ils tournaient les yeux, quelqu'un était en train de vomir, et pas toujours aux toilettes. La maison sentait mauvais, les enfants râlaient, et le chien ne cessait de gémir pour qu'on le sorte. Nora ne pouvait pas se lever du lit – elle avait de la fièvre, avec des moments de délire –, et Doug n'était pas mieux. Il y eut un instant dans l'après-midi où elle pensa qu'elle allait mourir. Lorsqu'elle partagea cette crainte avec son mari, il se contenta de hocher la tête et de dire : « D'accord. » Ils étaient si malades qu'ils n'eurent même pas l'idée de décrocher le téléphone et d'appeler à l'aide. À un moment dans la soirée, quand Erin était allongée entre eux, ses cheveux incrustés de vomi séché, Jeremy entra dans la chambre et montra son pied en pleurnichant. *Woody a fait caca dans la cuisine,* annonça-t-il. *Woody a fait caca, et j'ai marché dedans.*

— C'était l'enfer, déclara Nora. C'est ce que nous n'arrêtions pas de nous dire. *C'est simplement l'enfer.*

Ils s'en remirent, bien sûr. Quelques jours plus tard, tout le monde était guéri, et la maison plus ou moins en ordre. Mais dès lors, ils se référèrent au Vomithon Familial comme le point le plus bas de leur existence, la catastrophe qui mettait tout le reste en perspective. S'il y avait une inondation au sous-sol, ou que Nora recevait une amende, ou que Doug perdait un client, ils pouvaient toujours se rappeler qu'il y avait pire.

— *Eh bien,* nous disions-nous, *au moins ce n'est pas aussi terrible que cette fois où nous étions tous malades.*

C'est à ce point du discours de Nora que les Coupables Survivants apparurent finalement, émergeant en masse du petit bois qui jouxtait le côté ouest du parc. Il y en avait peut-être vingt, vêtus de blanc, avançant lentement en direction du rassemblement. À première vue, ils avaient l'air d'une bande désorganisée, mais tandis qu'ils se rapprochaient ils se mirent à former une ligne horizontale, une configuration qui rappela à Kevin celle d'une battue. Chacun d'entre eux portait une pancarte décorée d'une lettre noire et lorsqu'ils se trouvèrent à distance de voix de l'estrade, ils s'arrêtèrent et levèrent leurs pancartes au-dessus de leurs têtes. Ensemble, la ligne irrégulière de lettres composait les mots : NE GÂCHEZ PLUS VOTRE SOUFFLE.

Un murmure de colère s'éleva de la foule, qui n'appréciait ni l'interruption ni le message. Presque toutes les forces de police étaient présentes à la cérémonie, et après un instant d'hésitation, plusieurs officiers se dirigèrent vers les intrus. Le chef Rogers se trouvait sur l'estrade, et au moment précis où Kevin se levait pour le consulter sur l'intérêt de provoquer une confrontation, Nora s'adressa aux officiers.

— S'il vous plaît, dit-elle. Laissez-les tranquilles. Ils ne font de mal à personne.

Les policiers hésitèrent, puis s'arrêtèrent après avoir reçu un signal de leur chef. De sa place, Kevin avait une bonne vue des manifestants, aussi savait-il que sa femme se trouvait parmi eux. Il n'avait pas vu Laurie depuis deux ou trois mois et il fut frappé de voir combien elle avait maigri, comme si elle revenait d'un centre de remise en forme plutôt que d'une réunion du Ravissement. Ses cheveux étaient plus gris – les CS n'étaient pas très portés sur l'apparence – mais dans l'ensemble, elle faisait étrangement jeune. Peut-être était-ce la cigarette qu'elle avait à la bouche – Laurie était fumeuse au début de leur relation –, mais la femme qui se tenait en face de lui, avec la lettre *Z* au bout de ses bras tendus, lui rappelait plus la jeune fille joyeuse qu'il avait rencontrée à l'université que la femme à la taille épaisse et au cœur lourd qui l'avait quitté six mois plus tôt. Malgré les circonstances, il ressentit un indéniable élan de désir pour elle, un réel mouvement, hautement ironique, dans son bas-ventre.

— Je ne suis pas avide, continua Nora, reprenant le fil de son discours. Je ne demande pas ce jour parfait à la plage. Donnez-moi cet horrible samedi, avec nous quatre, malades et malheureux, mais en vie, et ensemble. Là, maintenant, cela m'apparaît comme le paradis.

Pour la première fois depuis qu'elle avait commencé à parler, sa voix se brisa sous l'émotion.

— Dieu nous bénisse, ceux d'entre nous qui sont ici et ceux qui n'y sont pas. Nous avons tous tellement souffert.

Kevin essaya de croiser le regard de Laurie pendant toute la durée de l'ovation, non dénuée d'un certain défi, qui suivit, mais elle se refusait à jeter ne serait-ce qu'un coup d'œil dans sa direction. Il tenta de se convaincre qu'elle agissait contre son gré – elle était, après tout, flanquée de deux gros hommes barbus, dont l'un ressemblait un peu à Neil Felton, l'ancien propriétaire de la pizzeria du centre-ville. Cela aurait été réconfortant de penser qu'elle suivait les instructions de ses supérieurs de ne pas céder à la tentation de communiquer, même en silence, avec son mari, mais il savait au fond de lui que ce n'était pas le cas. Elle aurait pu le regarder si elle l'avait voulu, aurait pu au moins faire signe à l'homme avec lequel elle avait promis de passer sa vie. Elle n'en avait tout simplement pas envie.

En y repensant plus tard, il se demanda pourquoi il n'était pas descendu de l'estrade, ne s'était pas dirigé vers elle et n'avait pas dit : *Hé, ça fait un bail. Tu as bonne mine. Tu me manques.* Rien ne l'en empêchait. Pourtant, il resta assis là, sans rien faire, jusqu'au moment où les gens en blanc rabaissèrent leurs lettres, firent demi-tour, et repartirent dans les bois.

Toute une classe de Jills

Jill Garvey savait combien il était facile d'idéaliser les disparus, de leur prêter des qualités qu'ils n'avaient pas en réalité, de se les figurer supérieurs, en un sens, aux losers qui étaient restés. Elle avait vu cela de près dans les semaines qui avaient suivi le 14 Octobre, quand un tas de personnes – des adultes, surtout, mais des jeunes aussi – lui avaient dit toutes sortes de trucs dingues au sujet de Jen Sussman, qui n'était pourtant vraiment pas quelqu'un de spécial, juste une fille ordinaire, peut-être un peu plus jolie que la plupart des filles de son âge, mais certainement pas un ange trop bien pour ce monde.

Dieu la voulait en sa compagnie, disaient-ils. *Ses yeux bleus et son beau sourire lui manquaient.*

C'était par gentillesse, Jill le comprenait bien. Parce qu'elle était un soi-disant Témoin Oculaire, la seule personne présente dans la pièce quand Jen avait disparu, les gens la traitaient souvent avec une tendresse lugubre – comme si elle faisait partie de la famille endeuillée, comme si elle et Jen étaient, du coup, devenues sœurs – et une étrange sorte de respect. Personne ne l'écoutait quand elle essayait d'expliquer qu'elle n'avait pas réellement été témoin de quoi que

41

ce soit et qu'elle ne savait pas plus qu'eux ce qui s'était passé. Elle regardait une vidéo sur YouTube au moment crucial, ce clip hilarant et pathétique d'un gosse en train de se frapper la tête à coups de poing et qui prétend que cela ne lui fait pas mal. Elle avait dû le regarder trois ou quatre fois d'affilée, et quand elle finit par lever les yeux, Jen n'était plus là. Un long moment s'était écoulé avant que Jill ne comprenne qu'elle n'était pas aux toilettes.

Ma pauvre, insistaient les gens. *Ça doit être tellement dur pour toi, perdre ta meilleure amie de cette façon.*

C'était l'autre chose que personne ne voulait entendre, qu'elle et Jen n'étaient plus meilleures amies – si elles l'avaient jamais été, ce dont elle doutait –, même si elles avaient utilisé l'expression pendant des années sans y penser : *ma meilleure amie, Jen ; ma meilleure amie, Jill.* C'étaient leurs mères qui étaient meilleures amies, pas elles. Les filles se contentaient de suivre, parce qu'elles n'avaient pas le choix (en ce sens, elles étaient effectivement comme des sœurs). On les conduisait ensemble à l'école en voiture, elles dormaient l'une chez l'autre, partaient en vacances familiales ensemble et passaient d'innombrables heures devant la télévision et l'écran de l'ordinateur, à tuer le temps pendant que leurs mères sirotaient du thé ou du vin à la table de la cuisine.

Leur alliance de circonstance s'avéra étonnamment durable, s'étendant de la maternelle jusqu'au milieu de la troisième, lorsque Jen subit une transformation soudaine et mystérieuse. Un jour, elle se découvrit un nouveau corps – en tout cas, c'est l'impression qu'eut Jill –, le lendemain de nouveaux vêtements, et le surlendemain de nouvelles amies, une clique de jolies filles populaires, menée par Hillary Beardon, dont Jen disait par le passé qu'elle la détestait. Lorsque Jill lui demanda pourquoi elle choisissait de fréquenter des filles qu'elle avait elle-même accusées d'être superficielles et imbuvables, Jen se contenta de sourire et de dire qu'en fait elles gagnaient à être connues.

Elle n'y mit aucune méchanceté. Elle ne mentit jamais à Jill, ne se moqua jamais d'elle derrière son dos. C'était juste comme si elle s'éloignait peu à peu, pour rejoindre une orbite différente, plus exclusive. Elle fit un effort manifeste pour inclure Jill dans sa nouvelle existence, l'invitant (sans doute à la demande de sa mère) à passer une journée dans la maison de plage de Julia Horowitz, mais cela eut pour seul effet de rendre le gouffre entre elles plus évident encore qu'il ne l'avait jamais été. Jill se sentit comme une étrangère tout l'après-midi, une intruse pâle et terne dans son pathétique maillot de bain une pièce, observant dans un silence perplexe les jolies filles en train d'admirer les bikinis des unes et des autres, de comparer leurs bronzages à l'autobronzant et d'envoyer des textos à des garçons sur leurs téléphones aux couleurs acidulées. La chose qui l'étonna le plus était de voir combien Jen avait l'air à l'aise dans cet étrange milieu, combien elle se mêlait impeccablement aux autres.

— Je sais que c'est dur, lui dit sa mère. Mais Jen essaie de s'ouvrir aux autres, et peut-être que tu devrais essayer toi aussi.

Jill se dit que cet été-là – le dernier avant la catastrophe – n'en finirait jamais. Elle était trop âgée pour partir en colonie, trop jeune pour travailler, et trop timide pour décrocher le téléphone et appeler quelqu'un. Elle passa bien trop de temps sur Facebook, à examiner des photos de Jen et de ses nouvelles amies, se demandant si elles étaient toutes aussi heureuses qu'elles en avaient l'air. Elles s'étaient mises à s'appeler les Chiennes de Luxe, et presque toutes les photos avaient ce surnom dans le titre : *Les Chiennes de Luxe se détendent ; La Soirée sac de couchage des Chiennes de Luxe ; Hé, C de L, tu bois koi ?* Elle surveillait de près le statut de Jen, suivant les hauts et les bas de son histoire naissante avec Sam

Pardo, l'un des garçons les plus mignons de leur classe.

Jen et Sam se tiennent la main et regardent un film.

Jen et LE MEILLEUR BAISER DE TOUS LES TEMPS !!!

Jen et les deux semaines les plus longues de ma vie.

Jen et... M'EN FICHE

Jen et les Garçons Font Chier !

Jen et Tout est pardonné (et plus encore).

Jill essaya de la détester, mais elle n'y parvint pas vraiment. À quoi bon ? Jen se trouvait où elle voulait, avec des personnes qu'elle aimait, à faire des choses qui la rendaient heureuse. Comment pouvait-on détester quelqu'un pour cela ? Il ne restait qu'à trouver le moyen d'être aussi heureuse.

Lorsque septembre arriva enfin, elle pensa que le pire était derrière elle. Le lycée représentait une nouvelle page – le passé effacé, l'avenir encore à écrire. Quand elle et Jen se croisaient dans le couloir, elles se disaient juste bonjour, rien de plus. De temps en temps, Jill l'observait et songeait : *Nous sommes deux personnes différentes maintenant.*

Elles devaient au pur hasard d'avoir été ensemble le 14 Octobre. La mère de Jill avait acheté de la laine pour Mme Sussman – les deux mamans étaient très versées tricot cet automne-là –, et Jill se trouvait être dans la voiture quand sa mère décida de déposer la laine. L'habitude conduisit Jill et Jen au sous-sol où elles bavardèrent, un peu mal à l'aise, de leurs nouveaux profs, avant de se mettre à l'ordinateur lorsqu'elles n'eurent plus rien à se dire. Jen avait un numéro de téléphone gribouillé sur le dos de la main – Jill le remarqua au moment où elle alluma l'ordinateur, se demandant furtivement à qui il pouvait appartenir –, et du vernis rose écaillé sur les ongles. L'économiseur d'écran de son portable était une photo d'elles, Jill et Jen, prise deux ou trois ans plus tôt lors d'une tempête de neige. Elles étaient tout emmitouflées, elles avaient les joues rouges et souriaient, arborant toutes deux des bagues aux dents et montrant fièrement du doigt un bonhomme de neige, un sympathique bonhomme avec une carotte en guise de nez et une écharpe autour du cou. Même à ce moment-là, alors que Jen était assise juste à côté d'elle, pas encore métamorphosée en ange, cela lui paraissait appartenir à de l'histoire ancienne, relique d'une civilisation disparue.

Jill ne commença vraiment à comprendre combien l'absence pouvait fausser le jugement – vous faire exagérer les vertus et minimiser les défauts de la personne absente – qu'après que sa mère eut rejoint les CS. Ce n'était pas pareil, bien sûr : sa mère n'avait pas disparu pour de bon, pas comme Jen, mais peu importait, en fait.

Elles avaient eu une relation compliquée, un peu étouffante – elles étaient sans doute plus proches que ce qui aurait été sain pour l'une comme pour l'autre – et Jill avait souvent souhaité une certaine distance, qui lui aurait donné une marge de manœuvre plus grande.

Attends que je commence l'université, pensait-elle. *Ce sera un tel soulagement de ne plus l'avoir sur le dos en permanence.*

Mais c'était l'ordre naturel des choses – on grandit, et puis on s'en va. Ce qui n'était pas normal, c'était que votre mère vous abandonne, qu'elle aille vivre à l'autre bout de la ville dans une maison communautaire avec un tas de dingues religieux et qu'elle coupe tous les ponts avec sa famille.

Longtemps après son départ, Jill continua d'éprouver une soif puérile de présence maternelle. Tout lui manquait, même les aspects qui autrefois l'exaspéraient chez sa mère – le fait qu'elle chantait faux, sa façon d'affirmer que les pâtes au blé complet étaient aussi bonnes que les pâtes normales, son incapacité à suivre l'intrigue du moindre feuilleton télé, même le plus simple (*Attends une seconde, est-ce que c'est le même type qu'avant ou quelqu'un d'autre ?*). De violents spasmes de nostalgie la prenaient complètement au dépourvu, la laissant hébétée et en larmes, encline à de sombres colères qui se retournaient chaque fois contre son père, de façon tout à fait injuste, puisque ce n'était pas lui qui l'avait abandonnée. Pour lutter contre ces assauts, Jill dressa une liste des défauts de sa mère et la sortait à chaque fois qu'elle sentait ces émotions la reprendre :

Un rire bizarre, haut perché, et complètement faux
Des goûts de chiotte en musique
S'érige tout le temps en juge
Ne me dirait pas bonjour si elle me croisait dans la rue
Des lunettes de soleil affreuses
Obsédée par Jen
Place des mots comme *tohu-bohu* et *capharnaüm* dans la conversation
Harcèle papa à propos de son cholestérol
Des bras tout mous et gélatineux
Préfère Dieu à sa famille

Cela l'aida un peu, ou bien elle s'était tout simplement habituée à la situation. En tout cas, elle arrêta finalement de pleurer avant de s'endormir, d'écrire de longues lettres désespérées à sa mère la suppliant de rentrer à la maison, de se sentir coupable pour des choses sur lesquelles elle n'avait aucun contrôle.

C'était sa décision, se forçait-elle à se rappeler. *Personne ne l'a obligée à partir.*

Ces derniers temps, le seul moment où Jill regrettait sa mère de façon récurrente, c'était le matin au lever, quand elle était encore à moitié endormie, pas encore prête à affronter une nouvelle journée. Cela ne lui paraissait tout simplement pas normal de descendre pour le petit déjeuner et de ne pas la trouver là, attablée dans son peignoir gris, pas normal qu'il n'y ait personne pour la prendre dans ses bras et lui murmurer, « Hé, marmotte », d'une voix amusée et pleine de commisération. Jill avait du mal à se réveiller, et sa mère avait su lui fournir l'espace nécessaire pour laisser derrière elle sa mauvaise humeur et passer lentement à l'état de conscience, sans un tas de causerie ou de drame inutile. Si elle voulait manger, très bien ; sinon, pas de problème non plus.

Son père faisait de son mieux pour suivre l'exemple – elle devait le lui reconnaître – mais ils n'étaient tout simplement pas sur la même longueur d'ondes. Il était plus du style prêt à l'attaque ; quelle que soit l'heure à laquelle elle se levait, il était toujours guilleret et fraîchement douché, levant les yeux de son journal – étonnamment, il lisait encore le journal du matin – et les posant sur elle avec une vague expression de reproche, comme si elle était en retard à un rendez-vous.

— Tiens, tiens, dit-il. Regardez qui voilà. Je me demandais quand tu allais faire une apparition.

— Hé, marmonna-t-elle, gênée d'être l'objet de l'observation parentale.

Il l'examinait de cette façon tous les matins, essayant de deviner ce qu'elle avait bien pu faire la veille au soir.

— Mal aux cheveux ? demanda-t-il, d'un ton plus de curiosité que de désapprobation.

— Pas vraiment.

Elle n'avait bu que deux ou trois bières chez Dmitri, avait peut-être tiré une ou deux bouffées d'un joint qu'on faisait circuler à la fin de la soirée, mais inutile d'entrer dans les détails.

— J'ai simplement pas assez dormi.

— Hum, grommela-t-il, sans s'efforcer de cacher son scepticisme. Pourquoi tu ne resterais pas à la maison ce soir ? On pourrait regarder un film, ou quelque chose.

Faisant comme si elle ne l'entendait pas, Jill se dirigea vers la cafetière en traînant les pieds et se versa une grande tasse de café torréfié qu'ils s'étaient récemment mis à acheter. C'était une double vengeance contre sa mère qui n'avait jamais permis à Jill de boire du café à la maison, pas même l'insipide mélange pour petit déjeuner qu'elle trouvait si délicieux.

— Je peux te faire une omelette, proposa-t-il. Ou, si tu veux, il y a des céréales.

Elle s'assit, parcourue d'un frisson rien qu'à la pensée des grosses omelettes baveuses que préparait son père, avec du fromage orange suintant du milieu.

— Pas faim.

— Il faut que tu manges quelque chose.

Elle laissa passer cette remarque, avalant une grande gorgée de café. C'était comme ça qu'il était le meilleur, trouble et fort, un plus grand choc pour le système. Les yeux de son père se posèrent sur l'horloge au-dessus de l'évier.

— Aimee est levée ?

— Pas encore.

— Il est sept heures et quart.

— On n'est pas pressées. On n'a pas cours la première heure ni l'une ni l'autre.

Il hocha la tête et retourna à son journal, comme il le faisait tous les matins après qu'elle lui avait servi le même mensonge. Elle ne savait vraiment jamais s'il la croyait, ou s'il s'en fichait, tout simplement. Elle avait l'impression de déclencher la même réaction distraite de la part de nombre d'adultes dans sa vie – flics, profs, amis de ses parents, Derek du magasin de crèmes glacées, y compris son moniteur de conduite. C'était énervant, en un sens, parce qu'on ne savait jamais si les gens voulaient juste vous faire plaisir ou s'ils vous laissaient vraiment passer quelque chose.

— Des nouvelles de saint Wayne ?

Jill suivait l'histoire de l'arrestation du gourou avec grand intérêt, farouchement amusée par les détails sordides que rapportait la presse, mais aussi embarrassée pour son frère, qui avait jeté son dévolu sur un homme s'avérant être un charlatan et un cochon.

— Pas aujourd'hui, répondit son père. J'imagine qu'ils n'ont plus rien d'intéressant.

— Je me demande ce que Tom va faire.

Tous les deux spéculaient sur la question depuis quelques jours, mais ils n'avaient pas beaucoup avancé. C'était difficile d'imaginer ce que Tom pouvait penser alors qu'ils ne savaient pas où il était, ce qu'il faisait, ou même s'il était toujours impliqué dans le Mouvement de l'Étreinte Réparatrice.

— Je ne sais pas. Il est sans doute assez...

Ils s'interrompirent lorsque Aimee entra dans la cuisine. Jill fut soulagée de voir que son amie portait un bas de pyjama – ce qui n'était pas toujours le cas – même si la relative pudeur de sa tenue ce matin-là était atténuée par le port d'un caraco au large décolleté. Aimee ouvrit le réfrigérateur et regarda à l'intérieur un long moment, penchant la tête comme si quelque chose de fascinant s'y déroulait. Puis elle sortit une boîte d'œufs et se tourna vers la table, le visage amène et endormi, ses cheveux en magnifique désordre.

— Monsieur Garvey, dit-elle, ça vous embêterait de me préparer une de vos délicieuses omelettes ?

Comme d'habitude, elles prirent le chemin des écoliers, se dissimulant d'abord derrière le supermarché Safeway pour fumer un joint rapide – Aimee mettait un point d'honneur à ne pas arriver au lycée sans être un peu *stone* –, puis se dirigeant vers Reservoir Road pour voir si quelqu'un d'intéressant ne se trouverait

49

pas à Dunkin' Donuts. Sans surprise, la réponse s'avéra négative – à moins de considérer que de vieux bonshommes en train de mâchonner des beignets présentait un quelconque intérêt. Mais, à l'instant où elles passèrent la tête pour jeter un œil à l'intérieur, Jill fut prise d'une terrible envie de sucré.

— Ça t'embête ? demanda-t-elle, regardant d'un air penaud en direction du comptoir. Je n'ai pas pris de petit déjeuner.

— Non. C'est pas mon gros cul.

— Hé ! (Jill lui donna une tape sur le bras.) J'ai pas un gros cul.

— Pas encore, lui répondit Aimee. Mange encore quelques donuts.

Incapable de se décider entre le donut glacé et celui à la confiture, Jill régla la question en commandant les deux. Elle aurait été parfaitement satisfaite de les manger en route, mais Aimee insista pour s'installer à une table.

— Qu'est-ce qui presse ? demanda-t-elle.

Jill vérifia l'heure sur son téléphone portable.

— Je ne veux pas être en retard pour le deuxième cours.

— J'ai gym, répliqua Aimee. Je m'en fous si je manque ça.

— J'ai un devoir sur table de chimie. Je vais probablement me planter.

— Tu dis toujours ça, et tu as toujours de bonnes notes.

— Pas cette fois, répondit Jill.

Elle avait séché trop de cours les semaines passées, et été trop souvent défoncée pour ceux auxquels elle avait assisté. Certains sujets faisaient bon ménage avec l'herbe, mais pas la chimie. Cassé, on se met à penser aux électrons, et on peut se retrouver très loin de là.

— Cette fois, je suis foutue.

— On s'en bat l'œil, non ? C'est qu'un stupide devoir.

Pas moi, avait envie de répondre Jill, mais elle n'était pas certaine de le penser. Autrefois, elle en avait eu quelque chose à faire – même beaucoup –, et elle ne s'était toujours pas complètement habituée au sentiment de ne rien avoir à en faire, même si elle se donnait le plus grand mal.

— Tu sais ce que ma mère m'a raconté ? demanda Aimee. Elle m'a raconté que quand elle était au lycée, les filles pouvaient ne pas aller à la gym juste parce qu'elles avaient leurs règles. Elle m'a dit qu'il y avait ce prof, cet entraîneur de football américain antédiluvien, et elle lui disait à chaque cours qu'elle avait mal au ventre, et il lui répondait toujours, *OK, va t'asseoir sur les gradins.* Le type ne s'est jamais douté de rien.

Jill se marra, même si elle avait déjà entendu l'histoire. C'était une des rares choses qu'elle savait de la mère d'Aimee, outre le fait qu'elle était alcoolique et avait disparu le 14 Octobre, laissant sa fille adolescente avec un beau-père qu'elle n'aimait pas et en qui elle n'avait pas confiance.

— Tu veux une bouchée ? Jill lui tendit son donut à la confiture. Il est vraiment bon.

— Non merci. J'ai trop mangé. Je peux pas croire que j'ai mangé toute cette omelette.

— C'est pas ma faute. (Jill se lécha l'extrémité du pouce où s'était déposée une minuscule perle de confiture.) J'ai essayé de te prévenir.

L'expression d'Aimee se fit sérieuse, presque grave.

— Tu ne devrais pas te moquer de ton père. C'est vraiment un type sympa.

— Je sais.

— Et il cuisine pas mal du tout.

Jill ne discuta pas. Comparé à sa mère, son père était un terrible cuisinier, mais Aimee n'avait aucun moyen de le savoir.

— Il fait de son mieux, répondit-elle.

Elle engouffra son donut glacé en trois bouchées rapides – il était si vide à l'intérieur qu'on avait presque l'impression qu'il n'y avait rien sous le glaçage sucré – puis ramassa les déchets.

— Bon, fit-elle, redoutant la perspective du devoir sur table. Je pense qu'on devrait y aller.

Aimee l'examina un moment. Puis elle jeta un regard vers la vitrine derrière le comptoir – des rangées de donuts disposés dans leurs paniers de métal, glacés, décorés de vermicelles multicolores, saupoudrés de sucre glace, ou bien natures et pleins de délicieuses surprises –, et de nouveau vers Jill. Son visage se fendit lentement d'un sourire malicieux.

— Tu sais quoi ? dit-elle. Je crois que je vais prendre quelque chose à manger. Peut-être du café aussi. T'en veux ?

— On n'a pas le temps.

— Bien sûr que si.

— Et mon devoir ?

— Quoi, ton devoir ?

Jill n'eut pas le temps de répondre qu'Aimee était déjà debout et se dirigeait vers le comptoir, se déplaçant dans un jean si serré et d'un pas si langoureux que tout le monde se retourna et la fixa des yeux.

Il faut que j'y aille, pensa Jill.

Un sentiment d'irréalité la submergea à cet instant précis, la soudaine conscience d'être prise au piège d'un mauvais rêve, ce sentiment panique d'impuissance, comme si elle avait perdu toute volonté propre.

Mais ce n'était pas un rêve. Il lui suffisait de se lever et de se mettre à marcher. Et pourtant, elle ne bougea pas de son siège en plastique rose, souriant bêtement lorsque Aimee se retourna et mima des lèvres le mot *Désolée*, même s'il était clair à son air qu'elle ne l'était absolument pas.

Salope, pensa Jill. *Elle veut que je me plante.*

Dans ces moments-là – et il y en avait plus qu'elle n'aurait aimé l'admettre – Jill se demandait ce qu'elle fabriquait, comment elle s'était laissé prendre dans les rets d'une personne aussi égoïste et irresponsable qu'Aimee. C'était malsain.

Et c'était arrivé si rapidement. Elles n'avaient fait connaissance que quelques mois plus tôt, au début de l'été, deux jeunes filles travaillant côte à côte dans un magasin de crèmes glacées sur le déclin, bavardant pendant les temps morts, dont certains duraient des heures.

Elles étaient méfiantes au début, conscientes d'appartenir à des castes différentes – Aimee, sexy et tête brûlée, sa vie une saga ponctuée de décisions ineptes et de mélodrames ; Jill, collet monté et fiable, élève aux bonnes notes constantes et adolescente modèle. *J'aurais aimé avoir toute une classe de Jills*, avaient écrit plus d'un professeur comme commentaire sur son bulletin. Personne n'avait jamais écrit une chose pareille à propos d'Aimee.

Tandis que l'été arrivait à sa fin, elles commencèrent à se détendre et à développer ce qui paraissait être une véritable amitié, un lien qui rendait leurs différences triviales. Malgré son assurance sociale et sexuelle, Aimee se révéla fragile, prompte aux larmes et à de violents accès d'autodépréciation ; elle avait souvent besoin qu'on lui remonte le moral. Jill savait mieux dissimuler sa tristesse, mais Aimee avait le don de lui en faire parler, lui permettant de se livrer sur des sujets qu'elle n'avait jamais abordés avec personne avant – son amertume envers sa mère, ses difficultés à communiquer avec son père, le sentiment d'avoir été trahie, que le monde en vue duquel elle avait été élevée n'existait plus.

Aimee avait pris Jill sous son aile, l'emmenant à des fêtes après le travail, lui faisant découvrir ce qu'elle ne connaissait pas. Jill fut d'abord intimidée – toutes les personnes qu'elle rencontrait semblaient un peu plus âgées qu'elle, même si la plupart avaient en fait son âge – mais elle surmonta rapidement sa timidité. Elle se soûla pour la première fois, fuma de l'herbe, sortit jusqu'à l'aube, passant la nuit à parler à des gens qu'elle ignorait autrefois dans les couloirs, des gens qu'elle avait définitivement rayés de sa vie comme des losers et des drogués. Un soir, sur un coup de tête, elle avait retiré ses vêtements et sauté dans la piscine de Mark Sollers. Lorsqu'elle en sortit quelques minutes plus tard, nue et ruisselante devant ses nouveaux amis, elle se sentit différente, comme si sa personnalité d'avant avait fondu dans l'eau.

Si sa mère avait été à la maison, rien de tout cela ne serait arrivé ; non que sa mère l'en aurait empêchée, mais parce que Jill s'en serait elle-même gardée. Son père avait essayé d'intervenir, mais il semblait avoir perdu foi en son autorité. Il l'avait punie une fois fin juillet, après l'avoir retrouvée endormie sur la pelouse devant la maison, mais elle l'avait ignoré et il n'avait plus jamais mentionné la chose.

Il ne se plaignit pas non plus lorsque Aimee se mit à passer les nuits chez eux, même si Jill ne l'avait pas consulté avant de l'inviter. Quand il finit par interroger Jill, Aimee faisait déjà partie des lieux, dormant dans l'ancienne chambre de Tom, ajoutant ses propres demandes particulières à la liste de courses familiale, le genre de produits qui auraient donné une crise cardiaque à sa mère – biscuits fourrés, chaussons surgelés, nouilles chinoises. Jill dit la vérité – qu'Aimee avait besoin de s'éloigner de son beau-père qui parfois l'« embêtait » quand il rentrait soûl. Il ne l'avait pas touchée pour l'instant, mais il la surveillait constamment et lui disait des choses sordides qui l'empêchaient de dormir.

— Elle ne devrait pas vivre là-bas, lui dit Jill. C'est une situation malsaine.

— D'accord, répondit son père. C'est bon.

Les deux dernières semaines d'août furent particulièrement grisantes, comme si les deux filles sentaient que le temps de s'amuser allait bientôt arriver à expiration et qu'elles voulaient boire jusqu'à la lie, tant que c'était possible. Un matin, Jill descendit de la douche en pestant contre ses cheveux. Ils étaient tellement secs et sans vie, rien à voir avec ceux d'Aimee, qui étaient doux et brillants et jamais décoiffés, même quand elle sortait à peine du lit le matin.

— Coupe-les, lui dit Aimee.

— Quoi ?

Aimee hocha la tête d'un air déterminé.

— Débarrasse-t'en. Tu seras plus jolie sans.

Jill n'hésita pas. Elle monta, coupa sauvagement ses mèches ternes avec une paire de ciseaux de couture, puis termina le travail à l'aide du rasoir électrique que son père rangeait sous le lavabo de la salle de bains. C'était exaltant de sentir le passé tomber par touffes, de voir un nouveau visage émerger, ses yeux plus grands et farouches, sa bouche plus douce et plus jolie qu'avant.

— Nom de Dieu, s'exclama Aimee. C'est absolument génial.

Trois jours plus tard, Jill fit l'amour pour la première fois avec un étudiant qu'elle connaissait à peine, après une beuverie marathon chez Jessica Marinetti.

— Je ne l'avais jamais fait avec une fille chauve, lui confia-t-il alors qu'ils étaient encore au milieu de l'acte.

— Vraiment ? répondit-elle, sans prendre la peine de lui dire qu'elle ne l'avait jamais fait du tout. Et ça te plaît ?

— C'est pas désagréable, lui dit-il, se frottant le nez contre son crâne. On dirait du papier ponce.

Elle ne commença à se sentir mal à l'aise que lorsque le lycée reprit et qu'elle vit la façon dont ses anciens amis et ses professeurs la regardaient quand elle arpentait les couloirs en compagnie d'Aimee, le mélange de pitié et de dégoût dans leurs yeux. Elle savait ce qu'ils pensaient – qu'elle avait été détournée du droit chemin, que la mauvaise fille avait corrompu la bonne – et elle aurait voulu leur dire qu'ils se trompaient. Elle n'était pas une victime. La seule responsabilité d'Aimee était de lui avoir montré une nouvelle manière d'être elle-même, manière qui n'avait pas plus de sens à ce moment-là que l'ancienne.

Ne la blâmez pas, pensait Jill. *C'est mon choix.*

Elle était pleine de reconnaissance à l'égard d'Aimee, vraiment, et elle était contente d'avoir pu elle aussi l'aider en lui offrant un endroit où s'installer quand elle en avait eu besoin. Malgré tout, le fait d'être toujours ensemble commençait à lui peser, de partager vêtements, repas et secrets, de faire la fête tous les soirs et de recommencer le matin. Ce mois-ci, elles avaient même eu leurs règles en même temps, ce qui était un peu effrayant. Ce dont elle avait besoin était juste de pouvoir respirer, d'avoir quelques jours pour rattraper ses devoirs, de passer un peu de temps avec son père, peut-être de consulter les dépliants des universités qui arrivaient quotidiennement par la poste. Juste un ou deux jours pour reprendre ses marques, parce que parfois elle avait un peu de mal à distinguer la frontière entre elles deux, là où Aimee finissait et Jill commençait.

Elles n'étaient qu'à quelques pâtés de maison du lycée quand la Toyota Prius s'arrêta en silence à leur hauteur. C'était le genre de choses qui n'arrivaient jamais à Jill avant, mais qui lui arrivaient tout le temps maintenant qu'elle fréquentait Aimee. La fenêtre du côté passager s'abaissa, libérant une bouffée de reggae embaumant l'herbe dans le matin froid de novembre.

— Hé, les filles, les interpella Scott Frost. Quoi de neuf ?

— Pas grand-chose, répondit Aimee.

Sa voix changeait de tonalité quand elle parlait à des garçons – elle paraissait plus grave à Jill, empreinte d'une cadence légèrement gouailleuse qui rendait les phrases même les plus banales vaguement fascinantes.

— Quoi de neuf de votre côté ?

Adam Frost se pencha de son siège de conducteur, son visage placé à quelques centimètres de celui de son frère, ce qui créait une sorte de mini-effet Mount Rushmore, où les visages des présidents américains se côtoyaient sur le flanc d'une montagne. Les jumeaux Frost étaient célèbres pour leur beauté – deux zoneurs parfaitement identiques coiffés de dreadlocks, à la mâchoire carrée, aux yeux assoupis et au corps souple des athlètes qu'ils auraient pu être s'ils n'avaient pas été défoncés en permanence. Jill savait avec quasi-certitude qu'ils avaient terminé le lycée l'année précédente, mais elle continuait à les voir souvent, surtout dans la salle d'arts plastiques, même s'ils ne semblaient jamais s'impliquer. Ils étaient juste assis là comme des types à la retraite, observant les jeunes à l'ouvrage d'un air amusé et bienveillant. La prof de dessin, Mme Comey, semblait apprécier leur compagnie, bavardant et riant avec eux pendant que ses élèves travaillaient seuls. Elle avait la cinquantaine, était mariée et en surcharge pondérale, ce qui n'avait pas empêché une rumeur de circuler au lycée, selon laquelle les frères Frost et elle se rendaient parfois dans le local à fournitures pendant ses heures libres.

— Montez, leur enjoignit Adam.

Il avait une rangée de piercings le long du sourcil droit, le signe essentiel qui permettait de le distinguer de Scott.

— On va faire un tour.

— On doit aller en cours, marmonna Jill, s'adressant plus à Aimee qu'aux jumeaux.

— Tu t'en fous, répliqua Scott. Venez chez nous, on va se marrer.

— Comment ? s'enquit Aimee.

— On a une table de ping-pong.

— Et du Vicodin, ajouta Adam.

— Enfin les choses sérieuses ! (Aimee se retourna vers Jill avec un sourire d'espoir.) Qu'est-ce que t'en penses ?

— Je sais pas. (Jill sentit son visage rougir d'embarras.) J'ai raté beaucoup de cours ces derniers temps.

— Moi aussi, dit Aimee. Un jour de cours de plus ou de moins, quelle différence ?

C'était un argument raisonnable. Jill jeta un coup d'œil aux jumeaux, qui hochaient la tête à l'unisson au rythme de « Buffalo Soldier » de Marley, leur adressant un message subliminal d'encouragement.

— Je sais pas, fit-elle encore.

Aimee poussa un profond soupir, mais Jill ne réagit pas. Elle ne comprenait pas elle-même ce qui la retenait. Le devoir de chimie avait déjà commencé. Le reste de la journée ne ferait qu'ajouter à sa débandade.

— Allez. (Aimee ouvrit la portière et monta à l'arrière, en fixant Jill.) Tu viens ?

— C'est bon, lui dit Jill. Allez-y.

— T'es sûre ? demanda Scott tandis qu'Aimee refermait la portière.

Il semblait sincèrement déçu.

Jill opina et la fenêtre de Scott se referma dans un léger chuintement, obscurcissant lentement son beau visage. La Prius ne bougea pas le temps d'une seconde ou deux ; Jill non plus. Un sentiment aigu de regret la saisit alors qu'elle regardait fixement la vitre teintée.

— Attendez ! cria-t-elle.

Sa voix lui parut forte, presque désespérée, mais ils n'avaient pas dû l'entendre parce que la voiture s'élança à l'instant même où elle tendait la main vers la portière, puis s'éloigna en silence, sans elle.

Elle ressentait encore l'effet du joint lorsqu'elle arriva au lycée, mais n'était pas de cette humeur joyeuse qui conférait à la plupart des matins avec Aimee l'apparence d'une aventure déjantée, les deux filles jouant à être des espions ou se mettant à rire pour des choses qui n'étaient même pas drôles, ce qui d'une certaine façon les faisait encore plus rire. Le tournis d'aujourd'hui lui paraissait pesant et triste, telle une mauvaise humeur latente.

Techniquement, elle était censée aller signer un papier au bureau du principal, mais c'était l'une de ces régulations auxquelles plus personne n'attachait vraiment d'importance, vestige d'une période de plus grand ordre et obéissance. Jill n'était au lycée que depuis cinq semaines au moment de la Soudaine Disparition, mais elle gardait un souvenir vif de cette époque, où les enseignants se montraient sérieux et exigeants, les élèves concentrés et motivés, pleins d'énergie. Presque tout le monde jouait d'un instrument ou s'investissait dans un sport. Personne ne fumait dans les toilettes ; on pouvait être exclu si on flirtait dans les couloirs. Les gens parlaient plus vite en ce temps-là – du moins c'est ainsi qu'elle se le rappelait –, et ils paraissaient toujours savoir où ils allaient.

Jill ouvrit son casier et attrapa son exemplaire de *Our Town* de Thorton Wilder, qu'elle n'avait même pas commencé alors qu'ils en discutaient en classe d'anglais depuis trois semaines. Il restait encore dix minutes avant la fin du deuxième cours, et elle aurait été heureuse de s'affaler par terre et d'en feuilleter au moins les premières pages, mais elle savait qu'elle n'arriverait pas à se concentrer, pas avec Jett Oristaglio, le troubadour errant du lycée de Mapleton, assis juste en face d'elle, grattant sa guitare acoustique et chantant « Fire and Rain » de James Taylor pour la millionième fois. Cette chanson lui filait tout simplement le bourdon.

Elle songea à se réfugier à la bibliothèque, mais elle n'avait pas assez de temps pour y faire quoi que ce soit, aussi décida-t-elle simplement de monter pour son cours d'anglais. En chemin, elle fit un rapide détour et passa devant la classe de M. Skandarian, où ses camarades de classe terminaient le devoir sur table de chimie.

Elle ne savait pas très bien ce qui l'incita à regarder à l'intérieur. Elle ne voulait surtout pas que M. S. l'aperçoive et se rende compte qu'elle n'était pas malade. Cela ficherait complètement en l'air la possibilité de le convaincre de lui faire passer un devoir de rattrapage. Heureusement, il remplissait une grille de Sudoku lorsqu'elle jeta un œil à travers la vitre, et était totalement absorbé par les petites cases.

Cela devait être un devoir difficile. Albert Chin avait terminé, évidemment – il jouait avec son iPhone pour tuer le temps – et Greg Wilcox s'était endormi, mais tous les autres travaillaient encore, occupés au genre de choses que l'on fait quand on essaie de réfléchir et que le temps presse – les uns se mordaient les lèvres, d'autres entouraient des mèches de cheveux autour de leurs doigts, d'autres encore balançaient leurs jambes. Katie Brennan se grattait le bras comme si elle souffrait d'une maladie de peau et Pete Rodriguez ne cessait de se tapoter le front avec la gomme à l'extrémité de son crayon.

Elle ne resta là qu'une minute ou deux, pourtant on aurait pu s'attendre à ce que quelqu'un lève les yeux et l'aperçoive, lui sourie peut-être ou lui fasse un rapide signe de la main. C'était en général ce qui se passait quand quelqu'un jetait un œil dans une classe pendant un devoir. Mais tout le monde continuait de travailler, de dormir ou de rêvasser. C'était comme si Jill n'existait plus, comme si tout ce qui restait d'elle était une table vide au deuxième rang, simple souvenir de la fille qui s'asseyait là avant.

Une personne spéciale

Tom Garvey n'eut pas besoin de demander à la jeune fille pourquoi elle se tenait sur le seuil de sa porte, une valise à la main. Cela faisait des semaines qu'il sentait l'espoir quitter petit à petit son corps en un lent filet – c'était un peu comme de se retrouver à sec – et aujourd'hui l'espoir s'était enfui pour de bon. La jeune fille souriait d'un air ironique, comme si elle pouvait lire dans ses pensées.

— T'es Tom ?

Il hocha la tête. Elle lui tendit une enveloppe avec son nom écrit dessus.

— Félicitations, dit-elle. Tu es mon nouveau baby-sitter.

Il l'avait déjà vue, mais jamais de près, et elle était encore plus belle que dans son souvenir – une jeune Asiatique, toute menue, seize ans à tout casser, des cheveux incroyablement noirs et un visage à l'ovale parfait. *Christine*, se souvint-il, la quatrième épouse. Elle le laissa la dévisager un moment, puis se lassa.

— Tiens, dit-elle en lui tendant son iPhone. Pourquoi tu ne prends pas plutôt une photo ?

Deux jours plus tard, le FBI et la police de l'État de l'Oregon arrêtaient M. Gilchrest, arrestation que les nouvelles télévisées tenaient à désigner sous les termes de « raid-surprise à l'aube », même si ce n'était une surprise pour personne, et surtout pas pour M. Gilchrest. Depuis la trahison d'Anna Ford, il prévenait ses adeptes des temps sombres à venir, essayant de les persuader que c'était pour le mieux.

— Quoi qu'il m'arrive, avait-il écrit dans son dernier e-mail, ne désespérez pas. Cela arrive pour une raison.

Même s'il s'attendait à son arrestation, Tom fut interloqué par la sévérité des charges – multiples accusations de viol et sodomie au second et troisième degré, ainsi que fraude fiscale et transport illégal de mineures à travers les frontières des états – et offensé par l'évident plaisir que les présentateurs télé prenaient à ce qu'ils appelaient « la chute spectaculaire du messie auto-promu », les « allégations choquantes » qui « réduisaient en pièces sa réputation de saint homme » et laissaient son « mouvement de jeunesse à l'ascension rapide en plein désarroi ». Ils passaient en boucle la même vidéo peu flatteuse d'un M. Gilchrest menotté et escorté au tribunal en pyjama de soie froissé, les cheveux aplatis d'un côté de la tête, comme s'il avait été tiré du lit. La bande passante en bas de l'écran affichait : SAINT WAYNE ? SAINT DES C... ! MENEUR DE CULTE DISGRACIÉ ARRÊTÉ POUR ABUS SEXUELS. RISQUE JUSQU'À 75 ANNÉES DE PRISON.

Ils étaient quatre à regarder – Tom et Christine, et les colocataires de Tom, Max et Luis. Tom ne connaissait bien aucun des deux – ils venaient juste d'être transférés de Chicago pour l'aider au Mouvement de l'Étreinte Réparatrice de San Francisco – mais d'après ce qu'il pouvait voir, leurs réactions aux nouvelles étaient parfaitement conformes à leurs caractères respectifs : Luis le sensible pleurait doucement, Max au sang chaud lançait des obscénités à l'adresse de l'écran, n'arrêtant pas de dire que M. Gilchrest s'était fait piéger. Pour sa part, Christine semblait curieusement peu contrariée, comme si tout se déroulait selon les plans. La seule chose qui la gênait était le pyjama de son mari.

— Je lui avais dit de ne pas porter celui-là, dit-elle. Il ressemble à Hugh Hefner avec.

Elle s'anima un peu plus quand le visage de fille de ferme d'Anna Ford apparut à l'écran. Anna était l'épouse spirituelle numéro six, et la seule non asiatique du tas. Elle avait disparu du Ranch à la fin août, pour réapparaître deux ou trois semaines plus tard sur le plateau de *60 Minutes*, où elle exposa au monde ce qu'elle décrivait comme le harem de jeunes filles mineures qui pourvoyaient aux moindres désirs de saint Wayne. Elle expliqua qu'elle avait quatorze ans lors de son mariage, qu'elle avait fugué, avait été abordée par deux gars sympathiques à la gare routière de Minneapolis qui lui avaient offert le gîte et le couvert, puis l'avaient transportée au Ranch Gilchrest dans le sud de l'Oregon. Elle avait dû faire bonne impression au Prophète dans la quarantaine puisque, trois jours après son arrivée, il lui passait la bague au doigt et la prenait dans son lit.

— Ce n'est pas un messie, déclara-t-elle, dans ce qui allait devenir l'extrait sonore de référence sur le scandale. C'est juste un gros dégueulasse.

— Et toi, Judas, répliqua Christine à l'adresse de la télévision. Judas au gros cul plein de graisse.

Ce n'était plus qu'un vaste champ de ruines, tout ce pour quoi Tom avait travaillé et en quoi il avait espéré ces deux dernières années et demie. Mais, curieusement, il ne se sentait pas aussi désespéré qu'il ne s'y était attendu. Il éprouvait aussi un net soulagement, de savoir que la chose que l'on avait redoutée était finalement arrivée, que l'on n'avait plus à vivre dans la peur. Bien sûr, il y avait tout un tas de nouveaux problèmes dont il fallait s'inquiéter, mais le temps viendrait de s'en occuper.

Il avait offert son lit à Christine, si bien qu'il resta seul dans le salon lorsque tout le monde alla se coucher. Avant d'éteindre la lampe, il sortit la photographie de sa Personne Spéciale – Verbecki tenant un cierge magique – et la contempla quelques secondes. Pour la première fois depuis très longtemps, il ne murmura pas le nom de son ancien ami, et ne récita pas sa prière du soir pour le retour des disparus. À quoi bon ? Il se sentait comme s'il venait d'émerger d'un sommeil bien trop long, et ne se souvenait plus du rêve qui l'y avait retenu.

Ils sont partis, pensa-t-il. *Je dois les laisser partir.*

Trois années plus tôt, lorsqu'il venait d'arriver à l'université, Tom ne différait en rien des autres – c'était un jeune Américain normal, un élève aux notes passables souhaitant se spécialiser en business, devenir membre d'une confrérie sympa, boire une tonne de bière et tomber autant de filles sexy que possible. La maison lui avait manqué les deux ou trois premiers jours, il éprouvait de la nostalgie pour les rues et les immeubles familiers de Mapleton, pour ses parents et sa sœur et tous ses anciens copains, éparpillés dans les établissements d'enseignement supérieur aux quatre coins du pays, mais il savait que cette tristesse était temporaire, et au fond, saine en quelque sorte. Cela l'agaçait quand il rencontrait d'autres premières années qui parlaient de leurs villes d'origine, et même parfois de leurs familles, avec un dédain nonchalant, comme s'ils avaient passé les premières dix-huit années de leur vie en prison et s'en étaient finalement échappés.

Le samedi après le début des cours, il se soûla et alla à un match de football américain avec toute une bande de son étage, le visage peint moitié orange moitié bleu. Tous les étudiants étaient concentrés dans une section du stade en dôme, rugissant et chantant comme un seul homme. C'était exaltant de se fondre dans la foule de cette façon, de sentir son identité se dissoudre dans un ensemble plus grand et plus puissant. Les Orange gagnèrent et, ce soir-là, à une fête organisée par une confrérie, il rencontra une jeune fille dont le visage était peint comme le sien, rentra avec elle et découvrit que la vie étudiante dépassait ses plus grands espoirs. Il gardait un souvenir vif de son sentiment alors qu'il retournait vers son dortoir au lever du soleil, ses chaussures délacées, ses chaussettes et son caleçon perdus dans le feu de l'action, le « tope là ! » spontané qu'il avait échangé avec un gars chancelant croisé sur le campus comme une image en miroir, le bruit de leurs paumes se répercutant en échos triomphants dans le silence de l'aube.

Un mois plus tard, tout était fini. Les cours furent annulés le 15 octobre ; on leur donna sept jours pour faire leurs bagages et évacuer le campus. Cette dernière semaine d'adieux lui restait en mémoire de manière floue – les dortoirs se vidant lentement, le son étouffé de quelqu'un pleurant derrière une porte fermée, les jurons assourdis que les gens prononçaient en remettant leurs téléphones portables dans leurs poches. Il y eut quelques fêtes désespérées, dont l'une se termina en bagarre indécente, et une cérémonie funéraire arrangée à la va-vite au Dôme, au cours de laquelle le Chancelier lut solennellement les noms des membres de l'université, victimes de ce que l'on commençait tout juste à appeler la Soudaine Disparition. La liste incluait le prof de psychologie de Tom ainsi qu'une fille de son cours d'anglais, morte d'une overdose de médicaments après avoir appris la disparition de sa sœur jumelle.

Il n'avait rien fait de mal. Pourtant, il se souvenait d'avoir éprouvé un curieux sentiment de honte – d'échec personnel – dans le fait de retourner chez lui si tôt après en être parti, presque comme s'il avait abandonné ses études ou s'était fait exclure pour raisons disciplinaires. Mais il ressentait aussi un certain réconfort dans le fait de retrouver sa famille, tous sains et saufs, même si sa sœur l'avait apparemment échappé belle. Tom lui posa une ou deux fois des questions à propos de Jen Sussman, mais elle refusait d'en parler, soit parce que c'était trop dérangeant – c'était la théorie de sa mère – soit parce qu'elle en avait juste assez de toute cette affaire.

— Qu'est-ce que tu veux que je te dise ? lui rétorqua-t-elle vivement. Elle s'est juste volatilisée, putain. OK ?

Ils restèrent chez eux pendant deux ou trois semaines, seuls tous les quatre, à regarder des DVD et à jouer à des jeux de société, n'importe quoi pour les distraire de la répétitivité hystérique des infos – le rappel obsessionnel des mêmes faits, le nombre toujours croissant des disparus, les interviews innombrables de témoins traumatisés, qui disaient des choses du genre *Il était debout juste à côté de moi...*, ou *Je me suis juste retourné le temps d'une seconde...*, avant que leurs voix ne se perdent peu à peu en petits gloussements gênés. La couverture médiatique était différente de celle du 11 Septembre, lorsque les chaînes avaient montré en boucle les tours en feu. Le 14 Octobre était plus insaisissable, plus difficile à cerner : il y avait eu des carambolages massifs sur les autoroutes, des accidents de train, de nombreux crashs de petits avions et d'hélicoptères – heureusement, aucun gros avion de ligne ne s'était écrasé aux États-Unis, bien que de nombreuses équipes de pilotage terrifiées aient dû opérer des atterrissages d'urgence, l'un d'eux ayant dû être effectué par un agent de bord, hissé au statut éphémère de héros populaire, unique point lumineux dans un océan de pénombre – mais les médias ne purent jamais s'en tenir à une seule image visuelle pour évoquer la catastrophe. Il n'y avait pas non plus de mauvais types à haïr sur qui se concentrer.

Selon les goûts, on pouvait écouter des experts débattre de la validité d'explications religieuses et scientifiques conflictuelles, pour ce qui était considéré par les uns comme un miracle et par les autres comme une tragédie, ou bien regarder une série infinie de montages vaporeux louant la vie des célébrités disparues – John Mellencamp et Jennifer Lopez, Shaq et Adam Sandler, Miss Texas et Greta Van Susteren, Vladimir Poutine et le pape. Il existait tant de niveaux différents de célébrité, et ils ne cessaient de se voir mélangés – le *nerd* des publicités pour la compagnie téléphonique Verizon et le juge de la Cour suprême à la retraite, le tyran d'Amérique latine et l'arrière de football américain qui n'avait jamais atteint son potentiel, le consultant politique plein d'esprit et cette fille qui s'était fait débarquer de l'émission *The Bachelor*. Selon la chaîne culinaire, le petit monde des chefs superstars avait été frappé de manière tout à fait disproportionnée.

Cela ne dérangea pas Tom de se retrouver chez lui dans un premier temps. Il paraissait normal, dans une telle période, que les gens choisissent de rester auprès de leurs êtres chers. L'air était chargé d'une tension presque insupportable, un état d'attente angoissée, même si personne ne semblait savoir si ce qu'ils attendaient était une explication logique ou une seconde vague de disparitions. C'était comme si le monde entier s'était arrêté pour prendre une grande respiration et s'armer de courage en vue de ce qui allait se passer par la suite.

RIEN NE SE PASSA.

Tandis que les semaines s'écoulaient au ralenti, le sentiment de crise immédiate commença à se dissiper. Les gens se lassèrent de rester cloîtrés chez eux, à mariner dans le jus d'une lugubre spéculation. Tom se mit à sortir après dîner, rejoignant un groupe d'amis du lycée à la Canteen, un bar de nuit dans le quartier de Stonewood Heights où l'on ne se montrait pas particulièrement empressé à repérer les fausses cartes d'identité. Chaque soir, c'était comme une combinaison de week-end de retrouvailles et de veillée funèbre irlandaise, toutes sortes de personnes improbables se mêlant, payant des tournées et échangeant des histoires à propos de leurs amis et connaissances disparues. Trois membres de la classe de terminale de Tom faisaient partie des disparus, sans parler de M. Ed Hackney, le principal adjoint haï de tous, et un gardien que tout le monde appelait Marbles.

Presque chaque fois que Tom mettait les pieds à la Canteen, une nouvelle pièce se voyait ajoutée à la mosaïque des disparus, habituellement sous la forme de quelque personne obscure à laquelle il n'avait pas pensé depuis des années : la bonne jamaïcaine de Dave Keegan, Yvonne ; M. Boundy, un professeur remplaçant au collège, dont la mauvaise haleine était légendaire ; Giuseppe, l'Italien fou propriétaire de la pizzeria Mario's Pizza Plus, avant d'être remplacé par le maussade Albanais. Un soir du début décembre, Matt Testa les rejoignit alors que Tom jouait aux fléchettes avec Paul Erdmann.

— Hé, dit-il de cette voix sombre que les gens prenaient quand ils parlaient du 14 Octobre. Vous vous souvenez de Jon Verbecki ?

Tom lança sa fléchette un peu plus fort qu'il ne l'aurait voulu. Elle vola en un large arc de cercle, manquant presque complètement la cible.

— Qu'est-ce qu'il y a à propos de Jon Verbecki ?

Testa haussa les épaules d'une façon qui rendait sa réponse inutile.

— Parti.

Paul s'avança jusqu'à la marque de scotch au sol. Clignant de l'œil comme un joaillier, il lança sa fléchette bien droit au milieu de la cible, juste deux ou trois centimètres au-dessus et un peu à gauche du centre.

— Qui est parti ?

— C'était avant ton époque, expliqua Testa. Verbecki a déménagé l'été avant la sixième. Dans le New Hampshire.

— Je le connaissais depuis la maternelle, dit Tom. On jouait des fois ensemble. Je crois qu'on est allés au parc d'attractions un jour. C'était un chic môme.

Matt hocha la tête avec respect.

— Son cousin est ami avec mon cousin. C'est comme ça que je l'ai su.

— Il se trouvait où ? demanda Tom.

C'était la question rituelle. La chose semblait importante, même s'il était difficile de dire pourquoi. L'endroit où se trouvait la personne lorsque c'était arrivé paraissait toujours à Tom à la fois sinistre et poignant.

— Dans une salle de sports. Sur un des vélos elliptiques.

— Merde.

Tom secoua la tête, s'imaginant une machine soudain vide, les poignées et les pédales bougeant toujours comme de leur propre accord, ultime déclaration de Verbecki.

— C'est difficile de l'imaginer dans une salle de sport.

— Je sais. (Testa fronça les sourcils, comme si quelque chose ne collait pas.) C'était le genre mauviette, non ?

— Pas vraiment, dit Tom. Je crois qu'il était juste un peu sensible, ou quelque chose comme ça. Sa mère était obligée de couper les étiquettes de ses vêtements pour qu'elles ne le rendent pas fou. Je me souviens, à la maternelle, il enlevait tout le temps son T-shirt parce qu'il prétendait que ça le grattait trop. Les profs lui disaient que ça ne se faisait pas, mais il s'en foutait.

— C'est ça, dit Testa avec un sourire. (Tout lui revenait.). J'ai dormi chez lui un soir. Il se couchait avec toutes les lumières allumées et avec cette chanson des Beatles qui passait en boucle. « Paperback Writer », ou un truc de ce genre.

— « Julia », dit Tom. C'était sa chanson magique.

— Sa quoi ?

Paul lança sa dernière fléchette. Elle atterrit dans un grand bruit sourd, juste en dessous du centre.

— C'est comme ça qu'il l'appelait, expliqua Tom. Si « Julia » ne passait pas, il ne pouvait pas s'endormir.

— Ouais... (Testa n'appréciait pas le fait d'avoir été interrompu.) Il a essayé de dormir chez moi plein de fois, mais ça n'a jamais marché. Il déroulait son sac de couchage, se mettait en pyjama, se brossait les dents, tout le tralala. Mais à ce moment-là, juste quand on allait se coucher, il flippait. Sa lèvre inférieure se mettait à trembler et il disait : « Hé, te fâche pas, mais faut que j'appelle ma mère. »

Paul regarda par-dessus son épaule tout en retirant ses fléchettes de la cible.

— Pourquoi est-ce qu'ils ont déménagé ?

— J'en ai pas la moindre idée, répondit Testa. Son père a sans doute eu un nouveau boulot ou quelque chose comme ça. C'était il y a un bail. Tu sais comment c'est – tu promets de rester en contact, tu le fais un temps, et puis tu revois jamais plus le gars. Il se retourna vers Tom. Tu te souviens à quoi il ressemblait ?

— Plus ou moins. (Tom ferma les yeux, essayant de revoir Verbecki.) Plutôt grassouillet, cheveux blonds avec une frange. De très grandes dents.

Paul rit.

— De grandes dents ?

— De castor, expliqua Tom. Il a probablement eu des bagues juste après avoir déménagé.

Testa leva sa bouteille de bière.

— À Verbecki, dit-il.

Tom et Paul firent tinter leurs bouteilles contre la sienne.

— À Verbecki, répétèrent-ils.

C'est de cette façon qu'ils procédaient. On évoquait la personne, on portait un toast, et puis on passait à autre chose. Trop de gens avaient disparu pour se permettre de se focaliser sur un seul individu.

Pour une raison ou une autre, cependant, Tom ne put chasser Verbecki de son esprit. Quand il rentra ce soir-là, il alla dans le grenier et fouilla dans plusieurs cartons de vieilles photos, tirages aux couleurs passées qui dataient du temps où ses parents ne possédaient pas encore d'appareil numérique, à l'époque où ils devaient envoyer la pellicule par la poste à un laboratoire pour la faire développer. Sa mère le suppliait depuis des années de s'occuper de scanner les photos, mais il n'avait jamais trouvé le temps de le faire.

Verbecki apparaissait sur nombre d'entre elles. Là, il était à une fête de l'école, tenant un œuf en équilibre sur une petite cuillère. Sur une autre, à Halloween, on le voyait déguisé en homard au milieu de superhéros, l'air assez peu réjoui. Petits, Tom et lui avaient été coéquipiers de base-ball ; on les voyait assis sous un arbre, arborant un sourire si large que l'on avait l'impression que c'était à qui l'emporterait, coiffés de la même casquette rouge et vêtu d'un short qui portait l'inscription SHARKS. Il était plus ou moins comme Tom se le rappelait – blond aux grandes dents, en tout cas, bien que moins grassouillet que dans son souvenir.

Une photo lui fit une impression spéciale. C'était un gros plan, pris de nuit, quand ils avaient six ou sept ans. Cela devait être autour du 4 Juillet, parce que Verbecki tenait un cierge magique allumé à la main, couronne de feu surexposée qui ressemblait presque à de la barbe à papa. L'occasion aurait pu sembler festive, si ce n'était l'air effrayé dont il fixait l'objectif, comme s'il songeait que ce n'était pas une très bonne idée, de tenir si près du visage un bâton de métal enflammé.

71

Tom n'était pas sûr de savoir pourquoi il trouvait cette photo si fascinante, mais il décida de ne pas la remettre dans le carton avec les autres. Il l'emporta en bas et passa un long moment à l'étudier avant de s'endormir. C'était presque comme si Verbecki lui envoyait un message secret depuis le passé, formulant une question à laquelle seul Tom pouvait répondre.

Ce fut à peu près à ce moment-là que Tom reçut une lettre de l'université l'informant que les cours reprendraient le 1er février. La présence, insistait la lettre, n'était pas obligatoire. Tout étudiant désirant ne pas suivre ce « Semestre spécial de Printemps » pouvait en décider sans encourir aucune pénalité, financière ou académique.

« Notre but, expliquait le Chancelier, est de continuer à opérer sur une plus petite échelle durant cette période d'incertitude générale, d'accomplir notre mission vitale d'enseignement et de recherche sans exercer de pression indue sur les membres de la communauté qui ne se sentent pas prêts à revenir pour l'instant. »

Cette annonce ne surprit pas Tom. Plusieurs de ses amis avaient reçu des notifications similaires de leurs universités ces derniers jours. C'était une des mesures participant de l'effort national pour « Relancer l'Amérique » décrété par le Président deux ou trois semaines plus tôt. L'économie s'était effondrée après le 14 Octobre, la bourse plongeant et la consommation chutant dans les abîmes. Les experts inquiets prédisaient « un écroulement de l'économie par une réaction en chaîne » si des mesures n'étaient pas prises pour stopper la spirale.

« Cela fait presque deux mois que nous avons été victimes d'un coup terrible et inattendu, dit le Président dans son adresse télévisée à la nation. Notre choc et notre peine, bien qu'énormes, ne peuvent plus servir d'excuse au pessimisme et à la paralysie.

Nous devons rouvrir nos écoles, retourner au bureau, dans les usines et les fermes, et entamer le processus consistant à reprendre le cours de nos existences. Ce sera difficile et long, mais nous devons nous y mettre aujourd'hui. Chacun d'entre nous a le devoir de se relever et de participer à la relance du pays. »

Tom souhaitait participer à cet effort, mais il ne savait honnêtement pas s'il était prêt à retourner à la fac. Il posa la question à ses parents, mais leur opinion divergente ne faisait que refléter sa propre indécision. Sa mère pensait qu'il devrait rester à la maison, peut-être suivre quelques cours à l'université du coin, puis retourner à Syracuse en septembre, quand tout serait, on pouvait l'espérer, beaucoup plus clair.

— On ne sait toujours pas ce qui se passe, lui dit-elle. Je serais bien plus rassurée si tu restais ici avec nous.

— Tu devrais retourner à la fac, rétorqua son père. À quoi bon rester ici à ne rien faire ?

— C'est dangereux, insista sa mère. Et si quelque chose arrive ?

— Ne sois pas ridicule. Ce n'est ni plus ni moins dangereux qu'ici.

— Et c'est censé me rassurer ? demanda-t-elle.

— Écoute, dit son père. Tout ce que je sais c'est que s'il reste ici, il va juste continuer à sortir et se soûler avec ses copains tous les soirs. (Il se retourna vers Tom.) Je me trompe ?

Tom haussa les épaules en signe d'irrésolution. Il avait conscience qu'il buvait beaucoup trop et commençait à se demander s'il n'allait pas avoir besoin d'une aide médicale. Mais il lui était impossible de parler de ses problèmes de boisson sans évoquer Verbecki, et c'était un sujet dont il n'avait vraiment pas envie de parler à qui que ce soit.

— Tu crois qu'il va moins boire à l'université ? demanda sa mère.

Tom trouvait à la fois troublant et curieux d'écouter ses parents parler de lui à la troisième personne, comme s'il n'était pas là.

— Il sera bien obligé, répondit son père. Il ne pourra pas se soûler tous les soirs et faire son travail.

Sa mère commença à répliquer, puis décida que cela n'en valait pas la peine. Elle se tourna vers Tom, soutenant son regard quelques secondes, appel silencieux à la seconder.

— Qu'est-ce que tu veux faire ?

— J'en sais rien, répondit-il. Je ne sais pas très bien quoi penser.

Finalement, sa décision fut moins influencée par ses parents que par ses amis. L'un après l'autre dans les jours qui suivirent lui dirent qu'ils allaient retourner dans leurs universités respectives pour le deuxième semestre – Paul à Florida International University, Matt à Gettysburg, Jason à l'Université du Delaware. Sans ses copains, l'idée de rester à la maison perdait beaucoup de son attrait.

Sa mère réagit stoïquement lorsqu'il l'informa de sa résolution. Son père lui donna une tape sur l'épaule en signe de félicitations.

— Tout va bien se passer, dit-il.

Le trajet pour Syracuse lui sembla beaucoup plus long en janvier qu'il ne lui avait paru en septembre, et pas seulement à cause des bourrasques de neige intermittentes qui soufflaient sur l'autoroute en rafales tourbillonnantes, transformant les autres véhicules en ombres fantomatiques. L'humeur dans la voiture était oppressante. Tom n'avait pas grand-chose à dire et ses parents s'adressaient à peine la parole. C'était ainsi depuis son retour à la maison – sa mère était sombre et renfermée, broyant du noir à propos de Jen Sussman et de ce qui était arrivé ; son père, impatient, farouchement gai, insistant un peu trop pour déclarer que le pire était derrière eux et qu'ils devaient simplement reprendre le cours normal de leur vie. Rien que pour cette raison, pensait Tom, s'éloigner d'eux serait un soulagement.

Ses parents ne restèrent pas longtemps après l'avoir déposé. Une grosse tempête était annoncée, et ils voulaient reprendre la route avant qu'elle ne se déclenche. Sa mère lui tendit une enveloppe avant de quitter le dortoir.

— C'est un billet de car. (Elle l'étreignit avec une fermeté presque inquiétante.) Juste au cas où tu changerais d'avis.

— Je t'aime, murmura-t-il.

Son père lui fit des adieux rapides, presque indifférents, comme s'ils devaient se revoir dans un jour ou deux.

— Amuse-toi bien, dit-il. On ne commence ses études qu'une seule fois dans la vie.

Au cours de ce semestre spécial de printemps, Tom devint membre de la confrérie Alpha Tau Omega. Il le voulait depuis si longtemps – dans son esprit, faire partie d'une confrérie était synonyme d'une existence étudiante – que le processus était déjà largement entamé lorsqu'il s'aperçut que cela n'avait plus la moindre importance. Quand il essayait de se projeter dans l'avenir et d'imaginer la vie qui l'attendait à Alpha Tau Omega – la grande demeure sur Walnut Place, les soirées déjantées et les farces idiotes, les séances de conversations nocturnes avec des Frères, futurs amis et alliés pour la vie – tout cela lui apparaissait flou et irréel, comme les images d'un film qu'il aurait vu dans un passé lointain et dont il ne pouvait plus se rappeler l'intrigue.

Il aurait pu renoncer, évidemment, peut-être retenter sa chance à l'automne quand il se serait senti mieux, mais il décida de tenir bon. Il se persuada qu'il ne voulait pas abandonner Tyler Rucci, son voisin d'étage et son nouveau Frère, mais au fond de lui-même il savait que l'enjeu était bien plus important. Il avait plus ou moins cessé d'aller en cours vers la fin du mois de février – il n'arrivait pas à se concentrer sur son travail universitaire – si bien que le processus d'intégration à une confrérie était tout ce qui lui restait, son seul lien réel à une existence normale d'étudiant. Sans cela, il serait devenu l'une de ces âmes perdues que l'on voyait partout sur le campus cet hiver-là, de jeunes gens pâles, à l'allure de vampires, qui dormaient toute la journée et erraient entre le dortoir et le centre de la vie étudiante sur Marshall Street le soir, vérifiant constamment leurs téléphones pour voir s'ils n'avaient pas reçu un message qui semblait ne jamais devoir venir.

L'autre avantage pour lui était que cela lui fournissait matière à conversation avec ses parents qui lui téléphonaient presque tous les jours pour s'assurer qu'il allait bien. Tom ne savait pas particulièrement bien mentir, si bien que pouvoir dire : « On a fait une chasse au trésor » ou bien : « On a dû préparer le petit déjeuner pour les Grands Frères et le leur servir au lit en tabliers à fleurs » et disposer d'un tas de détails pour alimenter ces récits l'aidait beaucoup. C'était autrement plus compliqué quand sa mère le pressait de questions sur son travail et qu'il était obligé d'improviser sur les devoirs et les examens, ou la terrible série de problèmes qu'il avait eu à résoudre en statistique.

— Tu as eu quelle note à ce devoir ? lui demanda-t-elle.

— Quel devoir ?

— En sciences politiques. Celui dont on a parlé.

— Ah, celui-là. Encore un B+.

— Alors il a aimé ton argumentation ?

— Il a pas vraiment dit.

— Tu pourrais me l'envoyer par e-mail. J'aimerais bien le lire.

— T'as pas besoin de le lire, maman.

— Mais j'aimerais bien. (Elle marqua une pause.) Tu es sûr que tout va bien ?

— Oui, tout va bien.

Tom insistait toujours pour dire que tout allait bien – il était occupé, se faisait des amis, essayait de maintenir une moyenne solide. Même quand il parlait de la confrérie, il veillait à souligner les aspects positifs, se concentrant sur des activités telles que les groupes d'étude en semaine et la nuit de concours de karaoké intra-confréries, tout en évitant soigneusement de mentionner Chip Gleason, le seul membre d'Alpha Tau Omega disparu le 14 Octobre.

Chip hantait lourdement la maison de la confrérie. Un portrait encadré de lui trônait dans la salle principale de réception et une bourse avait été créée à sa mémoire. On avait exigé des nouveaux membres de retenir tout un tas d'informations personnelles le concernant : sa date de naissance, les noms des membres de sa famille, ses dix films et groupes de musique préférés, ainsi que la liste complète de toutes les filles qu'il avait eues dans son existence tristement abrégée. C'était la partie difficile – il y avait trente-sept petites amies en tout, en commençant par Tina Wong qu'il avait connue au collège et en terminant par Stacy Greenglass, la membre plantureuse d'Alpha Chi qui se trouvait au lit avec lui le 14 Octobre – le montant dans la position du cheval renversé, si l'on en croyait la légende –, et qui avait dû être hospitalisée pendant plusieurs jours en raison du sévère traumatisme psychologique causé par le départ soudain de Chip en milieu de coït. Certains frères racontaient cette histoire comme s'il s'agissait d'une anecdote amusante, hommage au charme sexuel de leur ami cher, mais Tom pouvait uniquement penser à l'horreur que cela devait être pour Stacy, le genre de chocs dont il était impossible de se remettre.

Pourtant, à l'occasion d'une soirée organisée par la sororité Tri Delta, Tyler Rucci lui désigna une jeune fille sexy sur la piste de danse en train de se déhancher en face d'un joueur de l'équipe de lacrosse. Elle était bronzée et vêtue d'une robe incroyablement moulante, se penchant en avant tout en bougeant le bassin en cercles lents contre l'entrejambe de son partenaire.

— Tu sais qui c'est ?

— Non.

— Stacy Greenglass.

Tom la regarda danser un long moment – elle avait l'air heureuse à se passer les mains sur les seins puis à les descendre le long de ses hanches et cuisses, tout en faisant des moues de star de porno pour ses amis. Il essayait de se figurer ce qu'elle savait et qu'il ne comprenait pas. Il pouvait admettre que Chip ne représentait pas grand-chose à ses yeux. Peut-être qu'il avait juste été le coup d'un soir, ou un simple ami avec quelques avantages supplémentaires. Mais tout de même, c'était une vraie personne, quelqu'un qui avait joué un rôle réel et relativement important dans sa vie. Pourtant, elle se trouvait là, quelques mois seulement après sa disparition, dansant à une fête comme s'il n'avait jamais existé.

Ce n'était pas que Tom désapprouvait. Loin de là. Il n'arrivait simplement pas à comprendre comment Stacy pouvait se remettre de la perte de Chip quand lui restait hanté par Verbecki, un gamin qu'il n'avait pas vu depuis des années et n'aurait probablement pas reconnu s'ils s'étaient croisés le 13 Octobre.

Mais c'était ainsi. Il pensait sans cesse à Verbecki. Pour tout dire, son obsession s'était aggravée depuis son retour à l'université. Il portait cette stupide photo – Le Gamin au Cierge Magique – partout où il allait et la regardait une dizaine de fois par jour, prononçant en litanie le nom de son ancien ami dans sa tête comme si c'était une sorte de mantra : *Verbecki, Ver-*

becki, Verbecki. C'était la raison pour laquelle il n'allait plus en cours, la raison pour laquelle il mentait à ses parents, la raison pour laquelle il ne se peignait plus le visage en bleu et orange et qu'il ne hurlait plus à en perdre la voix au Dôme, la raison pour laquelle il lui était désormais impossible d'imaginer son propre avenir.

Où es-tu passé, Verbecki, nom de Dieu ?

Une grande partie du processus pour devenir membre d'une confrérie consistait à se lier avec les Grands Frères pour les convaincre que l'on convenait bien à Alpha Tau Omega. Il y avait des soirées poker, des déjeuners pizzas et des beuveries organisées – autant d'événements sociaux qui dissimulaient en fait une série d'entretiens. Tom pensait réussir assez bien à cacher son obsession, jouant le rôle d'un étudiant de première année normal et bien adapté – ce qu'il aurait dû être –, lorsqu'un soir, Trevor Hubbard, alias Hubbs, étudiant de troisième année qui passait pour l'intellectuel bohème de la confrérie, l'aborda dans la pièce télé. Appuyé contre un mur, Tom faisait semblant de s'intéresser à une partie de bowling Wii que se disputaient deux Frères, quand Hubbs apparut soudain à ses côtés.

— C'est lamentable, dit-il d'une voix basse, hochant la tête en direction du grand écran Sony sur lequel une balle virtuelle venait d'abattre des quilles tout aussi virtuelles, à la suite de quoi Josh Freidecker brandit en signe de célébration ses deux majeurs à l'adresse de Mike Ishima.

« Toute cette connerie de confrérie. Je ne comprends pas comment on peut le supporter.

Tom marmonna une réponse ambiguë, se demandant s'il s'agissait d'un stratagème destiné à le piéger en flagrant délit de déloyauté. Hubbs n'avait pourtant pas l'air du type à jouer ce genre de jeu.

— Viens, dit-il. Je voudrais te parler de quelque chose.

Tom le suivit dans le couloir vide. C'était un soir de semaine, il était encore tôt, pas grand-chose ne se passait dans la maison.

— Ça va ? lui demanda Hubbs.

— Moi ? Ça va, dit Tom.

Hubbs le toisa d'un air à la fois amusé et sceptique. C'était un petit gars au physique maigre – un féru d'escalade – arborant une barbe en bataille et une expression revêche, un mode par défaut plutôt que le reflet de son humeur réelle.

— Tu n'es pas déprimé ?

— Je sais pas. (Tom haussa les épaules d'un air évasif.) Un peu, peut-être.

— Et tu veux vraiment devenir membre de cette confrérie, vivre ici avec tous ces minables ?

— Je crois. Enfin, je pensais que j'en avais envie. C'est juste qu'en ce moment c'est compliqué. J'ai du mal à savoir ce que je veux.

— Je comprends. (Hubbs hocha la tête en signe d'empathie.) Avant, j'étais plutôt heureux ici. La plupart des Frères sont assez cools. (Il regarda alentour, puis baissa la voix, murmurant presque.) Le seul que j'aimais pas, c'était Chip. C'était le plus gros con de tous.

Tom opina avec circonspection, essayant de ne pas trop montrer sa surprise. Il n'avait jamais entendu personne dire autre chose que du bien de Chip Gleason – un type super, excellent sportif, des abdos en béton, un homme à femmes, un leader né.

— Il avait une caméra cachée dans sa chambre, lui dit Hubbs. Il filmait les filles qu'il baisait et puis il passait les vidéos dans la pièce télé. Une fille s'est sentie tellement humiliée qu'elle a quitté la fac. Ce bon vieux Chip s'en foutait. En ce qui le concernait, c'était juste une pute stupide qui n'avait que ce qu'elle méritait.

— Ça craint.

Tom fut tenté de demander le nom de la fille – il devait faire partie de ceux qu'il avait mémorisés – mais décida de laisser passer.

Hubbs leva les yeux au plafond quelques secondes. La lumière rouge d'un détecteur de fumée y clignotait.

— Enfin, bref, Chip était un connard. Je devrais me réjouir qu'il ait disparu, tu sais ?

Hubbs fixa Tom. Il avait les yeux écarquillés, le regard rempli d'effroi et d'un désespoir que Tom n'eut pas de difficulté à reconnaître, puisqu'il le voyait tous les jours dans le miroir de la salle de bains.

— Mais je rêve de cet enfoiré toutes les nuits. Je passe mon temps à essayer de le retrouver. Je cours dans un labyrinthe, je hurle son nom, ou bien je marche sur la pointe des pieds dans une forêt, et je regarde derrière chaque arbre. C'en est au point que je ne veux même plus dormir. Parfois, je lui écris des lettres, tu sais, juste pour lui raconter ce qui se passe ici. Le week-end dernier, j'étais tellement défoncé, que j'ai essayé de me faire tatouer son nom sur le front. Le gars des tatouages a refusé de le faire – c'est la seule raison pour laquelle je ne me balade pas avec Putain de Chip Gleason écrit sur le visage.

Hubbs regarda Tom d'un air presque suppliant.

— Tu vois de quoi je parle, non ?

Tom hocha la tête.

— Oui, je vois.

Le visage de Hubbs se détendit un peu.

— Il y a ce gars dont j'ai découvert l'existence sur le Web. Il parle dans une église de Rochester samedi après-midi. Je crois qu'il pourrait nous aider.

— C'est un pasteur ?

— Juste un type. Il a perdu son fils en octobre.

Tom émit un murmure d'empathie, mais qui ne signifiait rien. Juste une manière de se montrer poli.

— On devrait y aller, dit Hubbs.

L'invitation flatta Tom, tout en l'effrayant un peu. Il avait l'impression que Hubbs était un peu déséquilibré.

— Je sais pas, répondit-il. Samedi, c'est le concours du « plus gros mangeur de hot-dogs ». Les nouveaux membres sont censés faire la cuisine.

Hubbs regarda Tom d'un air ébahi.

— Un concours du « plus gros mangeur de hot-dogs » ? Tu te fous de ma gueule ?

Tom s'étonnait encore des humbles circonstances qui avaient entouré sa première rencontre avec M. Gilchrest. Plus tard, il verrait l'homme s'adresser à des foules en adoration, mais ce samedi de mars glacial, il n'y avait pas plus de vingt personnes réunies dans le sous-sol d'une église surchauffée, aux pieds desquelles de petites flaques de neige fondue s'étendaient sur le revêtement en lino. Avec le temps, le mouvement de saint Wayne allait se voir associé en premier lieu aux jeunes, mais cet après-midi-là, le public était pour l'essentiel composé d'individus dans la quarantaine ou plus. Tom ne se sentait pas à sa place parmi eux, comme si Hubbs et lui avaient débarqué par erreur dans un séminaire consacré à planifier sa retraite.

Évidemment, l'homme qu'ils étaient venus voir n'était pas encore célèbre. Il n'était alors, comme Hubbs l'avait dit, qu'un simple « type », un père endeuillé qui parlait à qui voulait bien l'écouter et le recevoir – non seulement dans des lieux de culte, mais aussi dans des centres pour personnes âgées, des associations d'anciens combattants et chez des particuliers. L'hôte de l'événement lui-même – un homme plutôt jeune, grand et légèrement voûté qui se présenta comme le révérend Kaminsky – semblait ne pas très bien savoir qui était M. Gilchrest et ce qu'il faisait là.

— Bonjour, et bienvenue à la quatrième séance de notre cycle de conférences du samedi, « La Soudaine Disparition d'un Point de Vue chrétien ». Notre invité aujourd'hui, Wayne Gilchrest, vient de la ville voisine de Brookdale, hautement recommandé par mon estimé collègue, Dr Finch.

Le révérend marqua une pause, au cas où quelqu'un aurait voulu applaudir au nom de son estimé collègue.

— Quand j'ai demandé à M. Gilchrest de me donner un titre pour sa conférence afin de pouvoir l'annoncer sur notre site, il m'a répondu qu'il n'avait pas fini d'y travailler. C'est pourquoi je suis aussi curieux que vous tous aujourd'hui d'entendre ce qu'il a à nous dire.

Ceux qui ne devaient connaître M. Gilchrest que plus tard, sous les traits du leader charismatique, n'auraient pas reconnu l'homme qui se leva de sa chaise au premier rang et se tourna vers la maigre audience. Le costume du futur saint Wayne allait consister en un jean et un T-shirt, agrémenté de bracelets de cuir cloutés – un journaliste le baptiserait « le Bruce Springsteen meneur de culte » –, mais à l'époque, il préférait une tenue plus formelle et ce jour-là il portait un costume d'enterrement peu seyant qu'il semblait avoir emprunté à quelqu'un de plus petit et de moins corpulent que lui. Il avait l'air trop serré au niveau de la poitrine et des épaules.

— Merci, révérend. Et merci à vous tous d'être venus.

M. Gilchrest parlait d'un ton bourru qui lui conférait une autorité toute masculine. Plus tard, Tom apprendrait qu'il était chauffeur d'un camion de livraison UPS, mais s'il avait dû deviner cet après-midi-là, il l'aurait pris pour un officier de police ou un entraîneur de football américain. M. Gilchrest jeta un regard à son hôte, avec une fausse moue d'excuse.

— Je n'étais pas au courant que je devais m'exprimer d'un point de vue chrétien. Je ne suis vraiment pas sûr de savoir quel est mon point de vue.

Il commença par distribuer un prospectus, l'une de ces fiches de personne disparue que l'on vit fleurir partout après le 14 Octobre, sur les poteaux téléphoniques et les panneaux d'affichage dans les supermarchés. Celle-ci consistait en une photographie en couleur d'un gamin maigrelet, debout sur un plongeoir, transi de froid. Sous ses bras croisés, ses côtes étaient clairement visibles ; ses jambes en bâton d'allumettes sortaient d'un caleçon de bain bouffant qui semblait de taille adulte. Il souriait, mais son regard trahissait l'inquiétude ; on avait le sentiment que la perspective de plonger dans l'eau sombre ne le réjouissait pas. AVEZ-VOUS VU CE GARÇON ? La légende l'identifiait comme Henry Gilchrest, huit ans. Elle incluait une adresse et un numéro de téléphone et implorait quiconque aurait pu apercevoir un enfant ressemblant à Henry de contacter ses parents de toute urgence. SVP !!! NOUS CHERCHONS DÉSESPÉRÉMENT À SAVOIR OÙ IL SE TROUVE.

— C'est mon fils. M. Gilchrest fixa l'affichette avec tendresse, presque comme s'il avait oublié où il se trouvait. Je pourrais passer tout l'après-midi à vous parler de lui, mais cela n'aiderait pas vraiment. Vous n'avez jamais senti l'odeur de ses cheveux juste après un bain, vous ne l'avez pas porté dans vos bras après qu'il s'est endormi dans la voiture sur le chemin du retour, vous n'avez pas non plus entendu son rire quand on le chatouillait. Il faudra donc que vous me croyiez sur parole : c'était un gamin formidable qui vous faisait aimer la vie.

Tom lança un regard à Hubbs, curieux de savoir si c'était pour cela qu'ils étaient venus : entendre les réminiscences d'un col bleu à propos de son fils disparu. Hubbs se contenta de hausser les épaules et se retourna vers M. Gilchrest.

— On ne peut pas vraiment le voir sur la photo, mais Henry était un peu petit pour son âge. C'était, cela dit, un bon athlète. Très rapide. Il avait aussi de bons réflexes et une bonne coordination. Le foot et le base-ball étaient ses sports de prédilection. J'ai essayé de l'intéresser au basket, mais il n'a pas aimé, peut-être à cause de sa taille. Nous l'avons emmené skier deux ou trois fois, mais il n'a pas beaucoup apprécié non plus. Nous n'avons pas vraiment insisté. Nous nous disions qu'il nous ferait savoir quand il serait prêt à essayer de nouveau. Vous comprenez ? Nous pensions avoir tout le temps devant nous.

En classe, Tom était incapable de rester assis tranquillement. Au bout de quelques minutes, les paroles des professeurs se transformaient en un bourdonnement incompréhensible, un fleuve boueux de phrases prétentieuses. Il se mettait à s'agiter et n'arrivait plus du tout à se concentrer, développant soudain une conscience aiguë et irrépressible de sa personne physique – ses jambes ne tenaient plus en place, il avait la bouche sèche, ses organes digestifs grommelaient. Quelle que soit la position qu'il adoptait sur sa chaise, elle lui paraissait toujours incommode et inconfortable. Curieusement, M. Gilchrest lui faisait l'effet inverse. Tom se sentait calme et lucide tandis qu'il l'écoutait, presque privé de corps. Alors qu'il se calait au fond de son siège, lui apparut une vision déconcertante du concours du « plus gros mangeur de hot-dogs » qu'il avait délaissé, de gros types enfournant des saucisses et du pain, les joues gonflées, le regard empli de terreur et de dégoût.

— Henry était intelligent, aussi, continua M. Gilchrest, et je ne dis pas juste ça comme ça. Je suis assez bon aux échecs et je peux vous assurer qu'il faisait un adversaire assez redoutable dès l'âge de sept ans. Vous auriez dû voir son expression quand il jouait. Il devenait vraiment sérieux, on pouvait presque voir ses méninges s'activer. Parfois je jouais des coups stupides pour qu'il reste dans la partie, mais ça l'énervait. Il me disait, *Allez papa. Tu as fait ça exprès*. Il ne voulait pas qu'on le traite avec condescendance, mais il n'aimait pas non plus perdre.

Tom sourit au souvenir de sa propre enfance, marquée par une dynamique père-fils assez semblable, mélange étrange de compétition et d'encouragement, d'admiration et de ressentiment. Il éprouva une pointe de tendresse, mais le sentiment s'émoussa aussitôt, comme si son père était un vieil ami perdu de vue.

M. Gilchrest examina de nouveau l'affichette. Lorsqu'il releva les yeux, son visage paraissait nu, sans aucune défense. Il prit une grande inspiration, comme s'il s'apprêtait à plonger la tête sous l'eau.

— Je ne m'étendrai pas sur la période qui a suivi sa disparition. À vrai dire, je me souviens à peine de ces jours-là. Ce qui est une bénédiction, je pense, comme les gens qui souffrent d'amnésie après un accident de voiture ou une intervention chirurgicale majeure. Il y a une chose que je peux dire, cela étant : j'étais horrible avec ma femme au cours de ces premières semaines. Non pas qu'il y ait eu quoi que ce soit à faire pour qu'elle se sente mieux – *se sentir mieux* à l'époque n'était tout simplement pas possible. Mais moi, je ne faisais qu'empirer les choses. Elle avait besoin de moi, et je ne pouvais pas lui adresser un mot gentil, je ne pouvais même pas la regarder, parfois. Je me suis mis à dormir sur le canapé, filant au milieu de la nuit et roulant pendant des heures sans lui dire où j'allais ni quand j'allais rentrer. Si elle m'appelait, je ne répondais pas au téléphone.

« J'imagine que, d'une certaine façon, je lui en voulais. Pas pour ce qui était arrivé à Henry – je savais que ce n'était de la faute de personne. C'est juste que... Je ne vous l'ai pas précisé, mais Henry était enfant unique. Nous en voulions d'autres, mais ma femme a été victime d'un cancer alors qu'il avait deux ans, et les médecins ont recommandé une hystérectomie. À l'époque, nous n'avons pas hésité.

« Après avoir perdu Henry, l'idée qu'il nous fallait un autre enfant a commencé à m'obséder. Pas pour le remplacer – je ne suis pas si fou – mais juste pour repartir, vous comprenez ? J'avais en tête que c'était le seul moyen de pouvoir revivre, mais c'était impossible, à cause d'elle, parce qu'elle était incapable physiquement de me donner un autre enfant.

« J'ai résolu de la quitter. Pas immédiatement, mais au bout de quelques mois, quand elle serait plus forte et que les gens ne me jugeraient pas aussi durement. C'était mon secret, et j'en éprouvais de la culpabilité. Et, d'une certaine manière, je lui en voulais aussi pour cela. C'était un cercle vicieux, sans fin. Mais, un soir, mon fils m'est apparu en rêve. Vous savez comment parfois vous voyez des gens en rêve : ce n'est pas vraiment eux, mais en même temps c'est eux ? Eh bien, rien à voir, là. C'était mon fils, clair comme de l'eau de roche, et il m'a dit : « Pourquoi est-ce que tu fais du mal à ma maman ? » J'ai nié, mais il a juste secoué la tête, comme si je le décevais. « Tu dois l'aider. »

« J'ai honte de l'admettre, mais cela faisait des semaines que je n'avais pas touché ma femme. Pas juste sexuellement – je veux dire, littéralement, je ne la touchais plus. Pas une caresse dans les cheveux, pas un serrement de main ou un tapotement dans le dos. Et elle pleurait sans discontinuer.

La voix de M. Gilchrest se brisa sous l'émotion. Il se passa le dos de la main sur la bouche et le nez, presque avec colère.

— Alors le lendemain matin, je me suis levé et je l'ai serrée contre moi. J'ai passé mes bras autour d'elle et lui ai dit que je l'aimais et que je ne lui en voulais de rien, et le fait de le dire rendait la chose presque vraie. Et puis une autre idée m'est venue. Je ne sais pas d'où. Je lui ai dit : « Donne-moi ta souffrance. Je peux la prendre. » (Il marqua une pause et regarda le public d'un air presque d'excuse.) C'est la partie difficile à expliquer. À peine avais-je prononcé ces mots, que j'ai ressenti une curieuse décharge dans le ventre. Ma femme a laissé échapper un soupir et s'est effondrée dans mes bras. Et, à ce moment précis, j'ai su, plus clairement que jamais, qu'une énorme quantité de souffrance s'était transférée de son corps au mien.

« Je sais ce que vous pensez, et je ne vous le reproche pas. Je vous raconte simplement ce qui s'est passé. Je ne dis pas que je l'ai rétablie ou guérie, ou quoi que ce soit de la sorte. Jusqu'au jour d'aujourd'hui, elle continue d'être triste. Parce que la souffrance ne connaît pas de fin. Notre corps et notre esprit ne cessent d'en produire plus. Je dis juste que j'ai accueilli la souffrance qui se trouvait en elle *à ce moment-là* et l'ai faite mienne. Et cela n'était absolument pas douloureux.

Un changement sembla alors envahir M. Gilchrest. Il se redressa et plaça sa main sur son cœur.

— Ce jour-là, j'ai compris qui j'étais, déclara-t-il. Je suis une espèce d'éponge pour la souffrance. Je m'en imbibe, tout simplement, et elle me rend plus fort.

Le sourire qui fendit son visage était si plein de gaieté et d'assurance qu'on aurait dit une autre personne.

— Je me fiche que vous me croyiez ou pas. Tout ce que je vous demande, c'est de me donner une chance. Je sais que vous souffrez tous. Vous ne seriez pas ici un samedi après-midi si ce n'était pas le cas. Je veux que vous me laissiez vous étreindre, et vous délivrer de votre souffrance. Il se retourna vers le révérend Kaminsky. Vous d'abord.

L'homme d'Église n'était à l'évidence pas très partant, mais en tant qu'hôte il ne voyait pas comment se soustraire sans être impoli. Il se leva de son siège et s'approcha de M. Gilchrest, regardant d'un air sceptique en direction du public, façon de montrer qu'il ne s'exécutait que par égard pour son invité.

— Dites-moi, lui demanda M. Gilchrest. Y a-t-il une personne spéciale qui vous manque ? Une personne dont l'absence vous trouble particulièrement ? N'importe qui. Cela n'a pas besoin d'être un ami proche ou un membre de votre famille.

La question parut surprendre le révérend Kaminsky. Après un bref instant d'hésitation, il répondit :

— Eva Washington. C'était une camarade de classe à l'école de théologie. Je ne la connaissais pas très bien, mais...

— Eva Washington. (M. Gilchrest s'avança, les manches de sa veste de costume lui remontant sur les coudes tandis qu'il écartait les bras.) Eva vous manque.

Pour commencer, les deux hommes semblèrent s'étreindre de façon tout à fait ordinaire, comme les gens le font régulièrement. Mais tout à coup, avec une soudaineté étonnante, les genoux du révérend Kaminsky fléchirent et M. Gilchrest émit un grognement, presque comme s'il avait reçu un coup dans le ventre. Son visage se crispa en une grimace, puis se détendit.

— Waouh, dit-il. C'était une grosse souffrance.

Les deux hommes restèrent enlacés un long moment. Quand ils s'écartèrent, le révérend sanglotait, la main serrée contre sa bouche. M. Gilchrest se retourna vers le public.

— En file indienne, dit-il. J'ai le temps pour tout le monde.

Rien ne se passa pendant une ou deux minutes. Puis une femme forte qui se trouvait au troisième rang se leva et s'avança. Assez vite, toutes les personnes dans le public, à part quelques-unes, avaient quitté leur siège.

— Pas de pression, assura M. Gilchrest aux réfractaires. Je suis là pour quand vous serez prêts.

Tom et Hubbs se trouvaient vers la fin de la file, si bien que le processus leur était déjà familier lorsque leur tour vint. Hubbs passa le premier. Il parla à M. Gilchrest de Chip Gleason, et M. Gilchrest répéta le nom de Chip avant d'attirer Hubbs contre sa poitrine en une étreinte puissante, presque paternelle.

— Tout va bien, lui dit M. Gilchrest. Je suis là.

Plusieurs secondes s'écoulèrent avant que Hubbs n'émît un petit cri, sur quoi M. Gilchrest recula en chancelant, les yeux écarquillés d'effroi. Tom crut qu'ils allaient s'écrouler sur le sol tels des catcheurs, mais ils parvinrent à se maintenir debout, exécutant quelques pas de danse mal assurés avant de retrouver leur équilibre. M. Gilchrest rit et dit :

— Doucement, mon ami, tapotant gentiment Hubbs dans le dos avant de le lâcher. Hubbs retourna à sa place l'air étourdi et stupéfait.

M. Gilchrest sourit lorsque Tom s'avança. De près, ses yeux paraissaient plus brillants que ce à quoi Tom s'attendait, comme s'il irradiait de l'intérieur.

— Comment vous appelez-vous ? demanda-t-il.

— Tom Garvey.

— Quelle est votre personne spéciale, Tom ?

— Jon Verbecki. Ce gamin que je connaissais.

— Jon Verbecki. Jon vous manque.

M. Gilchrest écarta les bras. Tom s'approcha, se laissant étreindre avec force. Le torse de M. Gilchrest lui parut large et solide, mais également doux, étonnamment mou. Tom ressentit quelque chose se relâcher à l'intérieur de lui.

— Donnez-la moi, lui murmura M. Gilchrest à l'oreille. Cela ne me fait pas mal.

Plus tard, dans la voiture, ni Tom ni Hubbs n'avaient beaucoup à dire sur ce qu'ils avaient éprouvé au sous-sol de l'église. Ils semblaient tous les deux comprendre que décrire le phénomène dépassait le pouvoir des mots – cette gratitude qui envahit le corps quand un fardeau lui est soustrait et le sentiment de plénitude qui s'ensuit, quand on se rappelle soudain ce que c'est d'être soi-même.

Peu après les examens de mi-semestre, Tom reçut une flopée de messages, textos et e-mails de plus en plus inquiets de ses parents, l'implorant de les contacter *immédiatement*. D'après ce qu'il comprenait, l'université leur avait envoyé une sorte d'avertissement formel les informant qu'il risquait d'échouer à tous ses cours.

Il ne répondit pas pendant plusieurs jours, espérant que ce délai leur permettrait de se calmer, mais leurs tentatives pour le joindre devinrent simplement plus frénétiques et agressives. Finalement, embêté par leurs menaces d'alerter la police du campus, d'annuler sa carte de crédit et de lui couper son abonnement de téléphone portable, il céda et les rappela.

— Qu'est-ce qui se passe là-bas ? lui demanda son père.

— On s'inquiète pour toi, coupa sa mère, parlant à partir d'un autre combiné. Ton prof d'anglais ne t'a pas vu depuis des semaines. Et tu ne t'es même pas présenté à ton examen de sciences politiques, celui où tu m'as dit que tu avais obtenu un B.

Tom tressaillit. C'était gênant d'être pris sur le fait de mentir, surtout un mensonge aussi gros et stupide. Malheureusement, tout ce qu'il pensa pouvoir faire était de mentir de nouveau.

— C'est de ma faute. Je ne me suis pas réveillé. J'étais trop embarrassé pour vous le dire.

— Ça ne va pas marcher comme ça, répondit son père. Tu sais combien coûte un semestre d'université ?

Tom fut surpris de la question, et légèrement soulagé. Ses parents avaient de l'argent. Il était beaucoup plus facile de s'excuser d'en avoir gâché que d'expliquer ce qu'il faisait depuis deux mois.

— Je sais que ça coûte cher, papa. Je ne le considère vraiment pas comme un dû.

— Ce n'est pas le problème, dit sa mère. Nous sommes heureux de te payer l'université. Mais quelque chose ne va pas. Je peux l'entendre à ta voix. Nous n'aurions jamais dû te laisser retourner là-bas.

— Tout va bien, insista Tom. C'est juste que les activités de la confrérie me prennent beaucoup plus de temps que je ne l'imaginais. La semaine d'enfer est à la fin du mois, et après, tout redeviendra normal. Si je travaille dur, je suis sûr que je peux réussir tous mes examens.

Il entendit un étrange silence à l'autre bout du fil, comme si chacun de ses parents attendait que l'autre se mette à parler.

— Chéri, fit doucement sa mère. C'est trop tard.

Ce soir-là à la confrérie, Tom dit à Hubbs qu'il quittait la fac. Ses parents venaient le chercher samedi pour le ramener chez lui. Ils avaient programmé toute sa vie pour lui – un travail à plein temps à l'entrepôt de son père, et deux séances par semaine avec un thérapeute spécialisé dans les jeunes adultes souffrant de deuil pathologique.

— Apparemment je souffre de deuil pathologique.

— Bienvenue au club, lui dit Hubbs.

Tom n'en avait pas fait part à ses parents, mais il était déjà allé voir un psychologue au centre médical de l'université, un type moustachu originaire du Moyen-Orient, aux yeux humides, qui l'avait informé que son obsession à propos de Jon Verbecki était un simple mécanisme de défense, très commun en l'occurrence, un écran de fumée pour le distraire de questions plus sérieuses et d'émotions plus dérangeantes. Cette théorie n'avait aucun sens pour Tom – à quoi bon un mécanisme de défense s'il foutait en l'air toute votre vie ? Contre quoi pouvait-il bien vous défendre ?

— Merde, répliqua Hubbs. Qu'est-ce que tu vas faire ?

— Je sais pas. Mais je ne peux pas retourner chez mes parents. Pas maintenant.

Hubbs parut inquiet. Tom et lui s'étaient beaucoup rapprochés ces dernières semaines, se liant autour de leur fascination commune pour M. Gilchrest. Ils avaient assisté à deux autres de ses conférences, chacune ayant attiré un public deux fois plus important que la précédente. La plus récente s'était tenue à Keuka College, et voir la connexion qu'il avait avec un jeune public avait été exaltant. La séance d'étreintes avait duré presque deux heures ; à la fin, il était en nage, à peine capable de se tenir debout, un combattant qui avait tenu la distance.

— J'ai des amis qui vivent en dehors du campus, l'informa Hubbs. Si tu veux, tu peux probablement t'installer là-bas pour quelques jours.

Tom fit ses bagages, retira tout l'argent de son compte en banque et fila de sa chambre vendredi soir. Quand ses parents arrivèrent le lendemain, ils ne trouvèrent que quelques livres, une imprimante déconnectée et un lit défait, plus une lettre dans laquelle Tom leur racontait un peu M. Gilchrest et s'excusait de les laisser tomber. Il leur expliquait qu'il allait voyager pendant quelque temps et leur promettait de rester en contact par e-mail.

— Pardon, avait-il écrit. C'est une période très confuse pour moi. Mais j'ai besoin d'être seul pour comprendre certaines choses, et j'espère que vous respecterez ma décision.

Il resta avec les amis de Hubbs jusqu'à la fin du semestre, puis il sous-loua leur appartement pour l'été, pendant qu'ils rentraient chez eux. Hubbs s'installa avec lui ; ils se firent embaucher comme laveurs de voiture chez un concessionnaire et travaillèrent comme bénévoles pour M. Gilchrest pendant leur temps libre, distribuant des prospectus, installant des chaises pliantes, recueillant des adresses e-mails pour constituer une liste, tout ce dont il avait besoin.

Cet été-là, les choses commençaient vraiment à démarrer. Quelqu'un posta une vidéo de M. Gilchrest sur YouTube – elle était légendée JE SUIS UNE ÉPONGE POUR VOTRE SOUFFRANCE – et elle se répandit comme un virus. Le public qui se pressait à ses conférences devenait de plus en plus important, les invitations à s'exprimer plus fréquentes. En septembre, il louait une église épiscopale désaffectée à Rochester, organisant des séances marathon d'étreintes tous les samedis et dimanches matin. Tom et Hubbs assuraient parfois la vente de produits à l'entrée, des DVD des conférences, des T-shirts – le plus populaire disait DONNEZ-LA MOI devant et JE PEUX LA PRENDRE au dos – et une édition de poche de mémoires publiées à compte d'auteur, intitulées *L'Amour d'un père*.

M. Gilchrest voyagea beaucoup cet automne-là – c'était le premier anniversaire de la Soudaine Disparition –, délivrant des conférences dans tout le pays. Tom et Hubbs faisaient partie des bénévoles qui le conduisaient à l'aéroport et venaient le rechercher, profitant de l'occasion pour faire plus ample connaissance avec lui et graduellement gagner sa confiance. Lorsque l'organisation se développa ce printemps-là, M. Gilchrest leur confia la charge de la branche de Boston, leur demandant d'organiser une tournée de conférences sur différents campus de la région et de faire en sorte d'accroître auprès de la population étudiante locale la visibilité de l'organisation qu'il avait commencé à appeler le Mouvement de l'Étreinte Réparatrice. C'était exaltant d'avoir autant de responsabilités, de s'être trouvé au démarrage d'un phénomène ayant décollé de façon si inattendue – c'était un peu comme par le passé de travailler pour une start-up, songeait Tom – mais aussi étourdissant, avec cette croissance si rapide, ce développement, d'un coup, dans tant de directions différentes.

Au cours de ce premier été à Boston, Tom et Hubbs commencèrent à entendre des rumeurs dérangeantes rapportées par des gens au siège de Rochester. M. Gilchrest avait changé, disaient-ils, la célébrité lui était montée à la tête. Il s'était acheté une voiture de luxe, s'était mis à s'habiller autrement et accordait un peu trop d'attention aux jeunes groupies et adolescentes qui faisaient la queue pour être enlacées. Il avait commencé à se nommer « saint Wayne » et à laisser entendre qu'il avait une sorte de relation spéciale à Dieu. À deux ou trois reprises, il s'était référé à Jésus comme son frère.

Quand M. Gilchrest arriva en septembre pour donner sa première conférence devant une salle pleine à Northeastern University, Tom se rendit compte que la rumeur ne mentait pas. M. Gilchrest était un nouvel homme. Le père au cœur brisé, en costume miteux, avait disparu, cédant la place à une rock star affublée de lunettes de soleil et d'un T-shirt noir moulant. Il salua Tom et Hubbs avec une froideur impérieuse dans la voix, comme s'ils n'étaient que de simples employés, et non des adeptes dévoués. Il leur donna comme instruction de laisser entrer en coulisses toutes les jolies filles à l'air prometteur, « surtout si elles sont chinoises ou indiennes, ou de ce type ». Sur scène, il n'offrit pas seulement ses étreintes et son empathie ; il parla d'accepter une mission que Dieu lui avait confiée pour remettre le monde en ordre, pour en quelque sorte remédier aux dommages causés par la Soudaine Disparition. Les détails restaient vagues, expliqua-t-il, non pas parce qu'il en gardait le secret, mais parce que lui-même ne les connaissait pas encore tous. Ils lui étaient révélés petit à petit, en une série de rêves visionnaires.

— Restez connectés, dit-il au public. Vous serez les premiers au courant. Le monde dépend de nous.

Ce dont Hubbs fut le témoin ce soir-là le troubla. Il avait l'impression que la potion de M. Gilchrest lui était montée à la tête, que, de figure charismatique, celui-ci s'était métamorphosé en PDG d'un Culte messianique de la Personnalité (ce n'était pas la dernière fois que Tom allait entendre ce type d'accusation). Après quelques jours de réflexion, Hubbs déclara à Tom que c'en était fini pour lui, que s'il aimait M. Gilchrest, il ne pouvait en bonne conscience continuer à servir saint Wayne. Il l'informa qu'il allait quitter Boston et retourner dans sa famille à Long Island. Tom tenta de l'en dissuader, mais Hubbs était déterminé.

— Un malheur va arriver, dit-il. Je le sens.

Une année entière s'écoula avant que la prédiction de Hubbs ne s'accomplît, et pendant tout ce temps, Tom resta un adepte loyal et un employé modèle du Mouvement de l'Étreinte Réparatrice, collaborant au lancement de nouveaux bureaux à Chapel Hill et Colombus avant de décrocher un travail en or au centre de San Francisco, consistant à former de nouveaux enseignants pour animer des Ateliers de Médiation pour Personne Spéciale. Tom adorait la ville et appréciait de rencontrer des contingents de nouveaux étudiants chaque mois. Il avait quelques relations amoureuses – les jeunes enseignants étaient surtout des femmes – mais pas du tout autant qu'il aurait pu en avoir. Il était quelqu'un de différent maintenant, plus indépendant et contemplatif, loin du membre d'une confrérie au visage peint qu'il avait pu être, cherchant à baiser par tous les moyens possibles.

Sur le papier, le mouvement prospérait – le nombre d'adhérents augmentait régulièrement, l'argent coulait à flots, les médias leur accordaient beaucoup d'attention – mais le comportement de M. Gilchrest devenait de plus en plus erratique. Il se fit arrêter à Philadelphie après qu'on l'eut retrouvé dans une chambre d'hôtel avec une fille de quinze ans. L'affaire fut finalement abandonnée faute de preuve – la fille soutint qu'ils « ne faisaient que parler » – mais la réputation de M. Gilchrest en fut gravement atteinte. Plusieurs de ses conférences universitaires se virent annulées et, pendant un temps, saint Wayne devint la cible des animateurs d'émissions télévisées tardives qui s'amusaient à désigner cette ultime incarnation du vaurien multiséculaire sous le nom de « saint des cons ».

Piqué par le ridicule, M. Gilchrest abandonna ses quartiers généraux dans le nord de l'État de New York et s'installa dans un ranch au sud de l'Oregon, loin des curieux. Tom n'avait vu les lieux qu'une seule fois, à la mi-juin, à l'occasion d'un gala de trois jours pour célébrer ce qui aurait dû être le onzième anniversaire de Henry Gilchrest. Le logement était sommaire – la centaine d'hôtes devait dormir sous des tentes et partager quelques ignobles toilettes de chantier –, mais le simple fait de compter parmi les invités était un honneur, signe qu'on appartenait au cercle interne de l'organisation.

Dans l'ensemble, Tom apprécia les lieux – une grande maison décatie, une piscine, une ferme en activité, des étables. Seuls deux éléments le mirent mal à l'aise : le contingent de gardes de la sécurité qui patrouillaient armés – saint Wayne avait reçu des menaces de mort – et l'inexplicable présence de six adolescentes sexy, dont cinq Asiatiques, qui vivaient dans le bâtiment principal avec M. Gilchrest et sa femme, Tori. Les filles – on les appelait par plaisanterie le « Bataillon des Pom-Pom Girls » – passaient leurs journées à se prélasser au soleil au bord de la piscine pendant que Tori Gilchrest partait toute seule pour des marches à pied aux alentours de la propriété, respirant avec force par le nez tout en exécutant une série de mouvements complexes des bras, munie de poids légers.

Tom n'eut pas l'impression qu'elle avait l'air très heureuse, mais le dernier soir de la fête, Tori monta sur l'estrade installée à l'extérieur et s'empara du microphone pour présenter les six filles comme les « épouses spirituelles » de M. Gilchrest. Elle admit que l'arrangement était peu conventionnel, mais elle souhaitait informer la communauté que son mari lui avait demandé sa bénédiction – et elle la lui avait accordée – pour chacune de ces nouvelles unions. Les jeunes filles – elles se tenaient debout derrière Tori, et souriaient nerveusement dans leurs jolies robes – étaient toutes douces et pudiques, mais étonnamment mûres pour leur âge et, cela allait sans dire, très séduisantes. Comme chacun le savait, elle-même ne pouvait plus avoir d'enfants, ce qui posait un problème dans la mesure où Dieu avait récemment révélé à saint Wayne que son destin était de mettre au monde un enfant dont le rôle serait de réparer ce fichu monde. L'une de ces jeunes filles – Iris, ou Cindy, ou Mei, ou Christine, ou Lam, ou Anna – donnerait jour à cet enfant miraculeux, mais seul le temps permettrait de dire laquelle. Mme Gilchrest conclut en déclarant que l'amour qui l'unissait à saint Wayne demeurait aussi fort et vibrant qu'au jour de leur mariage. Elle assura à tous qu'ils continuaient de vivre très heureux ensemble, comme mari et femme, partenaires et meilleurs amis pour la vie.

— Quoi que fasse mon mari, dit-elle, je le soutiens à cent dix pour cent, et j'espère que vous aussi !

La foule rugit lorsque M. Gilchrest gravit les marches en courant et traversa l'estrade pour offrir à sa femme un bouquet de roses.

— N'est-elle pas la meilleure ? demanda-t-il. Ne suis-je pas l'homme le plus heureux de la Terre ?

Les épouses spirituelles se mirent à applaudir tandis que M. Gilchrest embrassait son épouse légale, et furent bientôt imitées par le public. Tom s'efforça d'applaudir avec les autres, mais il avait l'impression que ses mains étaient devenues énormes et pesantes, si lourdes qu'il peinait à les décoller.

Christine lui dit qu'elle s'ennuyait, enfermée dans la maison toute la journée comme une prisonnière, alors Tom lui proposa une virée en ville. Il était content de trouver un prétexte pour quitter le bureau. Il y régnait une ambiance d'enterrement – pas de séminaires en cours, rien à faire sauf attendre en compagnie de Max et Luis et répondre aux e-mails et aux coups de téléphone occasionnels en répétant comme des perroquets les phrases qui leur avaient été dictées par le bureau central : les accusations sont fausses ; saint Wayne est innocent tant que sa culpabilité n'a pas été prouvée ; l'organisation est plus forte que l'homme ; notre foi reste inébranlable.

C'était une journée typique pour San Francisco – fraîche et ensoleillée, le brouillard laiteux du matin le cédant à contrecœur à un ciel bleu immaculé. Ils firent les promenades habituelles – ils prirent le tramway et se rendirent à Fisherman's Wharf, ils visitèrent la Coit Tower et North Beach, marchèrent dans le quartier de Haight-Ashbury et se promenèrent dans Golden Gate Park –, Tom jouant le rôle du guide jovial, Christine gloussant à ses mauvaises blagues, acquiesçant d'un grognement poli à ses informations incomplètes et ses anecdotes recyclées, aussi heureuse que lui de pouvoir un moment penser à autre chose qu'à M. Gilchrest.

Il fut surpris de leur bonne entente. À la maison, son comportement posait un peu problème, attachée qu'elle se montrait à leur en imposer, rappelant à chacun le statut à part qu'elle occupait au sein de l'organisation. Rien n'était assez bon pour elle – le futon était plein de bosses, la salle de bains dégoûtante, la nourriture avait un drôle de goût. Mais l'air frais révéla une douceur cachée, une énergie vive d'adolescente dissimulée par l'attitude régalienne. Elle l'entraîna dans des boutiques de vêtements rétro, s'excusa auprès de sans-abri de ne pas avoir de monnaie et s'arrêta tous les deux ou trois pâtés de maison pour admirer la baie et la déclarer spectaculaire.

Christine ne cessait de lui apparaître sous des jours différents. Oui, c'était une dignitaire de passage – la soi-disant épouse de M. Gilchrest –, mais c'était surtout une gamine, plus jeune que sa sœur et beaucoup moins expérimentée, une fille originaire d'un village de l'Ohio qui, avant de s'enfuir de chez elle, n'avait jamais connu une ville plus grande que Cleveland. Mais différente de sa sœur en même temps, parce que les gens ne se retournaient pas sur Jill dans la rue, désarçonnés par sa beauté mystérieuse, se demandant si elle était célèbre, s'ils l'avaient vue à la télé ou ailleurs. Il ne savait pas très bien comment traiter Christine, s'il devait se considérer comme un assistant personnel ou un grand frère de substitution, ou peut-être simplement comme un ami diligent, un gars gentil, légèrement plus âgé, qui lui faisait découvrir une métropole inconnue.

— J'ai passé une bonne journée, lui dit-elle alors qu'ils prenaient un goûter en fin d'après-midi à Elmore, un café dans Cole Street rempli de Va-nu-pieds, ces hippies qui arboraient une cible peinte au milieu du front.

La région de San Francisco était leur patrie spirituelle.

— Ça fait du bien de sortir.

— Quand tu veux, lui répondit-il. Cela me fait plaisir.

— Alooors, lui dit-elle d'une voix basse, légèrement séductrice, comme si elle le soupçonnait de cacher de bonnes nouvelles. Tu as des informations ?

— Sur quoi ?

— Tu sais. Sur sa date de sortie. Sur quand je vais pouvoir rentrer.

— Rentrer où ?

— Au Ranch. Ça me manque terriblement.

Tom ne savait pas très bien quoi lui répondre. Elle avait vu les mêmes reportages que lui à la télé. Elle savait qu'on avait refusé à M. Gilchrest la liberté sous caution et que les autorités avaient décidé d'employer la manière forte, confisquant les biens de l'organisation, arrêtant plusieurs personnes plus ou moins haut placées, les pressant pour obtenir des informations nuisibles. Le FBI et la police d'État avaient annoncé rechercher activement les filles mineures que M. Gilchrest prétendait avoir épousées – pas parce qu'elles avaient fait quoi que ce soit de mal, mais parce qu'elles étaient les victimes d'un crime grave, des mineures en danger qui avaient besoin de soins médicaux et d'une aide psychologique.

— Christine, dit-il, tu ne peux pas y retourner.

— Mais il le faut, lui répondit-elle. C'est là que j'habite.

— Ils te demanderont de témoigner.

— Non, ils ne le feront pas.

Elle semblait sûre d'elle, en même temps son regard trahissait le doute.

— Wayne a dit que tout irait bien. Il a d'excellents avocats.

— Il est dans un sérieux pétrin, Christine.

— Ils ne peuvent pas le mettre en prison, insista-t-elle. Il n'a rien fait de mal.

Tom ne discuta pas ; c'était inutile. Lorsque Christine se remit à parler, elle le fit d'une petite voix apeurée.

— Qu'est-ce que je vais faire ? demanda-t-elle. Qui va s'occuper de moi ?

— Tu peux rester avec nous tout le temps que tu veux.

— Je n'ai pas d'argent.

— Ne t'inquiète pas.

Il pensa que ce n'était pas le bon moment pour lui dire que lui non plus n'avait pas d'argent. Lui, Max et Luis étaient techniquement bénévoles, offrant leur temps au Mouvement de l'Étreinte Réparatrice en échange du gîte et du couvert, et d'un salaire de misère. Le seul argent qu'il avait en poche venait de l'enveloppe que Christine lui avait remise à son arrivée, deux cents dollars en billets de vingt, la plus grosse somme qu'il ait vue depuis longtemps.

— Et ta famille ? demanda-t-il. Ce serait envisageable ?

— Ma famille ? (L'idée lui sembla étrange.) Je ne peux pas retourner dans ma famille. Pas comme ça.

— Comme quoi ?

Elle baissa le menton, examinant le devant de son T-shirt jaune, comme si elle y cherchait une tache. Elle avait des épaules étroites et de tout petits seins, à peine visibles.

— Ils ne t'ont pas dit ?

Elle se passa la paume de la main sur son ventre plat, lissant les plis de son T-shirt.

— Dit quoi ?

Lorsqu'elle releva les yeux, ils brillaient.

— Je suis enceinte, annonça-t-elle.

Il perçut dans sa voix une fierté, un doux sentiment d'émerveillement.

— Je suis l'Élue.

DEUXIÈME PARTIE

On s'amuse à Mapleton

Le Carpe Diem

Jill et Aimee sortirent tout de suite après le dîner, informant gaiement Kevin qu'elles ne savaient pas où elles allaient ni ce qu'elles faisaient, ni qui elles retrouvaient ni à quelle heure elles rentreraient.

— Tard, fut tout ce que Jill put lui dire.

— Ouais, acquiesça Aimee. Ne nous attendez pas.

— Vous avez cours demain, leur rappela Kevin, sans prendre la peine d'ajouter, comme il le faisait parfois, qu'il était curieux comme d'aller nulle part et de ne rien faire puisse prendre autant de temps. La blague semblait usée.

— Pourquoi vous n'essaieriez pas de rester sobres pour une fois ? Voir comment ça fait de se réveiller le matin la tête claire.

Les filles opinèrent avec ferveur, lui assurant qu'elles avaient la ferme intention de suivre son excellent conseil.

— Et faites attention, continua-t-il. Il y a plein de dingues dehors.

Aimee grommela d'un air connaisseur, comme pour dire qu'elle n'avait besoin de personne pour l'informer de l'existence de dingues. Elle portait des chaussettes montantes et une minijupe de pom-pom girl – bleu clair, pas la marron et dorée du lycée de Mapleton – et avait déployé son arsenal habituel de maquillage tape-à-l'œil.

— On fera attention, promit-elle.

Jill leva les yeux au ciel, peu impressionnée par le numéro de petite fille sage de son amie.

— C'est toi la dingue, fit-elle à Aimee. (Puis ajouta à l'adresse de Kevin :) C'est d'elle que les gens devraient se méfier.

Aimee protesta, mais il était difficile de la prendre au sérieux dans la mesure où elle ressemblait de fait moins à une innocente lycéenne qu'à une stripteaseuse essayant vaguement de passer pour telle. Jill donnait l'impression inverse – celle d'une enfant maigrichonne jouant à se déguiser –, vêtue d'un jean remonté aux chevilles et d'un manteau de daim trop grand pour elle, qu'elle avait trouvé dans le placard de sa mère. Kevin éprouva ce sentiment habituel et paradoxal qu'il ressentait à les voir ensemble : une légère tristesse pour sa fille, qui apparaissait si clairement comme l'acolyte dans ce duo, mais aussi une sorte de soulagement lié à la pensée – ou du moins l'espoir – que son allure peu avenante puisse fonctionner comme une sorte de camouflage protecteur dans le monde extérieur.

— Faites simplement attention à vous, leur répéta Kevin.

Il embrassa les filles pour leur dire au revoir, puis se tint dans l'embrasure de la porte tandis qu'elles descendaient les marches et traversaient la pelouse. Il avait essayé pendant un temps de réserver ses embrassades à sa seule fille, mais Aimee n'aimait pas être exclue. Il avait trouvé cela étrange au début – il avait bien trop conscience des formes de son corps et de la longueur de leurs étreintes – mais c'était peu à peu rentré dans la routine. Kevin n'avait pas une très bonne opinion d'Aimee et n'était pas non plus enthousiaste de l'avoir à demeure sous son toit – elle habitait là depuis trois mois et ne montrait aucun signe de vouloir bientôt partir –, mais il ne pouvait nier l'avantage que constituait la présence d'une troisième personne. Jill semblait plus heureuse en compagnie de son amie, et c'était beaucoup plus joyeux autour de la table du dîner où se faisaient rares ces moments où ils n'étaient que tous les deux, père et fille, sans rien avoir à se dire.

Kevin sortit un peu avant neuf heures. Comme d'habitude, Lovell Terrace était illuminé à la façon d'un stade, les grandes maisons se dressant fièrement tels des monuments sous les feux de l'éclairage de sécurité. Il y avait dix habitations en tout, « Demeures de Luxe » construites aux derniers jours des 4 × 4 et du crédit facile, neuf d'entre elles encore habitées. Seule la maison des Westerfeld était inoccupée – Pam était décédée le mois dernier, et la succession n'était toujours pas réglée – mais l'Association des Propriétaires veillait à l'entretien de la pelouse et à ce que les lumières restent allumées. Tout le monde savait ce qui se passait lorsqu'une maison vacante tombait en désuétude, attirant l'attention d'adolescents désœuvrés, de vandales et des Coupables Survivants.

Il se dirigea vers Main Street puis tourna à droite, en route pour son pèlerinage du soir. C'était comme une démangeaison – une compulsion physique –, ce besoin de se retrouver entre amis, loin de cette voix grave et terrifiée qui siégeait souvent dans sa tête, mais qui semblait d'autant plus forte et sûre d'elle dans une demeure silencieuse, à la nuit tombée. L'un des effets secondaires associés à la Soudaine Disparition le plus fréquemment remarqué avait été une rage maniaque de socialisation – des fêtes de quartier improvisées qui duraient des week-ends entiers, des dîners collectifs où les gens finissaient par rester dormir, des visites rapides qui se transformaient en marathons de causerie. Les bars s'étaient retrouvés bondés pendant des mois après le 14 Octobre ; les factures de téléphone étaient devenues exorbitantes. La plupart des survivants s'étaient calmés depuis, mais la soif de contacts humains que Kevin éprouvait le soir demeurait toujours aussi intense, comme si une force magnétique le propulsait vers le centre-ville, en quête d'âmes sœurs.

Le Carpe Diem était un lieu sans prétention, l'une des rares tavernes pour cols bleus qui avaient survécu à la transformation de Mapleton au tournant du XXe siècle, de petite ville industrielle en banlieue résidentielle. Kevin y allait depuis qu'il était jeune homme, à l'époque où l'endroit s'appelait le Midway Lounge, et que les seules bières pression qu'on y trouvait étaient de la Budweiser et de la Michelob.

Il entra par la porte du restaurant – le bar se trouvait dans la pièce attenante – saluant d'un signe de tête les visages familiers tandis qu'il se dirigeait vers le box du fond où Pete Thorne et Steve Wiscziewski étaient déjà en grande conversation autour d'un pichet de bière, se passant et repassant un bloc-notes à travers la table. À la différence de Kevin, les deux hommes avaient leur femme à la maison, mais ils arrivaient en général au Carpe Diem bien avant lui.

— Messieurs, fit-il en s'installant à côté de Steve, un type corpulent et nerveux, dont Laurie avait toujours dit qu'il représentait le candidat idéal à l'infarctus.

— T'inquiète pas, dit Steve, en remplissant avec le fond du pichet un verre propre qu'il tendit à Kevin. Un autre pichet arrive.

— On discute de la liste.

Pete souleva le bloc-notes. Sur la page du dessus figurait le croquis rudimentaire d'un terrain de base-ball, avec des noms inscrits sur les positions occupées et des points d'interrogation près de celles encore vides.

— Tout ce dont on a vraiment besoin, c'est un centre et une première base. Plus deux ou trois remplaçants pour être tranquilles.

— Quatre ou cinq nouveaux joueurs, dit Steve. Cela devrait être faisable, non ?

Kevin étudia le croquis.

— Qu'est-ce qui s'est passé avec ce Dominicain dont tu m'as parlé ? Le mari de ta femme de ménage ?

Steve secoua la tête.

— Hector est cuisinier. Il travaille le soir.

— Il pourrait peut-être jouer le week-end, ajouta Pete. Ce serait toujours ça.

Kevin se réjouissait de la quantité de réflexion et d'effort que les gars mettaient à la préparation d'une saison de base-ball qui n'aurait pas lieu avant cinq ou six mois. C'était précisément ce qu'il avait espéré lorsqu'il avait convaincu le conseil municipal de rétablir le financement de programmes de divertissement pour adultes, suspendus après la Soudaine Disparition. Les gens avaient besoin d'une raison pour sortir de chez eux et s'amuser un peu, relever les yeux et voir que le ciel ne leur était pas tombé sur la tête.

— Je vais te dire ce qui aiderait, dit Steve. Si on pouvait trouver un ou deux batteurs gauchers. Pour l'instant tous les gars de l'équipe sont droitiers.

— Et alors ? (Kevin avala sa bière plate d'une seule gorgée.) C'est du softball. Tout ce truc de stratégie ne compte pas réellement.

— Non, tu te trompes, insista Pete. Ça déséquilibre les autres gars. C'est pour ça que Mike était si génial. Il apportait vraiment cette dimension supplémentaire.

L'équipe du Carpe Diem n'avait perdu qu'un seul joueur le 14 Octobre – Carl Stenhaueur, lanceur médiocre et joueur de champ extérieur de second rang – mais Mike Whalen, leur quatrième batteur et joueur star de première base, était aussi une victime indirecte. La femme de Mike faisait partie des disparus et il ne s'était toujours pas remis de sa perte. Ses fils et lui avaient peint un portrait grossier et pratiquement méconnaissable de Nancy sur le mur arrière de leur maison, et Mike passait la plupart de ses nuits seul avec le mural, à communier avec le souvenir de sa femme.

— Je lui ai parlé il y a quelques semaines, déclara Kevin. Mais je ne crois pas qu'il va jouer cette année. Il dit qu'il n'a tout simplement pas le cœur à ça.

— Continue à le travailler, répondit Steve. Nos troisième et quatrième batteurs sont assez faibles.

La serveuse arriva avec un nouveau pichet et remplit tous les verres. Ils toastèrent au sang neuf et à une saison gagnante.

— Ça fera du bien de retourner sur le terrain, dit Kevin.

— Sans blague, acquiesça Steve. Un printemps sans base-ball n'est pas un vrai printemps.

Pete posa son verre et regarda Kevin.

— Il y a une autre chose dont on voulait te parler. Tu te souviens de Judy Dolan ? Je crois qu'elle était dans la classe de ton fils.

— Bien sûr. C'était une receveuse, non ? Représentante du comté ou quelque chose comme ça ?

— De l'État, le corrigea Pete. Elle jouait dans l'équipe de première catégorie à l'université. Elle reçoit son diplôme en juin et rentre pour l'été.

— Elle serait un sacré atout, fit remarquer Steve. Elle pourrait me remplacer derrière le marbre et je pourrais me positionner sur la première base. Cela résoudrait pas mal de nos problèmes.

— Attends une seconde, dit Kevin. Vous voulez que l'équipe devienne mixte ?

— Non, dit Pete, échangeant un regard prudent avec Steve. C'est précisément ce qu'on ne veut pas.

— Mais c'est l'équipe de base-ball masculine. Si tu as des femmes qui jouent, alors c'est mixte.

— On ne veut pas *des* femmes, expliqua Steve. On veut juste Judy.

— Tu ne peux pas faire de la discrimination, leur rappela Kevin. Si on admet une femme, il faut toutes les admettre.

— Ce n'est pas de la discrimination, insista Pete. C'est une exception. En plus, Judy est plus grande que moi. Si on n'y regarde pas de trop près, on ne saurait même pas que c'est une fille.

— Tu as jamais joué au base-ball avec une équipe mixte ? demanda Steve. C'est à peu près aussi drôle que de jouer à Twister avec que des hommes.

— Ils le font au foot, dit Kevin. Tout le monde semble apprécier.

— C'est le foot, dit Steve. Ce sont tous des mauviettes de toute façon.

— Désolé, leur dit Kevin. Vous pouvez avoir Judy Dolan ou vous pouvez avoir une équipe masculine. Mais vous ne pouvez pas avoir les deux.

Les toilettes pour hommes étaient minuscules – espace froid et humide, sans fenêtre, équipé d'un lavabo, un sèche-mains, une poubelle, deux urinoirs côte à côte et une cabine –, dans lesquels il était théoriquement possible d'avoir cinq individus serrés comme des harengs à la fois. En général, cela n'arrivait que tard le soir, quand les types avaient bu tellement de bière qu'attendre poliment n'était plus possible et, à ce stade-là, les gens étaient assez gais pour considérer que l'aspect course d'obstacles faisait simplement partie du divertissement.

Mais à ce moment-là, Kevin avait l'endroit pour lui tout seul, ou du moins l'aurait-il eu s'il n'avait été aussi conscient de l'amical visage d'Ernie Costello qui le fixait du haut d'une photo accrochée au-dessus des deux urinoirs. Ernie était l'ancien barman du Midway, un gars ventru et à l'épaisse moustache. Le mur autour de son portrait était couvert de tendres graffitis inscrits par ses amis et ses anciens clients.

Tu nous manques.
T'étais le meilleur !!!
C'est pas pareil sans toi.
Tu es dans nos cœurs...
Un double, si tu veux bien !

Kevin garda la tête penchée, faisant de son mieux pour ignorer le regard implorant du barman. Il n'avait jamais été un fan des mémoriaux qui avaient fleuri partout en ville à la suite de la Soudaine Disparition. Peu importait qu'ils soient discrets – un arrangement floral en bord de rue, un nom tracé au savon sur le pare-brise arrière d'une voiture – ou bien grands et tape-à-l'œil, comme cette montagne d'ours en peluche dans le jardin d'une petite fille ou la question, OÙ EST DONNIE ? en lettres calcinées qui s'étendaient sur toute la largeur de la pelouse du terrain de football du lycée. Il trouvait juste cela malsain, ce rappel constant de l'événement terrible et incompréhensible qui avait eu lieu. C'était la raison pour laquelle il avait tellement insisté pour organiser le Défilé de la Journée des Héros – il valait mieux canaliser la souffrance à travers un rituel annuel et alléger la pression quotidienne sur les survivants.

Il se lava les mains et les frotta en vain sous le séchoir inefficace, se demandant si Pete et Steve n'étaient pas par hasard tombés sur quelque chose avec leur idée d'inviter Judy Dolan à se joindre à l'équipe. Comme eux, Kevin préférait jouer dans une équipe masculine, où l'on n'avait pas besoin de surveiller son langage ou de réfléchir à deux fois avant de foncer sur le receveur pour atteindre la plaque de justesse. Mais il commençait à penser que trouver suffisamment de joueurs pour constituer une bonne équipe allait s'avérer délicat, et qu'une équipe mixte sympathique pourrait constituer un choix méritant considération – le plus de bonheur possible pour le plus grand nombre.

Kevin se retrouva littéralement nez à nez avec Melissa Hulbert lorsqu'il sortit des toilettes. Elle était appuyée contre le mur dans l'alcôve sombre, attendant son tour pour l'unique toilette pour femmes. Plus tard, il se rendit compte que leur rencontre n'était probablement pas une coïncidence, même si elle en avait l'air. Melissa prit l'air surpris et parut plus heureuse de le voir qu'il n'aurait pu l'imaginer.

— Kevin. (Elle l'embrassa sur la joue.) Waouh. Tu te cachais où ?

— Melissa. (Il fit un effort pour se mettre au diapason de son chaleureux accueil.) Ça fait un bail, hein ?

— Trois mois, l'informa-t-elle. Au moins.

— Tant que ça ? (Il fit semblant de chercher à calculer dans sa tête, puis émit un grognement de faux étonnement.) Alors, comment va ?

— Bien. (Elle haussa les épaules pour lui signifier que *bien* était un peu exagéré, puis l'examina d'un air tendu pendant quelques secondes.) Ce n'est pas un problème ?

— Quoi ?

— Ma présence ici.

— Bien sûr que non. Pourquoi ?

— Je ne sais pas. Son sourire ne contrebalança pas tout à fait la tension perceptible de sa voix. Je pensais juste...

— Non, non, lui assura-t-il. Pas de souci.

Une femme plus âgée, que Kevin ne connaissait pas, émergea des toilettes pour dames, s'excusant doucement tandis qu'elle se frayait un passage, laissant derrière elle un nuage vaporeux de parfum sucré.

— Je suis au bar, dit Melissa en lui touchant légèrement le bras. Si ça te dit de m'offrir un verre.

Kevin marmonna une excuse.

— Je suis avec des amis.

— Juste un verre, lui dit-elle. Tu me dois bien ça.

Il lui devait beaucoup plus, et ils le savaient tous les deux.

— OK, dit-il. Tu as raison.

Melissa était l'une des trois femmes avec qui Kevin avait tenté de coucher depuis que sa femme était partie, et la seule de son âge. Ils se connaissaient depuis l'enfance – Kevin la devançait d'un an à l'école – et ils avaient même eu un petit flirt d'adolescents l'été avant la terminale de Kevin, une séance maladroite d'attouchements à la fin d'une fête arrosée. C'était l'un de ces flirts sans conséquence – il avait une petite amie, elle avait un petit ami, mais il se trouvait que les deux étaient partis en vacances –, dont Kevin aurait aimé pourtant qu'il aille beaucoup plus loin. Melissa était très sexy à l'époque, splendide rousse au visage couvert de taches de rousseur et aux seins considérés par la plupart comme les plus beaux du lycée de Mapleton. Kevin parvint à poser sa main sur son sein gauche, mais seulement le temps d'une ou deux secondes terriblement excitantes, avant qu'elle ne la lui retire.

« Une autre fois », lui avait-elle dit, avec une tristesse dans la voix qui semblait sincère. « J'ai promis à Bob d'être sage. »

Mais il n'y eut pas d'autre fois, ni cet été-là, ni dans le quart de siècle qui suivit. Bob et Melissa formèrent un couple solide tout au long du lycée et de la fac et finirent par se marier. Ils bougèrent un peu avant de revenir à Mapleton, à peu près au même moment où Kevin s'y installa lui aussi avec sa famille. Tom avait juste deux ans à l'époque, le même âge que la plus jeune fille de Melissa.

Ils se virent beaucoup quand les enfants étaient petits, aux parcs de récréation, aux fêtes d'école et

114

aux soirées spaghetti. Ils ne furent jamais proches – ils ne se fréquentaient pas, ni ne parlaient vraiment en dehors des habituelles conversations de parents – mais il y avait toujours ce petit secret entre eux, le souvenir d'un soir d'été, la conscience partagée d'un chemin qu'ils n'avaient pas suivi.

Il finit par lui offrir trois verres, le premier pour régler sa dette, le deuxième parce qu'il avait oublié combien il était facile de parler avec elle et le troisième parce que c'était agréable de sentir la pression de la jambe de Melissa contre la sienne tandis qu'il sirotait son bourbon, ce qui était précisément la manière dont il s'était retrouvé dans le pétrin la dernière fois.

— Des nouvelles de Tom ? demanda-t-elle.

— Juste un e-mail il y a quelques mois. Il ne disait pas grand-chose.

— Il est où ?

— Je ne suis pas sûr. Quelque part sur la côte ouest, je crois.

— Mais ça va ?

— On dirait.

— J'ai entendu parler de saint Wayne, dit-elle. Quel sale type.

Kevin secoua la tête.

— Je ne sais vraiment pas à quoi mon fils pensait.

Le visage de Melissa se chargea d'une inquiétude maternelle.

— C'est dur d'être jeune aujourd'hui. C'était différent pour nous, tu sais ? C'était comme un âge d'or. On n'en avait simplement pas conscience.

Kevin aurait voulu juste objecter sur le principe – il était à peu près convaincu que la plupart des gens considéraient leur jeunesse comme une sorte d'âge d'or – mais en l'occurrence, elle n'avait pas tort.

— Et Brianna ? demanda-t-il. Comment va-t-elle ?

— Ça va. (Melissa avait l'air d'essayer de se convaincre elle-même.) Mieux que l'année dernière. Elle a un petit ami maintenant.

— C'est bien.

Melissa haussa les épaules.

— Ils se sont rencontrés cet été. À travers une sorte de réseau de survivants. Ils s'assoient et partagent leur tristesse.

Lors de leur précédente rencontre au Carpe Diem – le soir où ils étaient finalement rentrés ensemble – Melissa avait beaucoup parlé de son divorce, scandale local mineur. Après presque vingt ans de mariage, Bob l'avait quittée pour une femme plus jeune qu'il avait rencontrée au travail. Melissa avait juste la quarantaine à l'époque, mais elle avait eu l'impression que sa vie était finie, comme si on l'avait abandonnée sur le bord de l'autoroute telle une vieille voiture pourrie.

Outre l'alcool, la principale chose qui lui permettait de tenir était sa haine farouche pour celle qui lui avait volé son mari. Ginny était une jeune femme mince et athlétique de vingt-huit ans, qui avait été la secrétaire de Bob. Ils s'étaient mariés aussitôt le divorce prononcé et avaient essayé de fonder une famille. Ginny avait apparemment du mal à tomber enceinte, mais cela ne réconfortait pas beaucoup Melissa. La pensée même de Bob voulant des enfants avec une autre la rendait furieuse. Et le fait que ses propres enfants aimaient *bien* Ginny rendait la situation encore plus exaspérante. Traiter leur père de salaud ne leur posait aucun problème, alors que sa nouvelle épouse était *vraiment sympa*. Et comme pour leur donner raison, Ginny tenta à plusieurs reprises d'aplanir les choses avec Melissa, lui écrivant plusieurs lettres où elle s'excusait de la peine qu'elle avait pu lui causer et lui demandant pardon.

116

Tout ce que je voulais, c'était la détester en paix, dit Melissa. *Et elle ne me laissait même pas le faire.*

La fureur de Melissa était si pure que sa première pensée le 14 Octobre – après s'être toutefois assurée que ses enfants étaient sains et saufs – consista en l'espoir fou et indicible que Ginny se trouverait au nombre des victimes, que son insupportable existence serait purement et simplement rayée de la carte du monde. Bob souffrirait comme elle avait souffert ; le score serait nul. Peut-être serait-il même envisageable, dans ces conditions, qu'elle puisse le récupérer, que tous les deux reprennent une vie commune et trouvent le moyen de retrouver un peu de ce qu'ils avaient perdu.

Tu te rends compte ? dit-elle. *À quel point j'étais amère.*

Tout le monde a eu de mauvaises pensées comme ça, lui rappela Kevin. *C'est juste que la plupart d'entre nous ne l'admettront jamais.*

Évidemment, ce ne fut pas Ginny qui disparut – mais Bob, alors qu'il se trouvait dans l'ascenseur d'un parking à proximité de son bureau. Les services téléphoniques et Internet avaient connu des perturbations ce jour-là, et Melissa n'avait appris sa disparition que vers neuf heures du soir, lorsque Ginny elle-même était venue lui annoncer la nouvelle. Elle semblait abasourdie et sonnée, comme si elle venait de se réveiller d'une longue sieste.

Bobby est parti, ne cessait-elle de marmonner. *Bobby est parti.*

Et tu sais ce que je lui ai rétorqué ?

Melissa avait fermé les yeux, comme si elle espérait se débarrasser du souvenir.

Je lui ai rétorqué : Parfait, comme ça, tu sais ce que ça fait.

Les années avaient modifié certaines choses, d'autres non. Les taches de rousseur de Melissa avaient pâli et ses cheveux n'étaient plus roux. Son visage était plus épais, sa silhouette moins définie. Mais sa voix et ses yeux étaient exactement les mêmes. Comme si la fille qu'il avait connue avait été absorbée dans le corps d'une femme de quarante-cinq ans. C'était Melissa, et ce n'était pas elle.

— Tu aurais dû m'appeler, dit-elle d'une moue canaille, tout en posant sa main sur sa cuisse. Nous avons gâché tout l'été.

— J'étais gêné, expliqua-t-il. J'avais le sentiment de t'avoir laissée tomber.

— Tu ne m'as pas laissée tomber, lui assura-t-elle, ses longs ongles traçant des figures cryptiques sur le tissu du jean de Kevin. (Elle portait un chemisier de soie grise qui, déboutonné, laissait apparaître le bord cannelé d'un soutien-gorge bordeaux.) C'est rien. Ça arrive à tout le monde.

— Pas à moi, insista-t-il.

Ce n'était pas tout à fait vrai. Il avait connu des dysfonctionnements similaires avec Liz Yamamoto, une étudiante de vingt-cinq ans qu'il avait rencontrée sur Internet, et puis une autre fois avec Wendy Halsey, marathonienne de trente-deux ans qui travaillait dans le paralégal, mais il les avait mis sur le compte d'une anxiété liée à la relative jeunesse de ses partenaires. C'était plus triste avec Melissa, et plus difficile à expliquer.

Ils étaient allés chez elle, avaient bu un verre de vin, puis s'étaient dirigés vers la chambre. La situation était plaisante, détendue et semblait parfaitement normale – comme s'ils terminaient ce qu'ils avaient entamé au lycée –, jusqu'au tout dernier moment, quand l'excitation l'avait complètement abandonné. C'était une défaite d'une autre magnitude, un coup dont il ne s'était toujours pas remis.

— Ça fait peur, la première fois, avec une nouvelle partenaire, lui dit-elle. Cela ne marche jamais très bien.

— Tu sais de quoi tu parles, hein ?

— Fais-moi confiance, Kevin. La deuxième fois est une merveille.

Il hocha la tête, absolument enclin à accepter ses dires comme une règle générale, mais tout aussi prêt à parier qu'il s'avérerait l'exception à la règle. Parce que même à cet instant, alors qu'elle appuyait très légèrement le dos de son pouce sur son entrejambe, il ne ressentait toujours rien de plus qu'un battement sourd d'anxiété, la culpabilité résiduelle de l'homme marié en public avec une autre femme. Que sa femme soit partie ne semblait rien changer, ni le fait que des gens de son âge flirtaient constamment au Carpe Diem. Certains étaient mariés, d'autres pas ; les choses étaient devenues beaucoup plus lâches de ce point de vue. C'était comme si sa conscience à lui restait bloquée dans le passé, empêtrée dans un ensemble de circonstances qui n'existaient plus.

— Je ne sais pas. (Il sourit tristement, essayant de lui faire comprendre que cela n'avait rien de personnel.) Je crois juste que ça ne va pas marcher.

— J'ai des médicaments, murmura-t-elle. Ils t'aideront.

— Vraiment ? (Kevin était intrigué. Il avait pensé demander à son médecin de lui prescrire un remède, mais n'avait pas trouvé le courage.) Où est-ce que tu les as eus ?

— On les trouve. Tu n'es pas le seul type qui a ce problème.

— Hum.

Il baissa les yeux. Contrairement à son visage, les seins de Melissa étaient toujours couverts de taches de rousseur. Il en gardait un tendre souvenir, depuis leur précédente rencontre.

— Ça pourrait marcher.

Melissa se pencha vers lui, jusqu'à ce que son nez touche presque le sien. Ses cheveux sentaient bon, une odeur subtile d'amande et de chèvrefeuille.

— Si tu as une érection qui dure plus de quatre heures, lui dit-elle, j'aurai probablement besoin d'une pause.

C'était curieux – du moment que Kevin sut qu'une assistance pharmaceutique serait disponible en cas d'urgence, il se rendit compte qu'il n'en aurait probablement pas besoin. Il le ressentit même avant de quitter le bar, et son optimisme ne fit que croître en se rendant chez Melissa. Il était agréable de marcher le long d'une rue sombre, bordée d'arbres, tenant la main d'une femme séduisante qui lui avait clairement signifié qu'il était le bienvenu dans son lit. Ce fut encore plus agréable lorsqu'elle l'arrêta devant l'école élémentaire Bailey, le poussa contre un arbre et l'embrassa longuement. Il ne se rappelait pas la dernière fois qu'il avait éprouvé cette sensation caractéristique et double, celle d'un corps tiède se ramollissant contre lui et de l'écorce froide lui râpant férocement le dos. *La deuxième année d'université ?* se demanda-t-il. *Debbie DeRosa ?* Melissa secouait doucement les hanches, créant une agréable friction intermittente. Il étendit les bras et lui empoigna les fesses ; elles étaient molles et féminines, pesant dans ses mains. Elle émit un petit ronronnement tout en faisant tourner sa langue dans la bouche de Kevin.

Pas d'inquiétude, pensa-t-il, s'imaginant sur le sol du salon, Melissa le chevauchant, son sexe dur comme celui d'un jeune homme. *Je vais assurer.*

Ce fut l'odeur de cigarette qui les amena à s'écarter l'un de l'autre, la conscience soudaine qu'ils avaient de la compagnie. Ils se retournèrent et virent les deux Surveillantes s'approcher précipitamment d'eux depuis l'école – elles avaient dû se cacher dans les buissons près de l'entrée principale –, se déplaçant avec cette étrange urgence qu'ils avaient tous, comme s'ils venaient de retrouver par hasard un vieil ami à l'aéroport. Il fut soulagé de voir qu'aucune des deux n'était Laurie.

— Oh, nom de Dieu, marmonna Melissa.

Kevin ne reconnut pas la plus âgée, mais la plus jeune – une femme mince au teint maladif – lui était familière ; il la reconnaissait du supermarché où elle travaillait comme caissière. Elle avait un nom étrange dont il n'était pas sûr de se souvenir, un nom qui lui avait toujours semblé mal épelé sur son badge.

— Bonsoir Shana, fit-il, essayant de se montrer poli et de la traiter comme il traiterait n'importe qui. C'est bien Shana ?

La jeune fille ne répondit pas, non qu'il s'attendît à ce qu'elle le fît. Elle n'avait jamais été très bavarde, même quand elle avait loisir de parler. Elle se contenta de le fixer droit dans les yeux, comme si elle essayait de lire ses pensées. Sa partenaire fit de même avec Melissa. Il y avait quelque chose de plus dur dans le regard de la plus âgée, pensa Kevin, une marque de jugement pleine de suffisance.

— Espèce de salope, lui dit Melissa. (Sa voix trahissait la colère et une légère ivresse.) Je t'ai prévenue.

La Surveillante plus âgée porta sa cigarette à ses lèvres, les rides autour de sa bouche se creusant un peu plus tandis qu'elle inhalait. Elle souffla la fumée droit dans le visage de Melissa, un jet fin et méprisant.

— Je t'ai dit de me laisser tranquille, continua Melissa. Je ne te l'ai pas déjà dit ?

— Melissa. (Kevin posa la main sur son épaule.) Ne fais pas ça.

Elle s'écarta de lui brusquement.

— Cette salope me poursuit. C'est la troisième fois cette semaine. J'en ai marre.

— C'est bon, lui dit Kevin. Viens, on y va.

— Non, c'est pas bon. Melissa s'approcha des Surveillantes, les chassant comme des pigeons. Allez ! Cassez-vous ! Foutez-nous la paix !

Les Surveillantes ne bougèrent pas, ni ne réagirent à son langage grossier. Elles se tenaient immobiles, calmes et sans expression, fumant leurs cigarettes. Leur attitude était censée vous rappeler que Dieu vous surveillait, notant le moindre de vos gestes – du moins c'est ce que Kevin avait entendu dire – mais l'effet était principalement irritant, comme le titillement exaspérant d'un gamin.

— Allez, dit Kevin, pas tout à fait sûr de s'adresser à Melissa ou aux Surveillantes.

Melissa renonça la première. Elle secoua la tête d'un air de dégoût, se détourna des Surveillantes et se dirigea d'un pas hésitant vers Kevin. Mais elle s'arrêta, se racla bruyamment la gorge, puis se retourna d'un coup sec et cracha au visage de sa persécutrice. Et pas un pseudo-crachat – le genre plus sonore que substantiel – mais un mollard juteux d'écolier qui atteignit la femme directement sur la joue, dans un floc bien audible.

— Melissa ! s'écria Kevin. Bon Dieu !

La Surveillante ne réagit pas, n'essuya même pas la salive mousseuse qui lui coulait sur le menton.

— Salope, répéta Melissa, d'une voix sans conviction cette fois. Tu l'as cherché.

Ils poursuivirent leur chemin en silence, sans plus se tenir la main, essayant d'ignorer leurs chaperonnes vêtues de blanc, qui leur emboîtaient le pas de si près qu'on aurait dit qu'ils formaient un seul groupe, quatre amis de sortie pour la soirée.

Les Surveillantes s'arrêtèrent au bord de la pelouse de Melissa – ils s'introduisaient rarement sur une propriété privée –, mais Kevin sentit leur regard fixé sur son dos tandis qu'ils montaient les marches du perron.

Melissa s'arrêta à la porte, cherchant ses clés dans son sac à main.

— On peut toujours le faire, lui dit-elle, sans grand enthousiasme. Si tu veux.

— Je ne sais pas. (Un sentiment de mélancolie lui pesait sur la poitrine, comme s'ils étaient passés directement à la déception qui suit le sexe.) Tu ne m'en veux pas si on le fait une autre fois ?

Elle opina, comme si elle s'y attendait, jetant un œil derrière lui aux femmes sur le trottoir.

— Je les hais, dit-elle. J'espère qu'elles attraperont toutes le cancer.

Kevin ne prit pas la peine de lui rappeler que sa femme était des leurs, mais soudain elle s'en souvint d'elle-même.

— Pardon.

— Ce n'est pas grave.

— C'est juste que je ne comprends pas pourquoi ces gens se sentent obligés de nous gâcher la vie.

— Ils pensent nous rendre service.

Melissa rit doucement, comme à une blague entre eux, puis embrassa chastement Kevin sur la joue.

— Appelle-moi, lui dit-elle. Ne te fais pas rare.

Les Surveillantes attendaient sur le trottoir, leurs visages impassibles, cigarettes fraîchement allumées à la main. Il songea s'enfuir en courant – elles ne vous prenaient généralement pas en chasse – mais il se faisait tard et il était fatigué, aussi démarrèrent-ils ensemble. Il sentit une certaine légèreté dans leur pas lorsqu'elles vinrent se mettre à ses côtés – la satisfaction du travail accompli.

Premier prix

Nora Durst détestait devoir l'admettre, mais *Bob l'Éponge* ne marchait plus. C'était probablement inévitable – elle avait vu certains épisodes tellement de fois qu'elle les connaissait pour ainsi dire par cœur –, mais cela ne l'aidait pas. La série était un rituel dont elle s'était retrouvée captive, et ces derniers temps les rituels étaient à peu près tout ce qui lui restait.

Pendant environ un an – la dernière année qu'ils avaient partagée – Nora et ses enfants regardaient *Bob l'Éponge* le soir, juste avant le coucher. Erin était trop jeune pour comprendre la plupart des blagues, mais son frère, Jeremy, écolier aguerri de trois ans son aîné, fixait la télévision d'un air stupéfait, comme si un miracle se déroulait devant ses yeux. Il gloussait à presque chaque réplique, mais quand il se laissait aller, le rire éclatait dans sa bouche en cris de joie où approbation et émerveillement se mêlaient à part égale. Parfois – la plupart du temps en réaction à une explosion de violence, lorsque les corps se mettaient à s'étirer, s'aplatir, tourbillonner, se distendre, ou se voyaient propulsés à grande vitesse sur d'improbables distances – l'hilarité prenait le dessus et il était obligé de se jeter du canapé sur le sol, où il

124

tapait des poings sur la moquette jusqu'à ce qu'il arrive à se calmer.

Nora fut surprise de découvrir combien elle-même appréciait le dessin animé. Elle s'était habituée aux fades idioties que ses enfants demandaient à regarder – *Dora*, *George le Petit Curieux* et le *Grand Chien Rouge* – mais *Bob l'Éponge* était d'une intelligence vivifiante, voire un peu audacieuse, un avant-goût de jours meilleurs à venir, quand ils seraient tous libérés du ghetto de la programmation pour enfants. Parce qu'elle adorait la série, elle était intriguée par l'indifférence de son mari. Doug était installé avec eux au salon, mais prenait rarement la peine de lever les yeux de son BlackBerry. Cela avait été sa façon d'être ces dernières années, si absorbé par son travail qu'il était le plus souvent à moitié absent, un hologramme de lui-même.

— Tu devrais regarder, lui dit-elle. C'est vraiment très drôle.

— Désolé, répondit-il. Mais Bob l'Éponge est un peu attardé.

— Il est juste mignon. Il accorde à tout le monde le bénéfice du doute, même s'ils ne le méritent pas

— Peut-être, concéda Doug. Mais les attardés font ça aussi.

Elle n'eut pas beaucoup plus de chance avec ses amies, les mères avec qui elle allait au yoga le mardi et le jeudi matin, et parfois sortait prendre un verre le soir, si leurs maris étaient là pour monter la garde. Ses amies ne partageaient pas le mépris olympien de Doug pour les séries pour enfants, mais même elles devinrent sceptiques à force d'entendre Nora s'extasier sur son invertébré de dessin animé préféré.

— Je ne supporte pas cette série, déclara Ellen Demos. Mais la chanson au début est tordante.

— Le poulpe est affreux, ajouta Linda Wasserman. Avec son horrible nez phallique. Je déteste la façon qu'il a de pendouiller là, au milieu de son visage.

Évidemment, après le 14 Octobre, Nora oublia *Bob l'Éponge* pendant très longtemps. Elle déménagea et passa plusieurs mois fortement médicamentée chez sa sœur, essayant de donner un sens au cauchemar qui avait remplacé sa vie. En mars, contre l'avis de ses amis, sa famille et son thérapeute, elle retourna chez elle, se disant qu'elle avait besoin de tranquillité, d'être seule avec ses souvenirs ; une période de réflexion qui lui permettrait peut-être de répondre à la question de savoir s'il était désirable, ou même possible, de continuer à vivre.

Les premières semaines passèrent dans un brouillard de malheur et de confusion. Elle dormait à n'importe quelle heure, buvait trop de vin pour remplacer le Stilnox et le Xanax qu'elle avait arrêtés et passait des journées entières à errer dans la maison cruellement vide, ouvrant les placards et regardant sous les lits, comme si elle s'attendait plus ou moins à trouver son mari et ses enfants cachés, souriant comme s'ils venaient de lui faire la meilleure blague du monde.

— J'espère que vous êtes contents ! s'imaginait-elle les gronder, faisant semblant d'être fâchée. Je devenais folle.

Un soir, alors qu'elle zappait sans but, elle tomba sur un épisode familier de *Bob l'Éponge,* celui où il neige sur Bikini Bottom. L'effet sur elle fut instantané et exaltant : sa tête était claire pour la première fois depuis des lustres. Elle se sentait bien, plus que bien. Ce n'était pas seulement qu'elle pouvait sentir son petit garçon dans la pièce, assis à côté d'elle sur le canapé ; par instants, c'était presque comme si elle était elle-même devenue Jeremy, comme si elle regardait l'épisode à travers ses yeux, éprouvant le plaisir sauvage d'un enfant de six ans, riant si fort qu'elle en perdit presque le souffle. À la fin, Nora pleura pendant un long moment, mais c'était de bonnes larmes, de celles qui vous rendent plus fort. Puis elle attrapa un cahier et écrivit ce qui suit :

Je viens de voir l'épisode de la bataille de boules de neige. Tu t'en souviens ? Tu aimais jouer dans la neige, mais seulement si le temps n'était pas trop froid ou venteux. Je me rappelle la première fois où on est allés faire de la luge avec cette vieille luge en bois, et tu as pleuré parce que tu avais de la neige sur le visage. Il a fallu toute une année avant que tu nous laisses te ramener, mais cette fois-là tu as mieux aimé parce qu'à la place de la luge en bois on avait des luges gonflables, qui nous ont pris vraiment longtemps à gonfler. Tu aurais aimé regarder Bob l'Éponge ce soir, surtout la partie où il s'enfonce un entonnoir dans la tête et transforme son visage en mitrailleuse à boules de neige. Je suis sûre que tu aurais essayé d'imiter le son qu'il fait quand il les tire, et je parie que tu l'aurais très bien imité, parce que je sais comme tu aimes faire de drôles de bruits.

Le lendemain matin, elle se rendit en voiture au magasin Best Buy, acheta la série complète des DVD de *Bob l'Éponge* et passa la plus grande partie de la journée à regarder plusieurs épisodes de la première saison, un marathon qui la laissa de mauvaise humeur et vidée, et lui donna une terrible envie de prendre l'air. Pour cette raison précise, elle avait toujours veillé à rationner la télévision pour ses enfants, et comprit qu'elle devait faire de même pour elle.

Assez vite, elle développa une stratégie étonnamment durable : elle s'autorisa à regarder *Bob l'Éponge* deux fois par jour, une fois le matin puis de nouveau le soir, sans jamais manquer d'écrire un bref exposé à propos de chaque épisode dans son cahier. Cette pratique – qui finit par paraître vaguement religieuse – conféra structure et cohérence à sa vie, et l'aida à ne pas se sentir si perdue en permanence.

Il y avait quelque deux ou trois cents épisodes en tout, ce qui signifiait qu'elle vit chacun trois ou quatre fois au cours de l'année. Mais ce n'était pas un problème, du moins jusqu'à récemment. Nora avait toujours quelque chose à écrire chaque fois qu'elle en visionnait un, un nouveau souvenir ou une observation suscités par l'épisode qu'elle venait de regarder, y compris le petit nombre d'entre eux qu'elle s'était mise à franchement détester.

Dans les derniers mois, cependant, quelque chose de fondamental avait changé. Elle ne riait presque jamais plus aux bouffonneries de Bob l'Éponge ; des épisodes qu'elle trouvait drôles par le passé lui apparaissaient maintenant désespérément tristes. L'épisode de ce matin-là, par exemple, lui fit l'effet d'une sorte d'allégorie, de commentaire amer sur sa propre souffrance :

Aujourd'hui, c'était le concours de danse, l'épisode où Carlo Tentacule s'empare du corps de Bob l'Éponge. Pour le faire, il grimpe dans la tête de Bob l'Éponge, fort à propos vide, puis lui arrache les bras et les jambes pour pouvoir les remplacer par les siens. Oui, j'ai conscience que les membres de Bob l'Éponge peuvent se régénérer, mais franchement, c'est quand même horrible. Pendant le concours, Carlo Tentacule a une crampe et le corps de Bob l'Éponge finit par se contorsionner de douleur sur le sol. Le public trouve cela assez génial et lui décerne le trophée. Quelle métaphore ! La personne qui souffre le plus gagne. Est-ce que cela veut dire qu'on doit me décerner le premier prix ?

Au fond d'elle, elle comprenait que le vrai problème n'était pas tant la série que le sentiment de perdre de nouveau son fils, qu'il n'était plus présent dans la pièce avec elle. C'était compréhensible, bien sûr : Jeremy aurait eu neuf ans aujourd'hui, et il avait probablement dépassé l'âge de regarder *Bob l'Éponge* avec un quelconque réel enthousiasme. Où qu'il fût, il était passé à autre chose, grandissant sans elle, la laissant un peu plus seule encore.

Ce qu'elle devait faire, c'était se débarrasser des DVD – les donner à la bibliothèque, les jeter, n'importe quoi – avant que *Bob l'Éponge* et tout ce qui lui était associé ne soient définitivement corrompus dans son esprit. Cela aurait été plus facile si elle avait trouvé une nouvelle série pour le remplacer, pour occuper l'espace vide, mais à chaque fois qu'elle essayait de demander à ses anciennes amies ce que leurs garçons regardaient, celles-ci se contentaient de l'étreindre et de dire, *Oh, chérie*, de leur voix la plus petite et la plus triste, comme si elles n'avaient pas compris la question.

Avant le déjeuner, Nora partit pour une longue promenade à vélo sur le chemin qui allait de Mapleton à Rosedale, ancienne voie ferrée transformée en parcours de vingt-cinq kilomètres. Elle aimait y faire du vélo les matins de semaine, quand le sentier était plutôt calme, principalement emprunté par des adultes, dont de nombreux retraités qui venaient sans joie faire de l'exercice, prolongateur de vie. En revanche, Nora prenait soin de ne pas y aller les après-midi de week-ends ensoleillés, quand le chemin se retrouvait bondé de familles à bicyclettes et patins à roulettes, et que la vue d'une petite fille portant un casque trop grand ou d'un garçon renfrogné pédalant furieusement sur un vélo équipé de petites roues branlantes aurait pu la laisser pliée en deux et haletante sur le bas-côté, comme si elle avait reçu un coup de poing dans le ventre.

Elle se sentait forte et merveilleusement vide à filer ainsi dans l'air vif de novembre, prenant plaisir à la douceur intermittente du soleil qui filtrait à travers les arbres en surplomb, pratiquement dépourvus de leur feuillage. On était dans cette affreuse période de l'automne qui succédait à Halloween, où les feuilles jaune et orange couvraient le sol comme autant de papiers de bonbons jetés par terre. Elle continuerait à faire du vélo dans le froid aussi longtemps que possible, au moins jusqu'à la première grosse chute de neige. C'était la partie de l'année la plus déprimante, sombre et oppressante, débauche sinistre de fêtes et d'inventaires. Elle espérait s'échapper aux Caraïbes ou au Nouveau-Mexique pendant un moment, n'importe quel lieu ensoleillé et irréel, si elle pouvait juste trouver quelqu'un pour l'accompagner qui ne la rendrait pas folle. Elle était allée à Miami toute seule l'an passé, et cela avait été une erreur. Elle avait beau aimer la solitude et les endroits étranges, les deux combinés ne lui réussirent pas, libérant un flot de souvenirs et d'interrogations qu'elle avait réussi à plutôt bien contenir tant qu'elle était chez elle.

C'était une route plus ou moins directe, au revêtement usé de la largeur d'une voiture, qui vous emmenait sans fanfare d'un point A à un point B. En théorie, on pouvait rebrousser chemin n'importe où, mais Nora parcourait la moitié du chemin – s'arrêtant aux abords de Mapleton pour un aller-retour facile de vingt-cinq kilomètres – ou bien poussait jusqu'à Rosendale avant de rentrer, parcourant au total cinquante kilomètres, distance qui ne lui faisait plus du tout peur. Si le chemin avait continué encore sur quinze kilomètres, elle l'aurait suivi jusqu'au bout sans se plaindre.

Il n'y avait pas si longtemps, elle aurait ri si une personne avait suggéré qu'une promenade à vélo de trois ou quatre heures allait constituer son quotidien. À l'époque, son existence était remplie de tant de tâches – les urgences et la liste de choses à accomplir en constante augmentation pour l'épouse et la mère à plein temps qu'elle était – qu'elle pouvait à peine trouver le temps pour caser deux cours de yoga par semaine. Mais ces jours-ci, elle n'avait littéralement rien de mieux à faire que du vélo. Parfois elle en rêvait juste avant de s'endormir, la vision hypnotique du sol qui disparaissait sous sa roue de devant, la sensation agitée du monde qui bourdonnait à travers son guidon.

À un moment donné, elle devrait commencer à travailler, elle le savait, même s'il n'y avait pas d'urgence particulière en la matière. Avec les généreuses allocations qu'elle avait reçues en tant que survivante – trois paiements, de plusieurs centaines de milliers de dollars chacun, versés par l'État qui était intervenu après que les compagnies d'assurance eurent déclaré que la Soudaine Disparition était un « Acte de Dieu » dont ils ne pouvaient être tenus responsables –, elle se figurait qu'elle n'avait pas à s'inquiéter avant au moins cinq ans, voire davantage si jamais elle décidait de vendre la maison et de s'installer dans plus petit.

Malgré tout, le jour finirait par arriver où il lui faudrait gagner de l'argent, et elle tentait parfois d'y réfléchir, mais ces réflexions n'allaient jamais très loin. Elle pouvait s'imaginer se lever le matin pleine de bonne volonté, s'habiller et se maquiller, et puis sortir de la maison, mais son imagination s'interrompait toujours là. Où se rendait-elle ? Au bureau ? À l'école ? Un magasin ? Elle n'avait aucune idée. Elle avait un diplôme en sociologie et avait été plusieurs années employée par un cabinet de recherche qui évaluait les sociétés sur la base de leur responsabilité sociale et environnementale, mais la seule activité qu'elle pouvait vraiment envisager à ce stade était de s'occuper d'enfants. Malheureusement, elle avait essayé l'an passé, travaillant comme bénévole deux après-midi par semaine à l'ancienne crèche d'Erin, et cela ne s'était pas très bien passé. Elle avait fondu en larmes trop de fois devant les enfants et en avait étreint quelques-uns un peu trop fort, si bien qu'on lui avait gentiment demandé de prendre congé.

Oh, et puis, se disait-elle, *peut-être que ce ne sera pas nécessaire. Ou peut-être qu'aucun d'entre nous ne sera même encore là dans cinq ans.*

Ou peut-être encore qu'elle rencontrerait un homme gentil, se marierait et fonderait une nouvelle famille – peut-être même une famille en tous points semblable à celle qu'elle avait perdue. Elle trouvait l'idée séduisante, jusqu'au moment où elle se mit à songer aux enfants de substitution. Ils la décevraient, elle en était certaine, parce que ses vrais enfants étaient parfaits, et comment pouvait-on rivaliser avec cela ?

Elle éteignit son iPod et vérifia la poche de sa veste pour s'assurer que sa bombe lacrymogène se trouvait à portée de main avant de traverser la route 23 et d'entrer sur la longue partie du chemin, un peu inquiétante, qui s'étendait entre un désert industriel au sud et une forêt rabougrie au nord, théoriquement sous le contrôle de la Commission des Parcs du Comté. Rien ne lui était vraiment arrivé, mais elle avait vu des choses bizarres dans ce coin au cours des derniers mois – une meute de chiens qui l'avaient filée à l'orée du bois, un homme musclé sifflant gaiement tout en poussant une chaise roulante vide sur le chemin et un prêtre à l'air sévère et à la barbe poivre et sel qui avait étendu la main et lui avait serré le bras lorsqu'elle passait en vélo. Et puis, juste la semaine dernière, elle était tombée sur un homme vêtu d'un costard en train de sacrifier un mouton dans une petite clairière près d'un étang couvert d'algues. L'homme – un type potelé dans la quarantaine qui portait des lunettes rondes – avait un grand couteau appuyé contre la gorge de l'animal, mais n'avait pas encore commencé son incision. L'homme et l'animal regardèrent tous deux Nora, interloqués et mécontents, comme si elle les avait surpris en train de faire une chose qu'ils auraient préféré garder secrète.

La plupart des soirs, elle dînait chez sa sœur. Cela devenait un peu lassant, parfois, d'être la perpétuelle pièce rapportée de la famille de quelqu'un d'autre, d'avoir à jouer le rôle de Tante Nora, faire semblant de s'intéresser aux plaisanteries idiotes de son neveu, mais elle se sentait néanmoins reconnaissante de pouvoir profiter de quelques heures de contact humain peu stressantes, un répit dans une journée qu'elle aurait commencé, sinon, à trouver longue et très solitaire.

Les après-midi demeuraient son plus grand problème, morceau de solitude morne et sans forme. C'est pourquoi elle avait été si embêtée de perdre son travail à la crèche – il remplissait si parfaitement les heures vides. Elle faisait des courses quand elle avait la chance d'avoir à en faire – elles étaient bien moins nombreuses et moins urgentes que par le passé – et ouvrait parfois un livre qu'elle avait emprunté à sa sœur : l'un de ces best-sellers pour ménagère, la série des *Mr Right,* ou bien *Alors, heureuse ?* de Jennifer Weiner, le genre d'ouvrage marrant et léger qu'elle appréciait autrefois. Mais ces temps-ci, lire lui donnait juste envie de dormir, surtout après une longue promenade à vélo, et une chose qu'elle ne pouvait vraiment pas se permettre était de faire une sieste, si elle ne voulait pas se retrouver complètement réveillée au milieu de la nuit, avec ses pensées pour seule compagnie.

Aujourd'hui, pourtant, Nora reçut une visite inopinée, la première depuis longtemps. Le révérend Jamison arriva à bord de sa Volvo juste au moment où elle rangeait son vélo dans son garage, et elle fut surprise de constater à quel point elle était contente de le voir. Les gens passaient tout le temps autrefois, juste pour vérifier comment elle allait, mais une sorte de prescription semblait s'être imposée il y avait environ six mois. Apparemment, même les plus terribles tragédies – et les gens qu'elles dévastaient – devenaient un peu éculées au bout d'un certain temps.

— Bonjour, s'exclama-t-elle, en appuyant sur le bouton qui abaissait la porte automatique.

Elle s'avança dans l'allée pour venir à sa rencontre, de cette démarche raide et un peu déhanchée de quelqu'un qui vient de descendre de vélo, les cale-pieds de ses chaussures de cyclisme cliquant contre le revêtement.

— Comment allez-vous ?

— Ça va.

Le révérend sourit sans conviction. C'était un homme dégingandé à l'air anxieux. Il était vêtu d'un jean et d'une chemise à col boutonné blanche, partiellement sortie de son pantalon, et tapotait une enveloppe kraft contre sa jambe.

— Et vous ?

— Pas trop mal.

Elle repoussa ses cheveux de devant ses yeux, puis regretta aussitôt son geste qui révélait le motif des indentations roses imprimées sur la peau tendre de son front par son casque.

— Étant donné la situation.

Le révérend Jamison hocha la tête d'un air sombre, comme pour signifier qu'il mesurait ce que la situation pouvait représenter.

— Vous avez quelques minutes ? demanda-t-il.

— Maintenant ? dit-elle, se sentant tout à coup gênée dans son pantalon de Lycra, avec son visage suant et l'odeur de levure que son coupe-vent en Goretex devait sans aucun doute renfermer.

— Je ne suis pas vraiment présentable.

Tout en prononçant ces mots, elle s'émerveilla un instant de la persistance de sa propre vanité. Elle pensait qu'elle en avait fini de tout cela – quel usage pouvait-elle encore en avoir ? – mais apparemment c'était un réflexe trop profondément ancré pour jamais vraiment vous quitter.

— Prenez votre temps, dit-il. Je peux attendre ici pendant que vous vous lavez.

Nora ne put s'empêcher de sourire à l'absurdité de la proposition. Le révérend Jamison avait passé des nuits entières avec elle lorsqu'elle était folle de douleur, et lui avait préparé le petit déjeuner quand elle se réveillait échevelée et bavant sur le canapé du salon, toujours dans ses vêtements de la veille. Il était un peu tard pour se montrer tout apprêtée et pudique devant lui.

— Entrez, lui dit-elle. J'en ai pour une minute.

En d'autres circonstances, Nora aurait pu être vaguement excitée à l'idée d'entrer sous une douche bouillante pendant qu'un homme raisonnablement beau, autre que son mari, attendait patiemment en bas. Mais le révérend Jamison était trop sinistre et préoccupé, trop absorbé par ses propres obsessions pleines de ressentiment pour se voir attribuer un rôle dans un scénario romantique, même le plus improbable.

En fait, Nora ne savait même pas si Matt Jamison était toujours révérend ou pas. Il ne prêchait plus à l'Église de Sion, ne semblait plus avoir vraiment d'autre activité que d'enquêter et distribuer cette horrible gazette, celle qui l'avait transformé en paria. D'après ce qu'elle avait entendu dire, sa femme et ses enfants l'avaient abandonné, ses amis avaient cessé de lui parler, et de parfaits étrangers se sentaient parfois obligés de lui coller leur poing dans la figure.

Elle était plutôt certaine qu'il méritait ce qui lui arrivait, mais elle continuait à éprouver une certaine tendresse pour l'homme qu'il avait été, celui qui l'avait aidée aux heures les plus noires de sa vie. De toutes les personnes qui se voulaient conseillers spirituels et qui lui avaient infligé leur présence après le 14 Octobre, Matt Jamison était le seul qu'elle avait pu tolérer plus de cinq minutes d'affilée.

Elle le méprisa au début, de la même manière qu'elle méprisait tous les autres. Nora n'était pas religieuse et n'arrivait pas à comprendre pourquoi tous les prêtres, pasteurs et charlatans New Age dans un périmètre de soixante-quinze kilomètres à la ronde de Mapleton considéraient qu'ils étaient en droit de s'immiscer dans son malheur, persuadés qu'elle trouverait réconfortant d'entendre que ce qui lui était arrivé – l'annihilation de sa famille, précisément – faisait en quelque sorte partie d'un projet divin ou constituait le prélude à des retrouvailles glorieuses au paradis, à une date ultérieure non spécifiée. Le Monsignor de Notre Dame des Douleurs avait même essayé de la convaincre que sa souffrance n'était pas si unique que cela, qu'elle n'était vraiment pas si différente d'une de ses paroissiennes qui avait perdu son mari et ses trois enfants dans un accident de voiture et qui, d'une certaine façon, continuait à mener une existence raisonnablement heureuse et productive.

— Tôt ou tard, nous perdons tous les êtres qui nous sont chers, lui avait-il expliqué. Nous devons tous souffrir, jusqu'au dernier d'entre nous. J'étais à ses côtés quand elle a vu ces quatre cercueils descendre sous terre.

Eh bien, elle a de la chance ! aurait voulu crier Nora. *Parce que au moins elle sait où ils sont !* Mais elle se retint, comprenant combien cela aurait l'air inhumain, de dire d'une telle femme qu'elle avait de la chance.

— Je veux que vous partiez, déclara-t-elle au prêtre d'une voix calme. Rentrez chez vous et récitez un million de Je vous Salue Marie.

Le révérend Jamison lui avait été imposé par sa sœur, membre de l'Église de Sion pendant de nombreuses années, avec Chuck et les garçons. Toute la famille avait déclaré être née de nouveau au même instant, phénomène que Nora considérait hautement improbable, mais elle garda cette opinion pour elle-même. À la demande pressante de Karen, Nora et ses enfants avaient une fois assisté à un service à l'Église de Sion – Doug avait refusé de « gâcher un dimanche matin » – et elle avait été un peu désarçonnée par la ferveur évangélique du révérend. C'était un style de prêche qu'elle n'avait jamais expérimenté de près, ayant été élevée comme catholique peu convaincue et étant devenue, une fois adulte, une non-croyante également dépassionnée.

Nora vivait chez sa sœur depuis quelques mois quand le révérend commença à lui rendre visite – à l'invitation de Karen – pour des séances informelles de « conseil spirituel » une fois par semaine. Elle ne s'en réjouissait pas, mais à cette époque, elle était trop faible et abattue pour résister. Ce n'était pas aussi terrible que ce qu'elle avait craint, pourtant. En personne, le révérend Jamison était bien moins dogmatique que du haut de sa chaire. Il n'offrait ni platitudes ni sermons tout faits, ne vous servait pas de certitudes irritantes à propos de la sagesse de Dieu et de ses bonnes intentions. À la différence des autres hommes d'Église auxquels elle avait eu affaire, il lui posa beaucoup de questions sur Doug, Erin et Jeremy et écouta attentivement ses réponses. Lorsqu'il s'en allait, elle était souvent surprise de se rendre compte qu'elle se sentait un peu mieux qu'avant son arrivée.

Elle mit fin aux séances quand elle se réinstalla chez elle, mais se retrouva bientôt à l'appeler tard dans la nuit, à chaque fois que ses rêveries d'insomniaque devenaient suicidaires, ce qui arrivait assez fréquemment. Il venait toujours de suite, quelle que fût l'heure, et restait aussi longtemps qu'elle en avait besoin. Sans son aide, elle n'aurait jamais survécu à ce printemps lugubre.

Quand elle se mit à aller mieux, cependant, elle commença à prendre conscience que c'était le révérend qui perdait pied. Certains soirs, il paraissait aussi à plaindre qu'elle. Il pleurait fréquemment et tenait un monologue sans fin au sujet du Ravissement, et combien c'était injuste qu'il n'en ait pas été.

— Je Lui ai tout donné, se plaignit-il, la voix empreinte de l'amertume d'un amant éconduit. Toute mon existence. Et ce sont les remerciements que j'obtiens ?

Nora n'avait pas beaucoup de patience pour ce genre de discours. La famille du révérend était sortie intacte du désastre. Ils étaient toujours là où il les avait laissés, une femme charmante et trois adorables enfants. Il aurait plutôt dû se mettre à genoux et remercier Dieu chaque minute de chaque jour.

— Ces personnes n'étaient pas meilleures que moi, continua-t-il. Nombre d'entre elles étaient moins bonnes que moi. Alors comment se fait-il qu'elles soient aux côtés de Dieu et que moi je sois toujours ici ?

— Comment savez-vous qu'elles sont aux côtés de Dieu ?

— C'est dans les Évangiles.

Nora secoua la tête. Elle avait envisagé la possibilité du Ravissement comme une explication aux événements du 14 Octobre. Tout le monde l'avait envisagé. C'était inévitable, puisque tant de gens le criaient sur les toits. Mais cela n'avait aucun sens pour elle, pas même une seconde.

— Il n'y a pas eu de Ravissement, lui dit-elle.

Le révérend rit comme s'il avait pitié d'elle.

— Mais c'est dans la Bible, Nora. « De deux hommes qui seront dans un champ, l'un sera pris et l'autre laissé. » La vérité est devant nos yeux.

— Doug était athée, lui rappela Nora. Il n'y a pas de Ravissement pour les athées.

— Peut-être qu'il était croyant en secret. Peut-être Dieu connaissait-il son cœur mieux que lui-même.

— Je ne crois pas. Il avait l'habitude de se vanter qu'il n'y avait pas une once de religion en lui.

— Mais Erin et Jeremy, ils n'étaient pas athées.

— Ils n'étaient rien. Juste de petits enfants. Tout ce en quoi ils croyaient était leur maman, leur papa et le Père Noël.

Le révérend Jamison ferma les yeux. Elle n'aurait su dire s'il réfléchissait ou priait. Quand il les rouvrit, il parut tout aussi perplexe qu'avant.

— Cela n'a aucun sens, dit-il. J'aurais dû être le premier à partir.

Nora se souvint de cette conversation plus tard cet été-là quand Karen lui raconta que le révérend Jamison avait fait une dépression nerveuse et pris un congé de l'église. Elle envisagea de lui rendre visite pour voir comment il allait, mais elle n'en trouva pas la force. Elle lui envoya juste une carte de prompt rétablissement et s'en tint à cela. Peu de temps après, juste autour du premier anniversaire de la Soudaine Disparition, sa gazette parut pour la première fois, cinq pages publiées à compte d'auteur qui composaient un ramassis d'accusations calomnieuses contre les disparus du 14 Octobre, dont aucun n'était en mesure de se défendre. Celui-ci avait détourné des fonds de son patron. Cet autre avait conduit en état d'ébriété. Un autre encore éprouvait des désirs sexuels déviants. Le révérend Jamison se tenait au coin des rues et distribuait sa gazette gratuitement, et même si la plupart des gens se déclaraient consternés par son action, il ne se trouvait jamais en mal de lecteurs.

Après son départ, Nora se demanda comment elle avait pu être aussi stupide, si totalement prise au dépourvu par ce qui aurait dû lui paraître évident dès l'instant où il était descendu de voiture. Et pourtant elle l'avait invité dans sa cuisine et lui avait même préparé une tasse de thé. C'était un vieil ami, s'était-elle dit, et ils avaient des choses à se raconter depuis le temps.

Mais il y avait plus, comme elle s'en était rendu compte en scrutant son visage cireux et hanté, par-dessus le bar de la cuisine. Le révérend Jamison était une épave, mais une part d'elle-même le respectait pour cette raison, la même part qui parfois avait honte de sa propre santé mentale chancelante, de la façon dont elle avait réussi à continuer à vivre après tout ce qui était arrivé, se raccrochant à quelque idée pathétique d'une existence normale – huit heures de sommeil, trois repas par jour, beaucoup d'air frais et d'exercice. Parfois cela paraissait tout aussi fou.

— Comment allez-vous ? lui demanda-t-elle d'un ton pénétrant, voulant lui signifier qu'elle ne se contentait pas de lui faire la conversation.

— Épuisé, répondit-il, et il en avait l'air. Comme si mon corps était empli de ciment humide.

Nora opina d'un air d'empathie. Elle-même se sentait très bien à cet instant précis, son corps chaud et détendu après la douche, ses muscles agréablement douloureux, ses cheveux mouillés maintenus serrés dans un turban en tissu-éponge sur le dessus de sa tête.

— Vous devriez vous reposer, lui dit-elle. Partir en vacances ou quelque chose comme ça.

— En vacances. Il ricana avec mépris. Qu'est-ce que je ferais en vacances ?

— Vous détendre au bord d'une piscine. Oublier pendant un peu de temps.

— Nous sommes au-delà de ça, Nora.

Il s'exprima d'un ton sévère, comme s'il s'adressait à une enfant.

— On ne peut plus se détendre au bord d'une piscine.

— Vous avez peut-être raison, concéda-t-elle, se rappelant sa propre tentative ratée de se détendre au soleil. C'était juste une idée.

Il la scruta d'un air qui ne semblait pas particulièrement amical. Comme le silence devenait pesant, elle se demanda si ce serait une bonne idée de prendre des nouvelles de ses enfants, de savoir s'ils s'étaient réconciliés, mais elle décida de ne pas le faire.

Si les gens avaient de bonnes nouvelles, on n'avait pas besoin de leur tirer les vers du nez.

— J'ai assisté à votre discours le mois dernier, dit-il. J'étais impressionné. Cela a dû vous demander beaucoup de courage. Vous aviez l'air très à l'aise.

— Merci, répondit-elle, flattée. C'était un vrai compliment de la part d'un orateur accompli tel que le révérend. Je ne pensais pas y arriver, mais... Je ne sais pas. J'avais juste le sentiment qu'il le fallait. Pour perpétuer leur souvenir. (Elle baissa la voix et lui dit, sur le ton de la confession :) *Cela ne fait que trois ans*, mais parfois j'ai l'impression que cela fait des siècles.

— Une vie entière.

Il souleva sa tasse, renifla la vapeur qui s'échappait en volutes du liquide, puis la reposa sans prendre une gorgée.

— Nous vivions tous dans un rêve.

— Je regarde des photos de mes enfants, dit-elle, et parfois je ne pleure même pas. Je ne sais pas si c'est une bénédiction ou une malédiction.

Le révérend Jamison hocha la tête, mais elle vit qu'il n'écoutait pas réellement. Au bout d'un instant, il attrapa quelque chose par terre – l'enveloppe kraft qu'il tenait dans l'allée – et la posa sur le bar. Nora avait complètement oublié son existence.

— Je vous ai apporté le dernier numéro de mon journal, déclara-t-il.

— Merci. (Elle leva la main en un geste de refus poli.) Vraiment, je ne...

— Si. (Il y avait une note de sévère avertissement dans sa voix.) Si, j'insiste.

Nora fixa en silence l'enveloppe que le révérend poussait vers elle du bout de son index. Un son étrange sortit de la bouche de Nora, entre toux et rire.

— Vous vous moquez de moi ?

— C'est au sujet de votre mari. (Au crédit du révérend, il avait l'air sincèrement gêné.) J'aurais pu le
mettre dans le numéro d'octobre, mais j'ai attendu
après votre discours.

Nora repoussa l'enveloppe à travers le bar. Elle
n'avait aucune idée du secret qu'elle contenait, et
aucun désir de le découvrir.

— S'il vous plaît, sortez de chez moi, ordonna-
t-elle.

Le révérend Jamison se leva lentement de son
tabouret, comme si son corps était empli de ciment
humide. Il fixa à regret l'enveloppe le temps d'un instant, puis secoua la tête.

— Je suis désolé, lui dit-il. Je ne suis que le messager.

Vœu de silence

Le soir, après l'Alimentation et l'heure d'Autocritique quotidienne, ils examinaient les dossiers des gens qu'ils espéraient filer. En théorie, bien sûr, ils étaient ouverts à l'idée de suivre n'importe qui, mais certains individus avaient été sélectionnés pour faire l'objet d'une attention spéciale, soit parce que l'un des Superviseurs pensait qu'ils étaient prêts pour être recrutés, soit parce qu'un résident avait fait une Requête formelle de surveillance accrue. Laurie jeta un œil au dossier sur ses genoux : *ARTHUR DONOVAN, 56 ans, 438 Winslow Road, Apt. 3.* La photo agrafée à l'intérieur de la couverture montrait un homme d'âge mûr parfaitement ordinaire – atteint de calvitie, ventripotent et l'air mort de peur – poussant un Caddie vide sur un parking, ses cheveux rabattus sur le crâne, déplacés par une forte brise. Homme divorcé et père de deux grands enfants, M. Donovan travaillait comme technicien chez Merck et vivait seul. D'après la dernière entrée du dossier, Donovan avait passé le précédent jeudi soir à la maison tout seul, à regarder la télévision. Cela devait souvent être le cas, parce que Laurie ne l'avait jamais aperçu au cours de ses nombreuses errances nocturnes.

Sans se donner la peine de réciter la prière silencieuse requise pour le salut d'Arthur Donovan, elle referma le dossier et le tendit à Meg Lomax, la nouvelle convertie qu'elle participait à entraîner. Tous les soirs au cours de la séance d'Autocritique, Laurie se réprimandait pour cette défaillance précise, mais malgré ses vœux réitérés de s'améliorer, elle continuait à se heurter aux limites de sa propre compassion : Arthur Donovan était un étranger et elle ne parvenait pas vraiment à s'inquiéter de ce qui lui arriverait le jour du Jugement dernier. C'était la triste vérité, et prétendre le contraire n'avait pas beaucoup de sens.

Je ne suis qu'humaine, se disait-elle. *Il n'y a pas assez de place dans mon cœur pour tout le monde.*

Meg, en revanche, étudia la photo de Donovan avec une expression mélancolique, secouant la tête et claquant la langue à un volume inacceptable de la part de quiconque autre qu'une Jeune Recrue. Au bout d'un moment, elle sortit son bloc-notes, gribouilla quelques mots et montra le message à Laurie.

Pauvre type. Il a l'air si perdu.

Laurie hocha vivement la tête, puis attrapa le dossier suivant sur la table basse, résistant au besoin pressant de sortir son propre bloc-notes et de rappeler à Meg que ce n'était pas la peine d'écrire chacune des pensées qui lui passaient par la tête. Elle le comprendrait bientôt d'elle-même. Tout le monde finissait par le comprendre, une fois passé le choc initial de ne pas parler. Certaines personnes requéraient juste un peu plus de temps que d'autres pour se rendre compte du peu de mots dont on avait besoin dans la vie quotidienne, combien d'éléments de l'existence pouvaient se négocier en silence.

Ils étaient douze dans la pièce enfumée, à former le contingent de Surveillants de ce soir-là, faisant circuler les dossiers dans le sens des aiguilles d'une montre. L'activité était censée être solennelle, mais parfois Laurie l'oubliait et se mettait à éprouver du plaisir à recueillir les juteux petits potins locaux qui se trouvaient dans les dossiers, ou simplement à renouer avec ce monde plein de péchés mais pittoresque auquel elle était supposée avoir renoncé. Elle se sentit céder à cette tentation alors qu'elle lisait le dossier d'Alice Souderman, une ancienne amie de l'Association des Parents d'Élèves de l'école élémentaire Bailey. Elles avaient coprésidé le comité de la vente aux enchères trois années d'affilée et étaient restées proches, même dans la période turbulente qui avait précédé la conversion de Laurie. Elle ne pouvait s'empêcher d'être intriguée par la nouvelle selon laquelle, la semaine passée, Alice avait été vue en train de dîner à la *Trattoria Giovanni* avec Miranda Abbott, une autre bonne amie de Laurie, mère soucieuse de quatre enfants, au formidable sens de l'humour et à l'immense talent d'imitatrice. Laurie ne savait pas qu'Alice et Miranda étaient amies et elle était convaincue que les deux avaient dû passer une bonne partie du repas à parler d'*elle*, et à dire combien sa compagnie leur manquait. Sa décision de se retirer de leur monde les avait probablement laissées perplexes et sans doute devaient-elles mépriser la communauté au sein de laquelle elle vivait maintenant, mais Laurie décida de ne pas y penser. Elle se concentra plutôt sur les lasagnes végétariennes de chez Giovanni – c'était la spécialité de la maison, avec sa sauce à la crème succulente mais pas trop riche et ses tranches de carottes et de courgettes d'une finesse presque translucide – et s'imagina être la troisième personne à la table, buvant du vin et riant avec ses anciennes amies. Elle ressentit alors le besoin de sourire et serra consciencieusement les lèvres pour s'en empêcher.

S'il vous plaît aidez Alice et Miranda, pria-t-elle en refermant le dossier. *Ce sont de bonnes personnes. Ayez pitié d'elles.*

En parcourant les dossiers, elle était surtout frappée de voir combien les choses semblaient *normales* à Mapleton. La plupart des gens s'étaient juste mis des œillères et continuaient leurs affaires triviales, comme si le Ravissement n'avait jamais eu lieu, comme s'ils s'attendaient à ce que le monde dure pour l'éternité. Tina Green, neuf ans, assistait à sa leçon hebdomadaire de piano. Martha Cohen, vingt-trois ans, avait passé deux heures à la salle de sport, puis s'était rendue à la pharmacie en rentrant pour acheter des tampons et le magazine *US Weekly*. Henry Foster, cinquante-neuf ans, avait promené son West Highland Terrier autour du lac Fielding, s'arrêtant fréquemment pour que son chien puisse socialiser avec ses pairs. On avait vu Lance Mikulski, trente-sept ans, entrer dans le magasin Victoria's Secret au centre commercial Two Rivers, où il avait acheté plusieurs articles non spécifiés de lingerie. C'était une étrange révélation, compte tenu du fait que la femme de Lance, Patty, se trouvait à ce moment précis assise à l'autre bout de la pièce, en face de Laurie, et qu'elle aurait bientôt l'occasion d'examiner elle-même le dossier. Patty paraissait sympathique – évidemment, la plupart des gens semblaient sympathiques quand ils n'avaient pas le droit de parler – et Laurie eut une pensée pour elle. Elle connaissait exactement le sentiment que l'on éprouvait à lire des révélations embarrassantes sur son mari dans une pièce emplie de personnes qui avaient lu la même information et faisaient comme si de rien n'était. Mais vous saviez qu'ils vous épiaient, se demandant si vous seriez capable de conserver votre calme, de vous détacher des émotions futiles telles la jalousie et la colère, et d'empêcher votre esprit de dévier de son impérieux objectif – le monde à venir.

Contrairement à Patty Mikulski, Laurie n'avait pas déposé de Requête Formelle pour la surveillance de son mari ; la seule requête qu'elle avait émise était de surveiller sa fille. Elle considérait que Kevin pouvait se débrouiller : c'était un adulte, il était à même de prendre ses propres décisions. Il se trouvait simplement que ces décisions incluaient celle de coucher avec deux femmes dont elle avait eu l'occasion d'examiner les dossiers, et pour les âmes desquelles elle était censée prier, comme si cela allait jamais se produire.

Imaginer son mari embrasser une étrangère, la déshabiller dans une chambre inconnue, s'étendre paisiblement à côté d'elle après l'amour l'avait blessée plus qu'elle ne s'y attendait. Mais elle n'avait pas pleuré, n'avait pas laissé voir une once de sa douleur. La chose ne lui était arrivée qu'une seule fois depuis qu'elle avait rejoint les CS, le jour où elle avait ouvert le dossier de sa fille et découvert que la photo qui lui était familière sur l'intérieur de la couverture, un portrait d'école attendrissant d'une élève de seconde aux cheveux longs, souriant gaiement, avait cédé la place à ce qui ressemblait à la photo d'identité judiciaire d'une adolescente criminelle, aux grands yeux morts et à la tête rasée, d'une jeune fille en manque désespéré de l'amour d'une mère.

Elles étaient accroupies derrière des buissons dans Russell Road, épiant à travers le feuillage la porte d'entrée d'une maison blanche de style colonial, agrémentée d'une petite véranda en briques, qui appartenait à un homme du nom de Steven Grice. Il y avait de la lumière en haut et en bas, et il paraissait probable que la famille Grice soit à la maison pour la soirée. Malgré tout, Laurie décida de rester là un moment – une leçon de persistance, la qualité la plus importante qu'un Surveillant pouvait cultiver. Meg s'agita à côté d'elle, s'étreignant contre le froid.

— Mince, murmura-t-elle. Je gèle.

Laurie appuya un doigt contre sa bouche et secoua la tête.

Meg grimaça, mimant des lèvres le mot *Pardon*.

Laurie haussa les épaules, essayant d'oublier ce faux pas. C'était la première Surveillance nocturne de Meg ; cela lui prendrait un peu de temps pour s'habituer. Non seulement à l'épreuve physique et à l'ennui, mais aussi à l'aspect socialement gênant – pour ne pas dire carrément grossier – qu'il y avait à ne pas pouvoir converser, à plus ou moins ignorer la personne qui se trouvait juste à côté de vous. Cela allait à l'encontre de tous les réflexes sociaux que l'on vous avait inculqués depuis l'enfance, surtout si vous étiez une femme.

Et pourtant Meg s'y habituerait, tout comme Laurie s'y était habituée. Elle en viendrait peut-être même à apprécier la liberté qui accompagnait le silence, la paix qui suivait la reddition. C'était l'une des choses que Laurie avait apprises après le Ravissement, quand elle avait passé tout ce temps avec Rosalie Sussman. Lorsque les paroles sont futiles, il vaut mieux les garder pour soi, voire ne pas même se les formuler en pensée.

Une voiture tourna de Monroe Street sur Russell, les inondant d'un flot de lumière argentée. Le silence sembla plus profond après le passage du véhicule, le calme plus complet. Laurie observa la feuille d'un érable presque dénudé se détacher dans la lueur d'un lampadaire et atterrir sans bruit sur la chaussée, mais la perfection de l'instant fut gâchée par l'agitation de Meg en train de farfouiller dans la poche de son manteau. Après ce qui sembla un long combat, elle parvint à extraire son bloc-notes et à gribouiller une brève question, à peine lisible à la lumière de la lune :

Quelle heure est-il ?

Laurie leva le bras droit, tirant sur sa manche et tapotant plusieurs fois son poignet dépourvu de montre, en un geste destiné à faire comprendre que le temps n'importait pas aux yeux d'un Surveillant, qu'on devait se déprendre de toute attente et rester calmement en place aussi longtemps que nécessaire. Avec un peu de chance, on pouvait même se mettre à apprécier la chose, à la vivre comme une forme de méditation, une manière de se connecter à la présence de Dieu dans le monde. Parfois, cela arrivait : certaines nuits au cours de l'été, l'air avait semblé empreint de réassurance divine ; il suffisait de fermer les yeux et d'inhaler. Mais Meg avait l'air frustrée, si bien que Laurie sortit son bloc-notes – ce qu'elle avait espéré ne pas devoir faire – et écrivit un seul mot en lettres capitales :

PATIENCE.

Meg scruta le message un certain temps, comme si le concept ne lui était pas familier, avant d'offrir finalement un petit hochement de tête en signe de compréhension. Elle accompagna son geste d'un sourire brave, et Laurie vit combien Meg lui était reconnaissante de cette ébauche de communication, de la simple gentillesse d'une réponse.

Laurie sourit en retour, se rappelant sa propre période d'entraînement, le sentiment qu'elle avait eu de se retrouver complètement isolée, coupée de toutes les personnes qu'elle avait jamais aimées – Rosalie Sussman avait quitté Mapleton à l'époque pour participer au lancement d'un chapitre à Long Island –, une solitude rendue encore plus pénible du fait qu'elle l'avait elle-même choisie. Cela n'avait pas été une décision facile, mais rétrospectivement sa résolution ne lui apparaissait pas simplement comme un bon choix, mais comme un choix inévitable.

Après le départ de Rosalie pour Ginkgo Street, Laurie avait tenté de reprendre son existence de femme, mère et citoyenne engagée. Un court moment, pouvoir échapper au champ magnétique que représentait la souffrance de sa meilleure amie lui était apparu comme une bénédiction – de recommencer le yoga et reprendre ses activités de bénévole, faire de longues promenades autour du lac, aider Jill à faire ses devoirs, s'inquiéter pour Tom et essayer de rétablir sa relation avec Kevin, qui ne se cachait pas de s'être senti négligé –, mais ce sentiment de libération ne dura pas.

Elle raconta à son thérapeute que cela lui rappelait quand elle était rentrée chez elle l'été après sa première année d'université à Rutgers, combien elle avait adoré se retrouver dans le bain chaleureux de sa famille et de ses amis pendant une ou deux semaines, et puis comment elle s'était tout à coup sentie piégée, mourant d'envie de retourner à l'université où tout lui manquait, ses colocataires et son nouveau charmant petit ami, les cours, les fêtes et les conversations entrecoupées de rires avant de dormir, comprenant pour la première fois que c'était *cela* sa vraie vie maintenant, et que cette autre existence, malgré tout ce qu'elle en avait aimé, était terminée pour de bon.

Évidemment, ce qui lui manquait cette fois n'avait rien à voir avec l'excitation et l'aspect romantique de la vie étudiante ; c'était la tristesse qu'elle avait partagée avec Rosalie, la mélancolie oppressante de leurs longues journées silencieuses, passées à trier les photographies de Jen, et à prendre la mesure d'un monde où cette jeune fille, belle et adorable, n'avait plus sa place. Vivre en le sachant, accepter la brutale finalité de la chose avait été terrible, mais cela paraissait bien plus réel que payer les factures, ou organiser la fête de bienfaisance printanière de la bibliothèque, ou vous rappeler d'acheter une boîte de linguine au supermarché, ou féliciter votre fille pour le 92 sur 100 obtenu à son test de maths, ou attendre patiemment que votre mari ait terminé ses grognements et se retire de vous. C'était à cela qu'elle avait besoin d'échapper maintenant : faire semblant, une petite secousse sur la route et simplement continuer leur chemin, accomplir leurs devoirs, prononcer leurs phrases creuses, apprécier les simples plaisirs que le monde persistait à leur offrir. Et elle avait trouvé ce qu'elle cherchait chez les CS, un régime d'épreuves et d'humiliations qui au moins vous offrait la dignité d'avoir le sentiment que votre existence entretenait encore un quelconque rapport avec la réalité, que vous n'étiez plus engagé dans un jeu de faux-semblants qui allait consumer le reste de votre vie.

Mais elle était une femme d'âge mûr, une épouse et mère de quarante-six ans avec les meilleures années de sa vie derrière elle. Meg était une jeune femme sexy dans la vingtaine, aux grands yeux et aux sourcils épilés, arborant des mèches blondes et les vestiges d'une manucure professionnelle. Il y avait une bague de fiançailles scotchée dans son Livre de Souvenirs, une pierre de la taille d'un caillou qui avait dû rendre ses amies folles de jalousie. C'était une époque terrible pour les jeunes, pensa Laurie, avoir tous ses espoirs et rêves arrachés, savoir que l'avenir sur lequel vous comptiez n'arriverait jamais. Cela avait dû être comme de devenir aveugle ou de perdre un membre, même si vous croyiez que Dieu vous réservait un sort meilleur, quelque chose de merveilleux que vous ne pouviez pas tout à fait vous imaginer.

Tournant une page de son bloc-notes, Meg commença à écrire un nouveau message, mais Laurie ne put lire ce qu'il disait. Une porte s'ouvrit dans un crissement et elles se retournèrent à l'unisson pour apercevoir Steven Grice sortir sur le pas de sa porte, un type à lunettes, d'une beauté standard, avec une petite bedaine, et vêtu d'un pull-over en laine polaire qui avait l'air si chaud que Laurie ne put s'empêcher de le lui envier. Il hésita quelques secondes, comme s'il essayait de s'acclimater à la pénombre, puis il descendit les marches et traversa la pelouse en direction de sa voiture, qui clignota et émit un petit son de bienvenue tandis qu'il s'en approchait.

Elles se mirent à sa poursuite, mais perdirent de vue le véhicule quand il vira à droite au bout de la rue. Laurie émettait l'hypothèse, fondée sur une pure intuition, que Grice se rendait probablement au supermarché Safeway pour s'acheter une sucrerie, un quatre-quarts aux myrtilles, ou une glace au beurre de pacane, ou peut-être une tablette de chocolat aux amandes, une douceur parmi tant d'autres possibles, dont Laurie se prenait parfois à rêver à divers moments de la journée, en général dans le vaste interlude de disette qui séparait le bol de bouillie d'avoine du matin et le bol de soupe du soir.

Le supermarché était à dix minutes de marche rapide de Russel Road, ce qui signifiait que si elle avait raison et si elles se dépêchaient, elles pourraient être à même de rattraper Grice avant qu'il ne quitte le magasin. Évidemment, il remonterait probablement tout de suite en voiture et rentrerait directement chez lui après, mais cela ne valait pas la peine de voir aussi loin. En outre, elle voulait que Meg comprenne que la Surveillance était une activité fluide et pleine d'improvisation. Il était tout à fait possible qu'elles perdent complètement sa trace. Mais il était tout aussi probable que, pendant qu'elles le cherchaient, elles tomberaient sur une autre personne de la liste, auquel cas elles pourraient détourner leur attention vers ce nouvel individu. Ou bien elles pourraient rencontrer une situation imprévue concernant des personnes dont elles ne connaissaient même pas le nom. Le but était de garder les yeux ouverts et d'aller là où vous seriez en mesure d'accomplir le plus grand bien.

De toute façon, c'était un soulagement de pouvoir bouger et de ne plus avoir à rester cachées dans les arbustes. Laurie considérait l'exercice et l'air frais comme la meilleure partie du métier, du moins par une nuit comme celle-ci, quand le ciel était clair et que la température dépassait zéro. Elle essayait de ne pas songer au mois de janvier.

Au coin, elle s'arrêta pour allumer une cigarette et en offrit une à Meg, qui recula légèrement avant de lever la main en un geste vain de refus. Laurie brandit le paquet de manière plus insistante. Elle détestait devoir jouer la dure à cuire, mais le règlement était absolument clair : *Un Surveillant en Public Doit Toujours Avoir une Cigarette Allumée.*

Quand Meg continua à résister, Laurie enfonça une cigarette – les CS fournissaient une marque générique qui avait un goût âcre et une odeur chimique suspecte, achetée en gros par le bureau régional – entre les lèvres de la jeune femme et lui tendit une allumette. Meg s'étrangla violemment à la première bouffée, comme toujours, puis émit un petit geignement de révulsion après que sa quinte fut passée.

Laurie lui tapota le bras pour lui signifier qu'elle s'en tirait très bien. Si elle avait pu parler, elle aurait récité la devise qu'elles avaient toutes les deux apprise en Orientation : *Nous ne fumons pas pour le plaisir. Nous fumons pour proclamer notre foi.* Meg sourit d'un air gêné, reniflant et s'essuyant les yeux tandis qu'elles reprenaient leur marche.

En un sens, Laurie enviait à Meg sa souffrance. C'était censé être une épreuve – un sacrifice pour Dieu, une mortification de la chair, comme si chaque bouffée était une violation profonde et personnelle. Mais pour Laurie, qui s'était mise à fumer à l'université et avait continué par la suite, n'arrêtant avec difficulté qu'au début de sa première grossesse, cela n'avait rien à voir. Pour elle, recommencer après toutes ces années était comme un agréable retour en arrière, un plaisir illicite introduit en fraude au régime draconien de privations qui constituait l'ordinaire des CS. Le sacrifice dans son cas aurait consisté à arrêter une seconde fois, à ne pas pouvoir savourer cette première cigarette du matin, si bonne que Laurie se retrouvait parfois allongée dans son sac de couchage à souffler des ronds de fumée en direction du plafond, iuste pour le plaisir.

Il n'y avait pas beaucoup de voitures sur le parking du Safeway, mais Laurie ne pouvait exclure la possibilité que l'une d'entre elles appartînt à Grice – il conduisait une berline quelconque, de couleur sombre, et elle avait négligé de relever la marque, le modèle ou le numéro d'immatriculation –, aussi se dirigèrent-elles à l'intérieur pour chercher partout dans le magasin, se séparant de manière à couvrir plus de terrain.

Laurie commença par la section des produits frais, contournant les fruits pour éviter la tentation – il était pénible de regarder des fraises, voire de penser à ce nom – et passa en hâte devant les légumes, si incroyablement frais et alléchants, chacun d'entre eux constituant une réclame pour cette maudite planète qui les avait produits : des brocolis vert sombre, des poivrons rouges, des sphères denses de choux, des têtes de romaine humides, leurs larges feuilles maintenues en place par des fils métalliques brillants.

L'allée des pâtisseries était une torture, même en fin de journée – juste quelques baguettes toutes droites ici, un bagel aux graines de sésame et un muffin à la banane et aux noix là, des restes destinés demain à être jetés. Une odeur persistante de pain fraîchement cuit imprégnait la zone, se mêlant aux lumières crues et à la musique qui passait – « Rhinestone Cowboy », assez curieusement, une chanson qu'elle n'avait pas entendue depuis des années – pour induire une sorte de surcharge sensorielle. Elle se sentait presque défaillir de désir, stupéfaite de se rappeler que ce supermarché lui avait autrefois semblé atrocement ennuyeux, un simple arrêt obligatoire de plus sur le circuit terre à terre de l'existence, guère plus excitant que la station-service ou le bureau de poste. En quelques mois, c'était devenu exotique et profondément émouvant, jardin dont elle et tous les gens qu'elle connaissait avaient été exclus, qu'ils le sachent ou non.

Elle ne respira plus facilement que lorsqu'elle tourna le dos au comptoir des plats préparés et qu'elle trouva refuge parmi les produits emballés – conserves de haricots, paquets de pâtes et vinaigrettes en bouteille – toutes sortes de bons aliments, mais aucun si alléchant que vous deviez vous retenir de les attraper et de les enfourner. La simple variété de produits était extraordinaire, en un sens à la fois impressionnante et ridicule : quatre étagères consacrées aux seules sauces pour barbecue, comme si chaque marque possédait ses propres caractéristiques uniques et puissantes.

Le Safeway paraissait à moitié endormi, avec seulement un ou deux clients par allée, la plupart se déplaçant lentement, passant en revue les rayons d'un air hébété. À son soulagement, ils passaient tous devant elle sans un mot ou même un hochement de tête. Selon le protocole des CS, on était censé répondre à un salut non par un sourire ou un signe de la main, mais en fixant la personne droit dans les yeux en comptant lentement jusqu'à dix. C'était assez gênant avec des étrangers ou de simples connaissances, mais totalement troublant si vous vous trouviez face à un ami proche ou un membre de votre famille, vous mettant tous deux à rougir, sans savoir que faire – les embrassades étaient expressément prohibées –, un flot de sentiments indicibles vous montant à la gorge.

Elle s'attendait à retrouver Meg près de l'allée des surgelés – centre géographique du magasin – mais ne s'inquiéta pas jusqu'au moment où elle eut parcouru le rayon des boissons, café et thé, chips et biscuits salés sans l'apercevoir. Était-ce possible qu'elles se soient croisées sans s'en rendre compte, chacune tournant dans l'allée que l'autre venait de quitter exactement au même instant ?

Laurie fut tentée de revenir sur ses pas, mais elle continua jusqu'aux produits laitiers, où Meg avait commencé sa recherche. Le rayon était vide, à part un seul client qui se tenait devant la section des fromages à la coupe, homme chauve à la corpulence maigre de coureur dont elle s'aperçut trop tard qu'il s'agissait de Dave Tolman, le père d'un ancien condisciple de son fils. Il se retourna et lui sourit, mais elle fit semblant de ne pas le remarquer.

Elle savait qu'elle avait agi de manière irresponsable, laissant Meg hors de sa vue de cette façon. Les premières semaines au complexe pouvaient être dures et déconcertantes ; les nouveaux arrivants avaient tendance à s'enfuir et à retourner à leur vie précédente si on leur en donnait la moindre occasion. Ce n'était pas un problème, évidemment : les CS n'étaient pas un culte, comme beaucoup de gens ignorants aimaient à le dire. Chaque résident était libre d'aller et venir comme bon lui semblait. Mais c'était le travail de l'Entraîneur de fournir conseils et camaraderie pendant cette période de vulnérabilité, aidant la Jeune Recrue à surpasser les inévitables crises et moments de faiblesse, de manière à ce qu'elle ne perde pas courage et n'agisse pas d'une façon qu'elle regretterait pour toute l'éternité.

Elle songea à faire un tour rapide du magasin pour revérifier, puis décida de se diriger directement vers la sortie et le parking au cas où Meg tentait de s'enfuir en courant. Elle coupa entre deux caisses fermées, essayant de ne pas songer à la scène qui l'attendait si elle retournait au complexe sans sa Jeune Recrue, ayant à expliquer qu'elle l'avait laissée toute seule dans un supermarché, pas moins.

Les portes automatiques s'ouvrirent lentement, la rendant à la nuit qui semblait s'être remarquablement rafraîchie. Elle s'apprêtait à courir lorsqu'elle vit, à son immense soulagement, que ce ne serait pas nécessaire : Meg se trouvait juste devant elle, jeune femme contrite dans ses vêtements blancs sans forme, tenant un morceau de papier devant la poitrine.

Désolée, pouvait-on lire. **Je manquais d'air à l'intérieur.**

Minuit était largement passé lorsqu'elles rentrerent à Gingko Street, se glissant entre deux barrières de béton et signant leurs noms à la guérite de la sentinelle. Ces mesures de sécurité avaient été mises en place deux ou trois ans plus tôt, après qu'un raid de la police eut abouti au martyr de Phil Crowther – mari de quarante-deux ans et père de trois enfants – et fait deux autres blessés parmi les résidents. Les policiers avaient pénétré dans le complexe au milieu de la nuit, armés de mandats de perquisition et de béliers, espérant sauver deux petites filles qui, d'après leur père, avaient été enlevées et étaient retenues contre leur gré par les Coupables Survivants. En colère contre ce qu'ils considéraient comme des tactiques de la Gestapo, certains habitants avaient lancé des pierres et des bouteilles contre les envahisseurs ; les policiers débordés avaient paniqué et répliqué par des tirs. L'enquête qui suivit exonéra les officiers, mais critiqua le raid lui-même, le décrivant comme « légalement défectueux et mal exécuté, fondé sur les allégations non corroborées d'un parent aigri à qui on avait refusé la garde de ses enfants ». Depuis lors – et Laurie devait créditer Kevin de l'essentiel des changements – la police de Mapleton avait adopté une attitude moins conflictuelle à l'égard des CS, faisant de son mieux pour recourir à la diplomatie plutôt que la force lorsque d'inévitables disputes et crises surgissaient. Pourtant, le souvenir de la fusillade restait vif et douloureux à Ginkgo Street. Laurie n'avait jamais entendu personne évoquer la possibilité de retirer les barrières de sécurité qui, de toute façon, servaient aussi de mémoriaux puisqu'on pouvait y lire ces mots, inscrits à la bombe : ON T'AIME, PHIL – RENDEZ-VOUS AU PARADIS.

On leur avait assigné une chambre au deuxième étage de la Maison Bleue, réservée aux Jeunes Recrues de sexe féminin. Laurie vivait habituellement dans la Maison Grise, le dortoir des femmes juste à côté, où une pièce de taille moyenne contenait jusqu'à six ou sept personnes qui dormaient toutes par terre dans des sacs de couchage. Chaque nuit était une sinistre soirée duvet réservée aux adultes – pas de gloussements ou de chuchotements, juste un tas de toussotements, pets, ronflements et grognements, les bruits et les odeurs de trop nombreuses personnes, stressées et confinées dans un espace trop petit.

La Maison Bleue était hautement civilisée en comparaison, presque luxueuse, elles deux, seules, occupant une chambre pour enfant avec deux lits jumeaux et des murs vert pâle, une moquette beige douce au toucher des pieds nus et, la meilleure partie, une salle de bains de l'autre côté du couloir. *De petites vacances*, pensait Laurie. Elle se déshabilla pendant que Meg prenait sa douche, échangeant ses vêtements sales contre une large chemise de nuit – un vêtement affreux mais confortable, cousu dans un vieux drap – puis s'agenouilla pour prier. Elle prit son temps, se concentrant sur ses enfants, puis successivement sur Kevin, sa mère, ses frères et sœurs, ses amis et anciens voisins, essayant de visualiser chacun d'eux vêtu d'habits blancs et baigné de la lumière dorée du pardon, comme on lui avait appris à le faire. C'était un luxe de prier ainsi, dans une pièce vide sans distraction. Elle savait que Dieu se moquait qu'elle s'agenouille ou se tienne sur la tête, mais elle préférait simplement s'adonner correctement à la prière, concentrée et l'esprit clair.

Merci de nous avoir amenés Meg, pria-t-elle. *Donnez-lui la force et accordez-moi la sagesse de la guider dans la bonne direction.*

La Surveillance Nocturne s'était assez bien déroulée, pensa-t-elle. Elles avaient perdu la trace de Grice et n'étaient tombées sur aucune des personnes dont elles avaient examiné les dossiers, mais elles avaient été témoins d'une activité assez importante dans le centre ville, accompagnant jusqu'à leur voiture des gens qui sortaient de bars ou de restaurants et chaperonnant jusque chez elles un trio de jeunes adolescentes qui bavardaient gaiement au sujet de garçons et du lycée comme si Laurie et Meg n'étaient même pas présentes. Elles n'avaient fait qu'une seule rencontre désagréable, celle de deux idiots dans la vingtaine, à l'extérieur du Extra Inning. Rien d'horrible, juste les insultes habituelles et une grossière invitation sexuelle du plus soûl des deux, un type plutôt beau, au sourire arrogant, qui avait passé le bras autour des épaules de Meg comme s'il s'agissait de sa petite amie. (« Je baiserai la jolie, avait-il dit à son copain. Tu peux prendre la grand-mère ».) Mais même cette rencontre constituait une leçon utile pour Meg, un petit goût de ce que le métier de Surveillant pouvait signifier. Tôt ou tard, quelqu'un la frapperait ou lui cracherait dessus, ou pire encore, et elle devrait se montrer capable d'endurer l'agression sans protester ni se défendre.

Meg émergea de la salle de bains, souriant d'un air embarrassé, le visage rose, flottant dans sa chemise de nuit qui ressemblait à une tente. C'était presque cruel, pensa Laurie, d'envelopper une jolie jeune femme d'une toile aussi terne et ample, comme si sa beauté n'avait pas sa place dans le monde.

C'est différent pour moi, se dit-elle. *Je suis parfaitement heureuse de me cacher.*

L'eau dans la salle de bains était encore chaude, un luxe dont elle avait perdu l'habitude. Dans la Maison Grise, il y avait un manque chronique d'eau chaude – c'était inévitable, avec tant de gens qui y habitaient – mais le règlement exigeait deux douches par jour quoi qu'il arrive. Elle resta longtemps à se laver, jusqu'à ce que l'air se charge de vapeur, ce qui ne posait pas vraiment de problème dans la mesure où les CS interdisaient les miroirs. Se brosser les dents face à un mur vide, utiliser un dentifrice générique au goût crayeux et une brosse à dents manuelle minable continuait de lui paraître étrange. Elle avait accepté la plupart des restrictions hygiéniques sans se plaindre – il était facile de comprendre pourquoi les parfums, les démêlants et les crèmes anti-rides pouvaient être considérés comme des extravagances – mais elle ne se remettait toujours pas de la perte de sa brosse à dents électrique. Elle l'avait regrettée pendant des semaines avant de se rendre compte que ce qui lui manquait était bien plus que la sensation d'une bouche propre – c'était sa vie de femme mariée, toutes ces années d'insouciant bonheur domestique, ces longues journées chargées qui culminaient dans la salle de bains, avec elle et Kevin côte à côte, en face du double lavabo, leurs baguettes électriques vibrant dans leurs mains, leurs bouches pleines de mousse mentholée. Mais c'était terminé. Maintenant il n'y avait plus qu'elle seule dans une pièce silencieuse, son poing s'agitant résolument devant son visage, sans personne pour sourire dans le miroir, ni personne pour lui rendre son sourire.

Pendant la période d'entraînement, le Vœu de Silence n'était pas absolu. Il y avait un bref interlude après l'extinction des feux – en général, pas plus de quinze minutes – où l'on avait le droit de parler librement, de verbaliser ses craintes et poser toutes les questions restées sans réponse au cours de la journée. L'Épanchement constituait une innovation récente, censée servir de soupape de sécurité, une manière de rendre la transition vers l'interdiction de parler un peu moins abrupte, moins intimidante. D'après une présentation PowerPoint que Laurie avait vue – elle était membre du Comité de Recrutement – le pourcentage de défections parmi les Jeunes Recrues avait baissé de près d'un tiers depuis la nouvelle politique, ce qui expliquait, entre autres, que le complexe soit devenu si bondé.

— Alors, comment tu vas ? demanda Laurie, histoire de lancer la conversation.

Sa propre voix lui parut étrange, croassement rauque dans la pénombre.

— Ça va, j'imagine, répondit Meg.

— C'est tout ?

— Je ne sais pas. C'est dur de tout quitter. Je n'arrive toujours pas à croire que je l'ai fait.

— Tu avais l'air un peu nerveuse au Safeway.

— J'avais peur de voir quelqu'un que je connaissais.

— Ton fiancé ?

— Ouais, mais pas seulement Gary. N'importe lequel de mes amis. (Sa voix était un peu chancelante, comme si elle essayait de se montrer courageuse.) J'étais censée me marier ce week-end.

— Je sais.

Laurie avait lu le dossier de Meg et compris qu'elle exigerait une attention spéciale.

— Ça a dû être difficile.

Meg fit un drôle de son, entre gloussement et grognement.

— J'ai l'impression d'être dans un rêve, dit-elle. Je m'attends à me réveiller à tout moment.

— Je sais ce que c'est, lui assura Laurie. J'ai encore ce sentiment parfois. Parle-moi de Gary. Il est comment ?

— Formidable, répondit Meg. Vraiment mignon. Des épaules larges. Des cheveux blonds. Et cette adorable petite fossette au menton. Je l'embrassais là tout le temps.

— Qu'est-ce qu'il fait ?

— C'est un analyste financier. Il vient d'obtenir son MBA, ce printemps.

— Waouh. Il a l'air impressionnant.

— Il l'est, répondit-elle simplement, comme s'il n'y avait pas de discussion possible. C'est un type super. Intelligent, beau, très drôle. Il adore voyager, il fait de l'exercice tous les jours. Mes amis l'appellent M. Parfait.

— Vous vous êtes rencontrés où ?

— Au lycée. Il jouait au basket. Mon frère était dans l'équipe, alors je suis allée à plusieurs matchs. Gary était en terminale, et moi en première. Je ne pensais même pas qu'il connaissait mon existence. Et puis, un jour, il s'est approché de moi et il m'a dit : « Hé, la sœur de Chris. Tu veux aller au cinéma ? » Tu peux le croire ? Il ne connaissait même pas mon nom et il me demandait de sortir avec lui.

— Et tu as dit oui.

— Tu plaisantes ? J'avais le sentiment d'avoir gagné à la loterie.

— Vous vous êtes tout de suite plu ?

— Oh, oui. La première fois qu'il m'a embrassée, j'ai pensé : *C'est le type avec qui je vais me marier.*

— Ça t'a pris du temps. C'était il y a quoi, huit ou neuf ans ?

— On était lycéens, expliqua Meg. On s'est fiancés juste après ma terminale, mais ensuite on a dû repousser le mariage. À cause de ce qui s'est passé.

— Tu as perdu ta mère.

— Pas seulement elle. Un des cousins de Gary, aussi... deux filles que je connaissais à la fac, le patron de mon père, un gars avec qui Gary travaillait. Tout un tas de gens. Tu te rappelles comment c'était.

— Oui.

— Ça ne me paraissait pas possible, de me marier sans ma mère. On était vraiment très proches et elle était tellement excitée quand je lui ai montré la bague. Je devais porter sa robe de mariée et tout.

— Et Gary était d'accord pour repousser ?

— Tout à fait. Comme je t'ai dit, c'est un type vraiment sympa.

— Alors vous avez remis le mariage à une date ultérieure ?

— Pas immédiatement. On n'en a même pas parlé pendant deux ans. Et puis, finalement, on a décidé de se marier.

— Et tu te sentais prête, cette fois ?

— Je ne sais pas. J'imagine que j'avais finalement accepté l'idée que ma mère ne reviendrait pas. Que personne ne reviendrait. Et puis Gary commençait à perdre patience. Il n'arrêtait pas de me dire qu'il en avait marre d'être triste tout le temps. Il m'a dit que ma mère aurait voulu qu'on se marie, qu'on fonde une famille. Il disait qu'elle aurait voulu qu'on soit heureux.

— Et toi, qu'est-ce que tu pensais ?

— Qu'il avait raison. Et j'en avais assez moi aussi, d'être tout le temps triste.

— Qu'est-ce qui s'est passé, alors ?

Meg ne parla pas pendant quelques secondes. Laurie avait presque l'impression de l'entendre réfléchir dans l'obscurité, essayer de formuler sa réponse aussi clairement que possible, comme si elle était lourde de conséquences.

— On a tout préparé. On a loué une salle, choisi un DJ, testé des traiteurs. J'aurais dû être heureuse, tu ne crois pas ? (Elle rit doucement.) J'avais l'impression de ne même pas être là, que tout ça arrivait à quelqu'un d'autre, quelqu'un que je ne connaissais même pas. *Regarde-la, en train de rédiger les invitations. Regarde-la, en train d'essayer la robe.*

— Je me souviens de ce sentiment, dit Laurie. C'est comme si tu étais morte, sans même en avoir conscience.

— Gary s'est fâché. Il ne comprenait pas pourquoi je n'étais pas plus excitée.

— Alors, quand est-ce que tu as décidé de renoncer au mariage ?

— J'y ai pensé pendant longtemps. Mais je continuais à attendre, tu sais, en espérant que ça allait s'arranger. J'ai vu un thérapeute, j'ai pris des médicaments, fait beaucoup de yoga. Mais rien ne marchait. La semaine dernière, j'ai dit à Gary que j'avais encore besoin de temps, mais il n'a rien voulu entendre. Il m'a dit qu'on pouvait soit se marier soit se séparer. Que c'était mon choix.

— Et maintenant tu es là.

— Et maintenant je suis là, acquiesça-t-elle.

— On est contents de t'avoir.

— J'ai vraiment horreur des cigarettes.

— Tu t'habitueras.

— J'espère.

Aucune des deux ne parla après cela. Laurie se tourna sur le côté, savourant la douceur des draps, essayant de se rappeler la dernière fois qu'elle avait dormi dans un lit aussi confortable. Meg pleura un court moment, puis on ne l'entendit plus.

Prenez une chambre

Nora était impatiente d'aller à la soirée dansante, moins pour l'événement lui-même que pour l'occasion de faire une déclaration publique, de montrer à son petit monde qu'elle allait bien, qu'elle s'était remise de l'humiliation de l'article de Matt Jamison et n'avait besoin de la pitié de personne. Elle s'était sentie d'une humeur optimiste et pleine de défi toute la journée, passant les vêtements les plus sexy de sa garde-robe – ils lui allaient toujours, certains même mieux qu'avant – et s'exerçant à des mouvements en face du miroir, la première fois qu'elle dansait depuis trois ans. *Pas mal*, pensa-t-elle. *Pas mal du tout.* C'était comme de retourner dans le passé, retrouver la personne que vous étiez et reconnaître en elle une amie.

La tenue qu'elle choisit finalement était une robe portefeuille moulante rouge et grise, au décolleté plongeant, qu'elle avait portée pour la dernière fois au mariage de la fille du patron de Doug, où elle avait reçu un tas de compliments, y compris de la part de Doug. Elle sut qu'elle avait fait le bon choix lorsqu'elle l'essaya devant sa sœur et aperçut son expression acerbe.

— Tu ne vas pas porter *ça*, si ?

— Pourquoi ? Tu n'aimes pas ?

— C'est un peu… *tape-à-l'œil*, non ?

— Je m'en fiche, répondit Nora. Ils peuvent penser ce qu'ils veulent.

Une sensation d'anticipation nerveuse, plutôt agréable – le trac du samedi soir – s'empara d'elle dans la voiture de Karen, une sensation qui lui rappelait ses premières années d'université, à l'époque où chaque fête pouvait changer votre vie. Cette sensation dura tout le temps du trajet en voiture et des quelques pas qu'elle fit pour traverser le parking du collège, et disparut à l'entrée du bâtiment, lorsqu'elle vit l'affiche annonçant la soirée :

ON S'AMUSE À MAPLETON PRÉSENTE :
SOIRÉE POUR ADULTES DE NOVEMBRE
DJ, DANSE, RAFRAÎCHISSEMENTS, PRIX
DE 20 H À MINUIT
CANTINE DU COLLÈGE HAWTHORNE

On s'amuse à Mapleton ? songea-t-elle, apercevant soudain son reflet mortifiant dans la porte vitrée. *C'est une blague ?* Si c'en était une, alors elle devait en être la cible : une femme plus si jeune en robe de soirée, s'apprêtant à entrer dans un collège que ses enfants n'auraient jamais l'occasion de fréquenter. *Pardon*, leur dit-elle, comme s'ils se cachaient quelque part dans sa tête et jugeaient toutes ses actions. *Je n'ai pas vraiment réfléchi.*

— Qu'est-ce qu'il y a ? demanda Karen, regardant par-dessus l'épaule de Nora. C'est fermé ?

— Bien sûr que non.

Nora poussa la porte pour montrer à sa sœur combien sa question était stupide.

— Je m'en doutais bien, dit Karen d'un ton grincheux.

— Alors pourquoi tu as posé la question ?

166

— Parce que tu restais plantée là, voilà pourquoi.

Tais-toi, pensa Nora tandis qu'elles s'engageaient dans le couloir principal, long tunnel éclairé, au plancher marron et aux murs garnis d'une multitude de casiers verts institutionnels s'étendant de bout en bout. *Tais-toi, s'il te plaît.* Une série d'autoportraits d'élèves étaient accrochés au mur en face du bureau central, au-dessus d'un étendard où l'on pouvait lire : NOUS SOMMES LES MUSTANGS ! Il lui était douloureux de regarder tous ces jeunes visages, maladroitement rendus mais pleins d'espoir, de songer à toutes les mères chanceuses qui envoyaient leurs enfants au collège le matin, avec leurs sacs à dos et leurs déjeuners, et puis les récupéraient sur le trottoir l'après-midi.

Hé, mon amour, comment s'est passée ta journée ?

— Ils ont un excellent programme d'art, expliqua Karen, comme si elle faisait faire la visite à une future parent d'élève. Et un bon programme de musique aussi.

— Formidable, marmonna Nora. Peut-être que je devrais m'inscrire.

— Je fais juste la conversation. C'est pas la peine de monter sur tes grands chevaux.

— Pardon.

Nora savait qu'elle se montrait dure. C'était d'autant plus injuste que Karen avait été la seule personne qu'elle ait pu mobiliser de la sorte au dernier moment. C'était le truc avec sa sœur – Nora ne l'appréciait pas tout le temps et tombait rarement d'accord avec elle, mais elle pouvait toujours compter sur elle. Les autres personnes qu'elle avait appelées – ses soi-disant amies proches du groupe de mamans dont elle ne pouvait plus vraiment prétendre être membre – avaient toutes décliné, mentionnant des obligations familiales ou autres, mais seulement après avoir essayé de la dissuader d'y aller.

Tu es sûre que c'est une bonne idée, chérie ? Nora détestait la façon condescendante qu'elles avaient de l'appeler « chérie », comme si elle était une enfant, incapable de prendre ses propres décisions. *Tu ne veux pas attendre encore un peu ?*

Ce qu'elles voulaient dire, c'était attendre encore un peu pour que se dissipe la fumée provoquée par l'article, celui dont toute la ville devait encore bruisser : JOUE BIEN AVEC LES AUTRES : LE TORRIDE RENDEZ-VOUS DU PAPA « HÉROS » AVEC LA BOMBE DE LA MATERNELLE. Nora ne l'avait lu qu'une seule fois, dans sa cuisine, après la visite surprise de Matt Jamison, mais une fois avait suffi pour que tous les sinistres détails de la liaison ardente de Doug avec Kylie Mannheim s'impriment de façon permanente dans sa mémoire.

Même aujourd'hui, deux semaines plus tard, elle avait encore du mal à accepter l'idée que Kylie puisse être l'Autre Femme. Dans son esprit, Nora continuait à la percevoir comme la maîtresse adorée de ses enfants de la Little Sprouts Academy, une jeune femme charmante, énergique, fraîchement sortie de l'université, qui, d'une manière ou d'une autre, parvenait à paraître belle et innocente malgré son piercing dans la langue et son tatouage sur tout le bras gauche qui fascinaient les enfants. Elle était l'auteur d'une magnifique lettre d'évaluation que Nora avait autrefois pensé garder pour toujours, une analyse soigneusement détaillée de trois pages sur la première année d'école d'Erin à Little Sprouts qui louait ses « qualités sociales hors du commun », son « inépuisable curiosité d'esprit » et son « sens intrépide de l'aventure ». Pendant les deux ou trois mois qui avaient suivi le 14 Octobre, Nora avait emporté la lettre partout avec elle, de façon à pouvoir la lire chaque fois qu'elle voulait se souvenir de sa fille.

Malheureusement, il n'y avait aucun doute sur la véracité des accusations du révérend. Il avait récupéré au rebut un vieil ordinateur portable, apparemment cassé (le gars du magasin d'informatique lui avait dit que le disque dur était mort), qui avait appartenu à Kylie et, employant ses talents récemment acquis pour recouvrer des informations, avait déterré une mine de photos et d'e-mails compromettants et le contenu de séances de *chat* « scandaleusement explicite » entre « le bel homme, père de deux enfants » et la « jeune institutrice charmante ». La gazette incluait plusieurs extraits accablants de cette correspondance, dans lesquels Doug révélait un don caché jusqu'alors pour l'écriture érotique.

Nora avait été dévastée, non seulement par les révélations sordides – elle n'avait rien suspecté, bien sûr – mais aussi par le plaisir évident qu'avait pris le révérend à les rendre publiques. Elle s'était cachée pendant plusieurs semaines après le scandale, passant mentalement en revue sa vie de femme mariée, se demandant si chaque minute avait été un mensonge.

Une fois le choc initial passé, elle se rendit compte qu'elle éprouvait aussi une sorte de soulagement, comme si son fardeau s'en trouvait allégé. Pendant trois ans, elle avait pleuré un mari qui n'existait pas vraiment, du moins pas de la manière qu'elle se l'imaginait. Maintenant qu'elle connaissait la vérité, elle voyait qu'elle avait perdu un peu moins qu'elle ne le pensait, ce qui revenait presque à recouvrer une partie de ce qui lui avait été enlevé. Elle n'était pas une veuve tragique, après tout, juste une autre de ces femmes trahies par un homme égoïste. C'était un moins grand rôle, plus familier, et beaucoup plus facile à jouer.

— Tu es prête ? demanda Karen.

Elles se tenaient sur le pas de la porte de la cantine, à regarder les gens s'activer sur la piste de danse mal éclairée. Il y avait un monde étonnant, un tas de personnes d'âge mûr, surtout des femmes, qui se déhanchaient avec enthousiasme, non sans une certaine maladresse, sur « Little Red Corvette » de Prince, cherchant à retrouver la personne de leur jeunesse, plus leste.

— Je crois, répondit Nora.

Elle sentit les têtes se tourner quand elles entrèrent dans l'espace caverneux de la fête, l'attention de la pièce soudain sur elles. C'était ce dont ses amies avaient espéré la protéger, mais elle s'en moquait pas mal. Si les gens voulaient la regarder, qu'ils regardent.

Ouais, c'est moi, pensa-t-elle. *La Femme la Plus Triste du Monde.*

Elle se jeta dans l'arène, levant les bras au-dessus de la tête et laissant ses hanches prendre les commandes. Karen se trouvait là, avec elle, bougeant des coudes et des genoux. Nora n'avait pas vu sa sœur danser depuis des années et avait oublié combien la regarder était divertissant, une petite femme ronde toute en mouvements, séduisante d'une façon que l'on n'imaginerait pas à la rencontrer dans tout autre contexte. Elles se penchèrent l'une vers l'autre, se souriant tout en chantant avec la musique : *Little Red Corvette, baby you're much too fast !* Nora pivota vers la gauche, puis redressa le buste vers la droite, ses longs cheveux lui fouettant le visage. Pour la première fois depuis des lustres, elle se sentait presque de nouveau humaine.

Le jeu auquel ils jouaient s'appelait Prenez une Chambre. C'était une version très proche du jeu de la bouteille, sauf que le groupe dans son intégralité devait voter pour décider si un couple pouvait quitter le cercle et se retirer dans un espace privé. Le vote ajoutait une dimension stratégique à ce qui autrement était un simple jeu de hasard. Vous deviez garder en mémoire tout une étendue de possibilités, recalculant à chaque tour qui vous vouliez garder dans le cercle et qui vous vouliez éliminer comme rival. Le principe –

à part celui, évident, d'essayer de se retrouver avec quelqu'un qui vous plaisait – consistait à éviter d'être l'un des deux derniers joueurs dans le cercle, parce que ceux-ci devaient aussi prendre une chambre, même si Jill savait d'expérience qu'ils n'y faisaient rien, comme des losers. En un sens, il aurait mieux valu un nombre impair de joueurs, malgré la gêne de se retrouver seul à la fin, éliminé.

Aimee se frotta les mains pour attirer la chance, sourit à Nick Lazarro – il était le premier choix de toutes les filles – et fit tourner la girouette qui venait d'un jeu de Twister. La flèche devint floue, puis ralentit et reprit forme tandis qu'elle finissait sa course autour du cadran, dépassant Nick de quelques centimètres pour atterrir pile sur Zoe Grantham.

— C'est pas vrai, maugréa Zoe. Pas encore.

C'était une jolie fille, voluptueusement gironde, portant une frange à la Cléopâtre et arborant des lèvres rouges pulpeuses qui laissaient leurs marques partout sur le cou et le visage des gens.

— Oh, allez, dit Aimee en faisant une petite moue. C'est pas si terrible que ça.

Elles se démenèrent pour s'avancer l'une vers l'autre à quatre pattes au centre du cercle. Ce ne fut pas bien spectaculaire – ni langue, ni pelotage, juste un petit baiser poli sur les lèvres –, mais Jason Waldron se mit à taper des mains et à hululer comme si elles étaient des stars de porno qui s'en donnaient à cœur joie.

— Putain, ouais ! cria-t-il, comme il le faisait toujours lorsqu'il y avait la moindre possibilité lesbienne, même la plus apathique. Ces salopes doivent prendre une chambre !

Personne ne soutint la proposition. Nick fut le suivant à faire tourner la flèche, mais elle tomba sur Dmitri, si bien qu'il dut recommencer. C'étaient les règles sexistes selon lesquelles ils jouaient : les filles devaient s'embrasser mais pas les garçons, pour des raisons mystérieuses. Ce double critère agaçait Jill, non pas qu'elle soit contre le fait d'embrasser les filles – cela lui plaisait plutôt, à part avec Aimee, qu'elle considérait un peu trop comme une sœur – mais parce qu'il était lié à une seconde injustice : les filles devaient s'embrasser, mais elles ne pouvaient jamais prendre une chambre, au motif que deux garçons se retrouveraient privés de partenaires féminines, et que la symétrie hétérosexuelle du jeu en serait bouleversée. Jill avait essayé une ou deux fois de demander aux autres de reconsidérer cette politique, mais personne ne l'avait soutenue, pas même Jeannie Chun, qui aurait pourtant été à l'évidence la première à bénéficier du changement.

Au deuxième tour, Nick tomba sur Zoe, et ils s'embrassèrent avec assez de ferveur pour que Max Connolly suggère qu'ils prennent une chambre. Jeannie appuya la proposition, mais tous les autres votèrent contre – Jill et Aimee parce qu'elles voulaient garder Nick dans le jeu, Dmitri parce qu'il s'était amouraché de Zoe et Jason parce qu'il était le laquais de Nick et votait toujours pour que celui-ci prenne une chambre avec Aimee, et personne d'autre.

C'était le problème ces derniers temps – les joueurs étaient en nombre insuffisant et il n'y avait plus aucun suspense. Plus tôt, cet été, la folie régnait ; certains soirs, il y avait près de trente personnes – le jeu se déroulait dehors, dans le jardin de Mark Sollers –, dont beaucoup ne se connaissaient pas. Le vote était très animé et imprévisible ; vous aviez tout autant de chance de prendre une chambre pour un baiser médiocre que pour un baiser torride. La première fois qu'elle avait joué, Jill s'était retrouvée avec un étudiant qui s'avéra être un bon ami de son frère. Ils batifolèrent un peu, puis renoncèrent et se mirent à parler de Tom pendant un long moment, conversation qui lui en apprit plus sur son frère que ce qu'elle en savait pour avoir vécu tant d'années dans la même maison que lui. La deuxième fois, elle prit une chambre avec Nick, qu'elle connaissait du lycée mais avec qui elle n'avait jamais parlé. C'était un beau garçon aux yeux foncés et aux cheveux raides, dont l'attitude réservée et attentive la fit se sentir belle, la convainquant que sa place était dans ses bras.

Le jeu s'affaiblit et perdit de son intérêt en septembre, lorsque les étudiants retournèrent à la fac. Il continua de s'appauvrir tout au long de l'automne, le nombre de joueurs se réduisant à un noyau dur de huit personnes, et chaque partie finissant par se ressembler plus ou moins : Aimee disparaissait avec Nick, Jill et Zoe se battaient pour Max et Dmitri, et Jeannie et Jason terminaient ensemble par défaut. Jill ne savait même pas pourquoi ils se donnaient la peine de continuer – le jeu lui paraissait ne plus fonctionner que comme une sorte de mauvaise habitude, un rituel qui avait fait son temps, mais il lui restait toujours le faible espoir que la dynamique du groupe change de telle sorte qu'elle se retrouve une nouvelle fois seule avec Nick et qu'elle puisse lui rappeler combien leurs esprits et leurs corps s'accordaient à la perfection.

Malheureusement, ce n'était pas encore pour ce soir. Elle était tombée sur lui à son quatrième tour de girouette – ressentant la secousse familière de l'excitation tandis que son visage s'avançait vers le sien, et la déception également familière lorsqu'ils s'embrassèrent. Il ne fit même pas semblant d'être intéressé, écartant à peine ses lèvres sèches, sa langue obstinément passive face aux mouvements passionnés et interrogateurs de la sienne. La performance était si léthargique – bien moins torride que le baiser qu'il avait échangé avec Zoe ; Jill n'occupait même plus la deuxième place ! – que personne ne se fatigua à suggérer qu'ils prennent une chambre. À la fin, il s'essuya la bouche, hocha la tête en signe d'approbation languide et dit : « Merci, c'était super », mais par pure convenance. Ils auraient tout aussi bien pu se contenter de se serrer la main, ou de se saluer d'un côté à l'autre de la rue. À tel point qu'elle se demanda si leur aventure de l'été avait bien eu lieu, si l'heure et demie glorieuse qu'ils avaient passée sur le lit des parents de Mark n'était pas juste le fruit de son imagination, si elle n'avait pas simplement pris ses désirs pour des réalités.

Mais ce n'était pas le cas – les draps sur le lit étaient frais et blancs, rehaussés de petites fleurs bleues à l'air pur et innocent, et Nick s'était montré enthousiaste. Un seul changement avait eu lieu depuis : il s'était entiché d'Aimee, comme tous les garçons finissaient par le faire. La manière dont son visage s'illumina lorsque la flèche pointa finalement dans la direction d'Aimee le prouvait, de même que la lenteur et l'application qu'il mit à l'embrasser, comme s'ils étaient seuls dans la pièce, comme si ce qu'ils partageaient n'avait rien d'un jeu. Aimee ne put égaler sa sincérité – il y avait une dimension si théâtrale dans sa façon de se couler sur le sol, de l'attirer sur elle et d'arquer le dos pour frotter son pelvis contre le sien – mais la combinaison des deux styles eut un puissant effet sur les juges. Quand Jason suggéra qu'ils prennent une chambre, Zoe approuva la motion, et le vote en faveur fut unanime – il n'y eut pas une seule abstention.

La barrière qui séparait Nora des personnes autour d'elle s'amoindrit et fondit à mesure qu'elle dansait ; les autres lui paraissaient moins éloignés ou étranges que d'habitude, quand elle les croisait au supermarché ou sur le sentier cyclable. Lorsqu'ils se cognaient à elle sur la piste de danse, le contact ne lui paraissait pas intrusif, ni déplaisant. Si quelqu'un lui adressait un sourire, elle le lui rendait, et la plupart du temps cela lui semblait normal, comme une chose pour laquelle son visage était fait.

Elle s'arrêta au bout d'une demi-heure et se dirigea vers la table des rafraîchissements, où elle se remplit un verre en plastique de chardonnay qu'elle avala en deux grandes gorgées. Le vin était tiède, un peu trop sucré, mais elle pensa qu'il pourrait se boire agréablement avec des glaçons et un peu d'eau de Seltz.

— Excusez-moi, madame Durst ?

Nora se retourna vers la voix, qui lui parut douce et étrangement familière. Elle resta un long moment interdite, comme si elle avait perdu le pouvoir de penser et de parler.

— Je suis désolée de vous déranger, dit Kylie.

Elle s'était fait couper les cheveux court, à la garçonne, et cela lui allait bien, contrastant agréablement avec toute cette encre branchée qu'elle avait sur le bras et que Doug avait apparemment trouvée si excitante. *J'adore t tatouages*, lui avait-il écrit dans l'un des textos que le révérend Jamison avait publiés dans sa gazette. *J'ai demandé à ma femme de s'en faire un mais elle a refusé* :(.

— On peut parler une minute ?

Nora resta muette. Elle avait imaginé cette scène avec une telle clarté qu'elle la connaissait par cœur. Les deux premiers jours après avoir appris la liaison de Doug, elle avait rêvé à plusieurs reprises, et en grand détail, de faire irruption à Little Sprouts au milieu de la sieste et de gifler Kylie, vraiment fort, devant tous les autres instituteurs et les enfants.

Pute, dirait-elle d'un air dégagé, comme si c'était le vrai nom de Kylie. (Elle avait imaginé un autre scénario possible, dans lequel elle hurlait le mot comme une malédiction, mais cela lui paraissait trop mélodramatique, loin d'être aussi satisfaisant.) *Vous êtes dégoûtante.*

Et puis, elle la giflerait sur l'autre joue de son visage de traîtresse, le bruit de la claque résonnant comme un coup de feu dans la pièce de jeu sombre.

Il y avait un tas d'autres choses qu'elle comptait dire après cela, mais les mots n'étaient pas vraiment la question. Les gifles, si.

— Je comprends tout à fait si vous ne voulez pas, continua Kylie. Je sais que c'est bizarre.

Nora la dévisagea, se rappelant combien l'affronter dans ses rêveries lui avait fait du bien – à quel point elle avait trouvé cela cathartique et même justifié –, comme si elle était un instrument de la justice divine. Mais elle comprit alors que c'était une Kylie imaginaire qu'elle avait voulu punir, une femme plus jolie et plus sûre d'elle-même que celle qui se tenait debout devant elle. La vraie Kylie paraissait trop troublée et contrite pour qu'on ait envie de la gifler. Elle semblait aussi beaucoup plus petite que dans son souvenir, peut-être parce qu'elle n'était pas entourée d'une flopée de petits enfants.

— Madame Durst ? Kylie examinait Nora avec inquiétude. Ça va, madame Durst ?

— Pourquoi vous n'arrêtez pas de m'appeler comme ça ?

— Je ne sais pas.

Kylie baissa les yeux et fixa ses tennis en daim rétro. Dans son jean serré et son petit T-shirt moulant – il était noir, avec un point d'exclamation blanc entre ce que Doug avait appelé ses « jolis nénés de pom-pom girl » – elle avait l'air de faire partie d'un sous-sol de club de rock, plutôt que d'une cantine de collège.

— J'ai l'impression de ne plus avoir le droit de vous appeler par votre prénom.

— Quelle considération.

— Je suis désolée.

Le visage de Kylie s'empourpra un peu plus.

— Je ne m'attendais simplement pas à vous voir ici. Vous n'êtes jamais venue aux soirées avant.

— Je ne sors pas beaucoup, expliqua Nora.

Kylie ébaucha un sourire. Son visage était un peu plus épais qu'autrefois, un peu plus ordinaire. *On n'est plus si jeune, hein ?* pensa Nora.

— Vous dansez vraiment très bien, lui dit Kylie. Vous aviez l'air de bien vous amuser.

— Je n'aime que ça, m'amuser, lui répondit Nora. (Elle pouvait sentir les gens la regarder de loin, se focalisant sur le drame.) Et vous ? Vous vous amusez bien ?

— Je viens d'arriver.

— C'est plein de types plus âgés, fit remarquer Nora. Peut-être même des types mariés.

Kylie hocha la tête, comme si elle appréciait la pique.

— C'est mérité, dit-elle. Et je veux juste que vous sachiez à quel point je suis désolée de ce qui s'est passé. Croyez-moi, vous ne pouvez pas savoir comme je me suis sentie mal...

Elle continua de parler, mais tout ce à quoi Nora pouvait penser était le piercing en argent qu'elle avait au milieu de sa langue, la perle métallique et terne qu'elle pouvait apercevoir par instants, quand Kylie ouvrait la bouche un peu plus grand. C'était une des autres choses favorites de Doug, le sujet d'une rhapsodie électronique que Nora n'avait pas pu se sortir de la tête :

Tes pipes sont incroyables !!! Quatre putains d'étoiles ! Les meilleures qu'on m'ait jamais taillées. J'adore la façon, si lente et si sexy, que tu as de descendre le long de mon torse en me léchant avec ta langue magique et j'adore aussi le plaisir que ça te procure. Qu'est-ce que tu m'as dit – meilleur qu'un cône glacé ? Faut que j'arrête là – je vais jouir rien que de penser à ta petite bouche torride. Tendres baisers, et cône glacé,

D.

Les meilleures qu'on m'ait jamais taillées. C'était la phrase qui l'avait achevée, celle qui lui avait le plus fait l'effet d'une trahison, plus que le sexe lui-même. Au cours des douze années où Doug et elle avaient été ensemble, elle lui avait taillé plein de pipes, et il en avait l'air assez satisfait à l'époque. Voire un peu trop satisfait, s'était-elle mise à penser, au point de le considérer comme un dû. Elle s'était plainte quelquefois de la manière qu'il avait de lui fourrer simplement la tête sur son sexe – pas un mot, aucune tendresse, juste un ordre silencieux – et il avait fait mine de l'écouter attentivement, promettant de lui montrer plus d'égard à l'avenir. Ce qu'il faisait toujours, pendant un petit laps de temps, jusqu'à ce qu'il arrête. C'en était arrivé au point où, vers la fin, il lui avait complètement gâché la chose, et elle ne pouvait plus dire si elle le faisait parce qu'elle en avait envie ou parce qu'il l'attendait d'elle. Apparemment, Kylie était une partenaire bien plus complaisante.

— Je voulais vous appeler, disait-elle, mais finalement je ne sais pas, après tout ce qui s'est passé...

Elle s'arrêta au milieu de sa phrase, ses yeux s'écarquillant lorsqu'elle aperçut Karen fondre sur elles d'une démarche guerrière, grande sœur à la rescousse. Karen se plaça de manière protectrice devant Nora, sous le nez de Kylie.

— Ça va pas dans votre tête ? demanda-t-elle, la voix remplie d'indignation. Vous êtes folle ?

— Ça va, marmonna Nora, posant une main sur le bras de sa sœur pour la contenir.

— Non, ça ne va pas, dit Karen, sans quitter Kylie des yeux. Je ne peux pas croire que vous ayez le culot de vous montrer ici. Après ce que vous avez fait...

Kylie se pencha sur le côté, pour tenter d'apercevoir de nouveau Nora.

— Je suis désolée, fit-elle. Je pense que je ferais mieux d'y aller.

— Bonne idée, lui dit Karen. Vous n'auriez jamais dû venir pour commencer.

Nora se tenait aux côtés de sa sœur et, comme à peu près toutes les autres personnes présentes à la soirée, regarda Kylie faire demi-tour et traverser, honteuse, tout l'espace qui la séparait de la porte de sortie. Kylie garda les épaules et le menton hauts tout du long, essayant de compenser par sa bonne posture le fait qu'elle n'était plus la bienvenue.

Les règles n'exigeaient pas qu'un couple fasse l'amour une fois en privé dans une pièce, mais elles exigeaient en revanche que les deux joueurs enlèvent tous leurs habits, hormis leurs sous-vêtements. Jill et Max connaissaient la marche à suivre et ils se mirent à se déshabiller dès qu'ils furent entrés dans la chambre aux murs roses de la petite sœur de Dmitri.

— Encore toi, dit-il en s'affalant sur le lit dans son caleçon au tissu écossais que Jill lui avait déjà vu porter à plusieurs reprises.

— Ouais.

Jill était quasiment certaine que sa culotte noire et son soutien-gorge beige lui étaient à lui aussi familiers.

— C'est *Un jour sans fin*.

— Bon, ben. (Il retira un petit bout de peluche de son nombril et le laissa tomber par terre.) Ça pourrait être pire, hein ?

— Absolument. (Elle s'installa sur le lit à côté de lui, se servant de sa hanche pour le pousser plus près du mur.) Ça pourrait complètement être pire.

Elle ne le disait pas seulement pour être aimable. Max était un gars sympathique et intelligent, et elle était toujours soulagée de se retrouver seule avec lui. Il était facile de lui parler, et ils avaient compris depuis longtemps qu'ils ne collaient pas comme partenaires sexuels, de sorte qu'il n'y avait pas de pression de ce côté-là. C'était plus compliqué avec Dmitri, qui était plus beau que Max et plus intéressé par le sexe, mais qui lui signifiait aussi de multiples façons qu'il aurait préféré être avec Aimee ou Zoe. Parfois ils faisaient l'amour, mais elle se sentait toujours un peu triste après. La vraie catastrophe était de se retrouver coincée avec Jason, mais cela n'arrivait presque jamais. Elle ne comprenait pas comment Jeannie arrivait à le supporter. Peut-être qu'ils se contentaient de regarder du porno lesbien ensemble.

Max lui donna un petit coup de coude dans le bras.

— T'as froid ?

— Un peu.

Il déroula la couverture qui se trouvait au pied du lit et l'étala sur eux.

— C'est mieux, hein ?

— Ouais, merci.

Elle lui tapota la cuisse puis roula sur son côté pour éteindre la lampe, parce qu'ils aimaient tous les deux être allongés dans le noir. Parfois, on aurait dit qu'ils étaient un vieux couple marié, comme ses parents par le passé. Elle se rappelait quand elle allait dans leur chambre leur dire bonne nuit et les voyait tous les deux si confortablement installés et l'air content dans leurs pyjamas, à lire avec leurs lunettes sur le bout du nez. Ces derniers temps, son père semblait un peu perdu là-haut, le lit déséquilibré, comme s'il allait basculer. Elle se disait que c'était pour cette raison qu'il dormait sur le canapé si souvent.

— Tu as eu M. Coleman en biologie ? demanda Max.

— Non, j'ai eu Mme Gupta.

— Coleman était vraiment bon. Je pense qu'ils n'auraient pas dû le virer.

— Il a dit des choses assez méchantes.

— Je sais. Je ne défends pas ce qu'il a dit.

Quelques semaines plus tôt, M. Coleman avait déclaré à l'une de ses classes que la Soudaine Disparition était un phénomène naturel, une sorte de réaction globale auto-immune, une façon pour la Terre de se défendre contre l'infection galopante de l'humanité. *C'est nous*, avait-il dit. *C'est nous le problème. Nous rendons la planète malade.* Plusieurs élèves avaient été choqués par ces propos – l'un d'entre eux avait perdu sa mère le 14 Octobre – et certains parents avaient déposé une plainte officielle. La semaine précédente, le conseil d'administration du lycée avait annoncé que M. Coleman avait accepté de prendre une retraite anticipée.

— Je ne sais pas, continua Max. Je ne crois vraiment pas que ce qu'il a dit était aussi fou que ça.

— C'était dur, lui rappela Jill. Il a déclaré que ceux qui avaient disparu étaient des Rebuts. Les familles n'ont pas aimé ça.

— Beaucoup de gens ont proclamé l'inverse, fit remarquer Max. Ils ont dit que c'était nous qui étions les Rebuts.

— Ça craint aussi.

Ils se turent pendant un moment. Jill se sentait agréablement somnolente – pas fatiguée, juste détendue. C'était plaisant d'être allongée dans le noir, sous les couvertures, un corps chaud contre le sien.

— Jill ? murmura Max.

— Hum ?

— Ça te dérange si je me masturbe ?

— Non, lui répondit-elle. Vas-y.

Kylie était déjà parvenue au bureau principal lorsque Nora la rattrapa. Le couloir était vide, les lumières fluorescentes brillaient de manière oppressante ; le visage de Kylie était trempé de larmes. Gênée, Nora détourna le regard vers la tache déconcertante qui lui couvrait le bras, explosion multicolore de vignes, feuilles, bulles et fleurs qui avaient dû la faire souffrir le martyr.

— Vous n'avez pas de manteau ?

Kylie renifla et s'essuya les yeux.

— Il est dans la voiture.

— Est-ce que je peux vous poser une question ? la voix de Nora était étrangement calme, malgré son agitation intérieure. Est-ce qu'il avait l'intention de me quitter ?

Kylie secoua la tête.

— Au début, je pensais que c'était possible, mais je prenais mes rêves pour des réalités.

— Qu'est-ce que vous voulez dire ?

— Je ne sais pas. Après les premières fois, nous avons cessé d'en parler. Ça n'était plus à l'ordre du jour.

— Et ça ne vous gênait pas ?

— Si, un peu. (Kylie essaya de sourire, mais elle n'avait pas l'air plus heureuse.) Ce n'était pas clair dans ma tête. Je veux dire, je ne suis pas du genre à avoir une liaison avec un homme marié. Mais je l'ai quand même fait. Qu'est-ce que ça veut dire ?

Nora considéra que la question était rhétorique. En tout cas, Kylie devrait trouver une réponse toute seule.

— Je suis curieuse, dit-elle. Comment ça a commencé ?

Kylie haussa les épaules, comme si la liaison restait un mystère pour elle.

— Je veux dire, on flirtait un peu le matin, vous savez, quand il amenait Erin. Je lui faisais un compliment sur sa cravate, et il se moquait de mon air fatigué, me demandait ce que j'avais fait la nuit passée. Mais beaucoup de papas...

— Quand est-ce que c'est devenu... ?

Kylie hésita.

— Vous êtes sûre que vous voulez savoir ?

Nora entendit la musique qui parvenait de la cantine – « Burning Down the House », une chanson qu'elle avait toujours aimée – mais elle paraissait diluée et lointaine, comme si elle émanait du passé, plutôt que d'une pièce au bout du couloir. Elle hocha la tête pour signaler à Kylie de continuer.

— OK. (Kylie avait l'air malheureuse, comme si elle savait qu'elle commettait une erreur.) C'était la fête de Noël. Vous avez ramené les enfants à la maison, mais Doug était resté pour aider à ranger. Nous avons fini par aller prendre un verre après. Et on s'est immédiatement plu.

Nora se souvenait de la fête – Erin n'avait pas fait de sieste ce jour-là et avait passé la plus grande partie de la soirée à pleurer –, mais elle ne se rappelait même pas que Doug y était, encore moins à quelle heure il était rentré, ou comment il s'était comporté à son retour. Tout cela avait disparu, définitivement.

— Vous êtes restés longtemps ensemble. Presque un an.

Kylie fronça les sourcils, comme si les calculs de Nora clochaient.

— Je n'ai pas eu cette impression. On se voyait à peine. Il passait une fois par semaine, pendant une heure ou deux, quand j'avais de la chance, et puis il repartait. Et je ne pouvais pas me plaindre, hein ? Je l'avais voulu.

— Mais vous avez dû parler de l'avenir. De ce qui allait se passer. Je veux dire, vous ne pouviez pas continuer comme ça pour toujours.

— J'ai essayé, croyez-moi. Mais il n'avait aucune patience pour parler relation. Il disait toujours : « Pas ce soir, Kylie. Je ne peux pas parler de ça, là, tout de suite. »

Nora ne put s'empêcher de rire.

— C'est tout Doug.

— C'était un sacré mec.

Kylie secoua la tête, souriant tendrement au souvenir de Doug. Mais l'instant d'après, son visage s'assombrit.

— Je crois que je lui permettais juste de se sentir de nouveau cool, vous voyez ? M. Père de famille/

homme d'affaires chiant, avec une petite amie comme moi. Comme s'il était agent secret.

Nora grommela, frappée par la plausibilité de cette théorie. Doug était plutôt tendance quand elle l'avait rencontré au début de ses études – il rédigeait des critiques de musique pour le journal de la fac, cultivait le look mal rasé et jouait au frisbee comme un dieu – mais il s'était débarrassé de cette image de lui-même le jour où il avait commencé son école de commerce. C'était arrivé de façon si soudaine et irrévocable que Nora avait passé tout le premier semestre à essayer de comprendre où était passé le type avec lequel elle couchait. *Hé*, lui avait-il expliqué, *si on se vend, il faut au moins avoir le courage de l'admettre.* Mais peut-être que son ancienne personnalité lui manquait plus qu'il ne l'avouait.

— Il adorait mon appartement miteux, continua Kylie. J'ai un studio sur Rankin, derrière l'hôpital. Un trou, vraiment, mais j'en avais assez des colocataires fous, vous voyez ? Enfin, bon, en gros c'est une grande pièce, avec un canapé-lit, une petite table et deux chaises que j'ai trouvées sur le trottoir. Complètement surchargé. Doug trouvait ça hilarant. Il trouvait ma voiture drôle aussi. Elle a, genre, douze ans.

— Il pouvait se montrer un peu snob pour ce type de choses.

— Il n'était pas désagréable à ce propos. Plus étonné, simplement, que je puisse vivre comme ça. Comme si j'avais le choix, hein ? Je veux dire, votre maison est tellement belle, il devait penser que tout le monde...

Elle s'interrompit, s'apercevant trop tard de son erreur.

— Vous êtes allée chez moi ?

— Juste une fois, lui assura Kylie. Pendant les vacances de printemps ? Vous avez emmené vos enfants chez vos parents, et Doug est resté travailler ?

— Oh, mon Dieu.

Ce voyage avait été un désastre. Elle et les enfants s'étaient retrouvés coincés dans un embouteillage monstre sur l'autoroute du New Jersey, et elle avait dû s'arrêter en catastrophe pour que Jeremy puisse faire caca sur la bande d'arrêt d'urgence. Elle était debout, là, à lui tenir la main, les yeux rivés au ciel pendant qu'il faisait ses besoins et que cette lente marée de voitures les dépassait au pas. Quand Doug les avait rejoints ce week-end-là, il avait l'air étrangement gai, beaucoup plus gentil avec les parents de Nora que d'habitude.

— Est-ce que vous avez dormi là ? Dans notre lit ?

Kylie avait l'air mortifié.

— Je suis désolée. Je n'aurais pas dû.

— Ce n'est pas grave.

Nora haussa légèrement les épaules, comme si plus rien ne pouvait la blesser. Certains jours, elle avait effectivement ce sentiment.

— Je ne sais même pas pourquoi je vous pose toutes ces questions. Ce n'est pas comme si cela avait encore de l'importance.

— Bien sûr que c'est important.

— Pas vraiment. Je veux dire, il m'a quittée de toute façon. Il nous a toutes les deux quittées.

— Pas exprès, dit Kylie.

Elle paraissait contente d'être incluse.

Elles se retournèrent toutes les deux au même moment, surprises par le rapide bruit de pas dans le couloir, par ailleurs silencieux. Nora savait que c'était Karen avant même de la voir apparaître, surgissant au tournant du couloir comme si elle était en retard pour un cours.

— Tout va bien, dit Nora, levant la main tel un agent de la circulation.

Karen s'arrêta. Elle regarda Nora avec méfiance, puis Kylie, puis de nouveau Nora.

— Tu es sûre ?

— On discute, c'est tout.

185

— Oublie-la, dit Karen. Reviens danser.

— Donne-moi une minute, d'accord ?

Karen leva les deux mains en un geste de reddition faussement consentie. Puis elle haussa légèrement les épaules, l'air de dire « comme tu veux » et rebroussa chemin vers la cantine, ses talons frappant le sol sur un rythme réprobateur. Kylie attendit que le silence revienne.

— Est-ce que vous voulez savoir autre chose ? C'est une sorte de soulagement de vous raconter.

Nora comprenait ce qu'elle voulait dire. Si éprouvant que ce fût d'apprendre les détails de la liaison de Doug, il y avait une dimension thérapeutique en même temps, comme si un morceau manquant du passé lui était rendu.

— Une dernière chose. Est-ce qu'il parlait jamais de moi ?

Kylie leva les yeux au ciel.

— Tout le temps.

— Vraiment ?

— Ouais. Il disait tout le temps qu'il vous aimait.

— Vous plaisantez. (Nora eut du mal à cacher son scepticisme.) Il ne me le disait pratiquement jamais à moi. Même quand je le disais la première.

— C'était comme un rituel. Tout de suite après l'amour, il devenait très sérieux et disait : « Cela n'a rien à voir avec le fait que je n'aime plus Nora. »

Elle prononça ces mots d'une voix grave et masculine, qui ne ressemblait pas du tout à celle de Doug.

— Parfois je le disais en cœur avec lui. « Cela n'a rien à voir avec le fait que je n'aime plus Nora. »

— Waouh. Vous deviez me détester.

— Je ne vous détestais pas, répondit Kylie. J'étais simplement jalouse.

— Jalouse ?

Nora essaya de rire, mais le son mourut dans sa gorge. Cela faisait longtemps qu'elle n'avait pas pensé à elle-même comme quelqu'un dont on pourrait être jaloux.

— Pourquoi ?

— Vous aviez tout, vous comprenez ? Le mari, la maison, ces magnifiques enfants. Tous vos amis et vos beaux habits, le yoga et les vacances. Et je n'arrivais même pas à lui faire oublier votre existence quand il était dans mon lit.

Nora ferma les yeux. Doug était devenu flou dans son esprit depuis longtemps, mais tout à coup il lui apparaissait de nouveau clairement. Elle pouvait l'imaginer allongé à côté de Kylie, nu et béat après lui avoir fait l'amour, lui rappelant avec sérieux ses engagements familiaux, son amour durable pour sa femme, manière de lui dire qu'elle ne pouvait avoir que ce qu'elle avait, et rien de plus.

— Il ne m'aimait pas, expliqua Nora. Il ne pouvait juste pas supporter de vous voir heureuse.

À en juger par la manière négligée dont elle était affalée contre le casier, Kevin pensa d'abord que Nora Durst était peut-être endormie, ou bien soûle. Mais lorsqu'il s'approcha, il vit qu'elle avait les yeux ouverts et le regard raisonnablement alerte. Elle parvint même à ébaucher un pâle sourire quand il lui demanda si cela allait.

— Ça va, lui répondit-elle. Je fais juste une petite pause.

— Moi aussi, fit-il, parce que cela lui paraissait plus diplomatique que de dire la vérité.

Il venait voir comment elle allait après que plusieurs personnes lui eurent rapporté l'avoir vue toute seule dans le couloir, l'air assez égarée.

— La musique est plutôt forte. On s'entend à peine penser.

Elle hocha la tête comme on le fait quand on n'écoute pas vraiment l'autre et que l'on attend juste que cette personne s'en aille. Kevin ne voulait pas s'imposer, mais il avait aussi le sentiment qu'elle avait besoin d'un peu de compagnie.

— C'est formidable que vous soyez venue, dit-il. Vous aviez l'air de bien vous amuser. Vous savez, tout à l'heure.

— Oui.

Pour voir Kevin, Nora devait pencher la tête d'une façon qui paraissait inconfortable.

— Tout à l'heure.

C'était bizarre de la regarder d'en haut de la sorte, surtout dans la mesure où cela lui offrait une vue injuste, lui semblait-il, sur son décolleté. Sans lui demander, il s'assit par terre à côté d'elle, et lui tendit la main.

— Je suis Kevin.

— Le maire, dit-elle.

— C'est vrai. Nous nous sommes rencontrés au défilé.

Il s'apprêtait à renoncer à son geste lorsque Nora étendit le bras et lui serra la main, lui épargnant l'embarras. Elle avait les doigts maigres et une poigne étonnamment ferme.

— Je me souviens.

— Vous avez fait un beau discours.

Nora tourna la tête afin de mieux le voir, comme pour juger de sa sincérité. Elle était maquillée, si bien que les cernes bleus qu'elle avait sous les yeux se remarquaient moins que d'habitude.

— Ne me le rappelez pas, fit-elle. J'essaie d'oublier tout ça.

Kevin hocha la tête. Il aurait voulu lui exprimer son empathie à propos de l'article dans la gazette de Matt Jamison – c'était un coup extrêmement bas, même pour le charognard que Matt était devenu – mais il pensa que, cela aussi, elle essayait de l'oublier.

— J'aurais mieux fait de me taire, murmura-t-elle. Je me sens tellement idiote.

— Ce n'est pas de votre faute.

— Rien n'est de ma faute. Mais je me trouve quand même lamentable.

Kevin ne savait pas très bien quoi dire. Sans réfléchir, il allongea les jambes parallèlement à celles de Nora par terre, son jean noir à côté de ses jambes nues. La symétrie lui rappela un article qu'il avait lu sur le langage des corps, la manière que l'on a d'imiter inconsciemment les postures des personnes que l'on trouve séduisantes.

— Alors, vous aimez le DJ ? demanda-t-il.

— Oui. (Elle avait l'air sincère.) Un peu vieille école, mais plutôt bon.

— Il est nouveau. L'ancien parlait trop. Il avait un micro et il s'en servait pour crier aux gens d'aller danser, et pas de manière courtoise. Il disait : « Quel est le problème, Mapleton ? C'est une fête, pas un enterrement ! » Parfois cela devenait même un peu personnel. « Yo, la Veste en Tweed ? Vous respirez toujours ? » Beaucoup de gens se sont plaints.

— Laissez-moi deviner, dit-elle. C'était vous, la Veste en Tweed ?

— Non, non. (Kevin sourit.) C'était juste un exemple.

— Vous êtes sûr ? dit-elle. Parce que je ne vous ai pas vu danser.

— Je voulais, mais j'ai été dérouté.

— Par quoi ?

— C'est comme un conseil municipal, là-bas. À chaque fois que je me retourne, quelqu'un me crie dessus à propos de nids-de-poule, ou du comité de planification, ou bien du manque de collecte des ordures. Je ne peux pas vraiment me laisser aller, pas comme avant.

Elle se pencha en avant et remonta ses genoux contre sa poitrine. Il y avait quelque chose d'enfantin dans cette posture, un contrepoint touchant à son visage, qui paraissait plus âgé que le reste de son corps. Cela le frappa quand elle sourit, comme si quelqu'un avait allumé une lumière sous sa peau.

— Yo, la Veste en Tweed, dit-elle.

— Je veux vous signaler que je n'ai même pas de veste en tweed.

— Vous devriez vous en acheter une, lui dit-elle. Avec des pièces aux coudes. Je suis sûre que ça vous irait bien.

Jill resta éveillée dans le noir longtemps avant de se lever et de se rhabiller. Elle posa un tendre baiser sur le front de Max, mais il ne bougea pas. Il s'était endormi tout de suite après s'être masturbé et avait l'air d'être parti pour la nuit. La prochaine fois, il faudrait qu'elle lui demande de garder la lumière allumée pendant qu'il se masturbait, pour qu'elle puisse voir son visage. Elle trouvait que c'était la partie la plus intéressante, la façon dont le visage d'un garçon se contorsionnait si violemment et se détendait ensuite, comme s'il venait de résoudre quelque terrible mystère.

Elle descendit, surprise de trouver le salon vide, étrange et presque méconnaissable dans la lumière de la télévision silencieuse. Cette réclame stupide pour les « Lunettes Miracles » passait de nouveau, celle qui montrait une famille de quatre personnes – maman, papa, leur fils et leur fille – se promenant dans les bois avec de grosses lunettes de type militaire fixées sur les yeux pour voir dans le noir. Soudain, ils s'arrêtaient tous et regardaient en l'air, montrant, tout étonnés, quelque chose du doigt dans le ciel. Elle connaissait le texte par cœur : *Achetez deux paires de Lunettes Miracles au prix bas habituel, et recevez-en deux autres paires, ABSOLUMENT GRATUITES ! Eh oui, achetez-en deux et vous en recevrez deux autres gratuites ! Et comme bonus supplémentaire, nous ajouterons un ensemble de quatre Outils de Communication Familiale sans AUCUN FRAIS DU TOUT ! Pour une valeur de soixante dollars !*

Sur l'écran, le petit garçon était tapi dans la forêt, parlant avec inquiétude dans son Outil de Communication Familiale qui, pour Jill, ressemblait à une sorte de talkie-walkie de jeu. Son visage se fendait d'un large sourire lorsque ses parents et sa sœur émergeaient de derrière les arbres, tenant leurs propres instruments serrés dans la main, et se précipitaient pour l'étreindre. *Commandez tout de suite ! Vous remercierez Dieu de l'avoir fait !* Jill aurait préféré mourir plutôt que de l'admettre, mais la réclame kitsch lui serrait toujours la gorge – de voir la joie de la famille réunie, toutes ces idioties sentimentales.

Elle n'était pas censée ranger, mais elle prit tout de même quelques minutes pour s'en occuper en attendant Aimee. Elle savait combien le fait de se réveiller dans une maison en désordre pouvait être déprimant, comment cela pouvait vous donner le sentiment que la nouvelle journée avait déjà un goût de rance. Bien sûr, la maison de Dmitri était LE lieu des fêtes – ses parents et ses deux petites sœurs étaient « partis » depuis aussi longtemps que Jill le connaissait, et personne ne s'attendait à ce qu'ils reviennent de sitôt –, si bien que cela ne le dérangeait peut-être pas trop. Peut-être le chaos était-il la norme pour lui, et l'ordre la curieuse exception.

Elle emporta un tas de bouteilles de bière vides dans la cuisine puis enveloppa la pizza froide, la mit au frigo et jeta le carton à la poubelle. Elle venait de terminer de remplir le lave-vaisselle quand Aimee entra, souriant d'un air penaud, tenant son bras étendu devant elle. Au bout de sa main, une culotte pendait, qu'elle tenait entre son pouce et son index comme une pièce suspecte trouvée sur le bord de la route.

— Je suis une vraie salope, dit-elle.

Jill regarda fixement la culotte. Elle était bleu clair, rehaussé d'un motif de marguerites jaunes.

— C'est la mienne ?

Aimee ouvrit la porte du placard qui se trouvait sous l'évier et enfonça profondément la culotte dans la poubelle.

— Crois-moi, dit-elle. Tu ne veux pas que je te la rende.

Il avait beau y prendre plaisir, Kevin n'avait jamais été un grand danseur. C'était à cause du football américain, pensait-il – il était trop tendu au niveau des hanches et des épaules, un peu trop collé au sol, comme s'il s'attendait à ce que les danseurs de l'équipe adverse lui rentrent dedans. Du coup, il avait tendance à se bloquer dans de simples mouvements répétitifs qui lui donnaient l'impression d'incarner un jouet électrique bon marché.

Nora le rendait plus conscient encore de ses défauts dans ce domaine que d'habitude. Elle bougeait avec une grâce détendue, ne faisant qu'une avec la musique. Heureusement, elle ne semblait pas le moins du monde dérangée par l'incompétence de Kevin. La plupart du temps, elle n'avait même pas l'air de se rendre compte qu'il était là. Elle gardait la tête baissée, son visage partiellement dissimulé par un rideau mouvant de cheveux raides et sombres, si fins qu'ils paraissaient presque liquides. Dans les rares occasions où leurs yeux se rencontraient, elle lui souriait gentiment, d'un air surpris, comme si elle l'avait complètement oublié.

Le DJ passa « Love Shack », « Brick House » et « Sex Machine », dont Nora connaissait presque toutes les paroles. Elle bougeait des épaules et virevoltait, puis elle retira ses chaussures en les lançant en l'air, pour danser pieds nus sur le parquet en bois. L'exubérance qu'elle déployait était d'autant plus impressionnante qu'elle devait savoir que les gens l'épiaient. Kevin pouvait lui-même le sentir, comme s'il s'était retrouvé malgré lui sous le violent faisceau d'un projecteur.

Les gens ne les observaient pas de manière grossière, songea-t-il – ils le faisaient de façon plutôt furtive, et comme malgré eux –, mais sans relâche, et il se sentit de plus en plus gêné sous leur regard. Il jeta un œil autour de lui, souriant d'un air penaud, comme s'il s'excusait de sa maladresse auprès des personnes dans la pièce.

Ils dansèrent sur sept morceaux d'affilée, mais lorsque Kevin proposa à Nora de faire une pause – il aurait certainement pu profiter lui-même d'une telle pause – elle secoua la tête. Son visage ruisselait de sueur, ses yeux brillaient.

— On continue.

Il était épuisé après le double coup de « I Will Survive » et « Turn the Beat Around ». Heureusement, le morceau suivant était « Surfer Girl », le premier slow depuis qu'ils s'étaient mis à danser. Il y eut un instant étrange durant l'ouverture en *arpeggio*, mais elle répondit au regard interrogateur de Kevin en s'avançant vers lui d'un pas et en lui passant les bras autour du cou. Il plaça une main sur son épaule et l'autre au bas de son dos. Elle posa sa tête sur son épaule, comme s'il était son rendez-vous galant.

Il exécuta un pas en avant, puis un autre sur le côté, respirant les effluves mêlés de sa sueur et de son shampoing. Il la dirigeait et elle le suivait, son corps s'appuyant contre le sien. Il sentit la chaleur humide de la peau de Nora s'élever à travers le tissu fin de sa robe. Nora murmura quelque chose, mais ses mots se perdirent dans le col de Kevin.

— Désolé, fit-il. Je n'ai pas entendu.

Elle leva la tête, et répéta d'une voix douce et rêveuse :

— Il y a un nid-de-poule dans ma rue. Quand est-ce que vous allez le réparer ?

TROISIÈME PARTIE

Joyeuses fêtes

Sacs à puces

Tom était agité à la gare routière. Il aurait préféré continuer à faire du stop, à emprunter les chemins de traverse, à camper dans les bois et économiser leur argent pour les cas d'urgence. Ils avaient voyagé de San Francisco à Denver de cette façon, mais Christine en avait assez. Elle ne le lui avait jamais dit si ouvertement, mais il voyait bien qu'elle trouvait indigne d'elle d'avoir à tendre le pouce et faire semblant d'être reconnaissante à des gens qui n'avaient pas la moindre idée de l'honneur que c'était de jouer ne serait-ce qu'un petit rôle dans son histoire, à des gens qui se comportaient comme si c'étaient eux qui leur rendaient service, en prenant en stop un couple de gamins va-nu-pieds et dépenaillés, au beau milieu de nulle part.

Thanksgiving aurait lieu dans deux jours – Tom n'y avait pas du tout pensé, alors que c'était autrefois l'une de ses fêtes préférées –, si bien que la salle d'attente était bondée de voyageurs et de bagages, sans mentionner un nombre problématique de policiers et de soldats. Christine repéra un siège vide – le seul au centre d'une rangée – et se précipita pour s'y installer. Tout en essayant de contenir son irritation,

Tom la suivit d'un pas lourd, ralenti par le poids de son sac à dos bourré, se rappelant que les besoins de Christine passaient en premier.

Il se défit du paquet disgracieux – il contenait et les affaires de Christine et les siennes, plus la tente et le sac de couchage –, puis s'assit à ses pieds comme un chien fidèle, s'installant de manière à éviter d'avoir à croiser le regard du groupe de soldats assis directement en face, tous en treillis et bottes de combat. Deux d'entre eux faisaient la sieste pendant qu'un autre passait son temps à envoyer des textos, mais le quatrième – un roux maigre aux yeux de lapin bordés de rouge – examinait Christine avec une intensité qui mit Tom mal à l'aise.

C'était précisément ce qui l'inquiétait. Elle était si mignonne que l'on ne pouvait pas *ne pas* l'observer, même vêtue de ces haillons souillés de hippie et d'un bonnet en jersey tricoté à la main, avec cette grosse cible bleue et orange peinte au milieu du front. Plus d'un mois s'était écoulé depuis l'arrestation de M. Gilchrest, et l'histoire s'était plus ou moins éventée, mais il se disait que c'était juste une question de temps avant qu'un fouineur ne remarque Christine et fasse le lien avec les épouses en fuite.

Le soldat se mit ensuite à fixer Tom, qui essaya de l'ignorer. Mais le gars avait apparemment tout le temps du monde et rien de mieux à faire. Finalement, Tom n'eut pas d'autre choix que de tourner la tête et de croiser son regard.

— Yo, Pig Pen*, dit le soldat.

Les points de couture sur sa poche de chemise formaient le nom HENNING.

— C'est ta petite amie ?

— Juste une amie, lui répondit Tom, un peu à contrecœur.

---

* Personnage des *Peanuts*, un petit garçon toujours couvert d'un nuage de crasse. (*N.d.E.*)

— Elle s'appelle comment ?

— Jennifer.

— Vous allez où ?

— Omaha.

— Hé, moi aussi.

Henning sembla ravi de la coïncidence.

— J'ai un congé de deux semaines. Je vais passer Thanksgiving avec la famille.

Tom hocha à peine la tête, histoire d'indiquer qu'il n'était pas d'humeur à se lancer dans une longue conversation et faire connaissance, mais Henning ne comprit pas le signe.

— Alors, qu'est-ce qui vous amène dans le Nebraska ?

— On est de passage.

— Vous venez d'où ?

— Phoenix, mentit Tom.

— Il fait sacrément chaud là-bas, non ?

Tom détourna le regard, pour lui signifier que la discussion était terminée. Henning fit semblant de ne pas remarquer.

— Alors, c'est quoi votre problème avec les douches ? Vous êtes allergiques à l'eau ou quoi ?

Oh, non, pensa Tom. *Pas encore*. Quand ils avaient décidé de se déguiser en Va-nu-pieds, il s'imaginait qu'on les embêterait fréquemment à propos des drogues et de l'amour libre, mais il n'avait aucune idée du temps qu'il allait devoir consacrer au sujet de l'hygiène personnelle.

— On apprécie la propreté, lui dit Tom. On n'est simplement pas obsédés.

— Je vois ça.

Henning jeta un coup d'œil aux pieds crasseux de Tom comme s'ils constituaient la pièce à conviction numéro un.

— Je suis curieux. Combien de temps tu as pu tenir sans te laver au maximum ?

Si Tom avait eu le moindre souci d'honnêteté, il aurait dit sept jours, ce qui correspondait à la durée de sa mauvaise passe actuelle. En quête de vraisemblance, Christine et lui avaient arrêté de se doucher trois jours avant le départ de San Francisco, et durant leur temps sur la route ils n'avaient eu accès qu'à des toilettes publiques.

— Ça ne te regarde pas.

— Très bien. (Henning semblait s'amuser.) Réponds juste à cette question. Quand est-ce que tu as changé de slip pour la dernière fois ?

Le soldat à côté d'Henning, un gars noir et chauve qui écrivait des textos comme si sa vie en dépendait, leva les yeux de son téléphone et ricana. Tom garda le silence. On ne pouvait donner de réponse digne concernant ses sous-vêtements.

— Allez, Pig Pen. Donne-moi un chiffre en gros. Des points en plus si ça fait moins d'une semaine.

— Peut-être que c'est un commando, spécula le gars noir.

— La pureté vient de l'intérieur, expliqua Tom, répétant l'un des slogans préférés des Va-nu-pieds. Ce qui est à l'extérieur n'a pas d'importance.

— Pas pour moi, répliqua Henning du tac au tac. C'est moi qui dois passer douze heures avec vous dans le bus.

Tom ne répondit pas, mais il savait que le gars n'avait pas tort. Ces deux derniers jours, il avait été mal à l'aise, conscient de la puanteur que Christine et lui exhalaient dans les lieux fermés. Tous les conducteurs qui les prenaient en stop baissaient immédiatement leur vitre, qu'il fasse froid ou qu'il pleuve. Il n'était plus question de vraisemblance.

— Je suis désolé si on vous répugne, dit-il, d'un ton un peu tranchant.

— Te fâche pas, Pig Pen. Je me fous juste de ta gueule.

Avant que Tom puisse répondre, Christine lui donna un petit coup de pied dans le dos. Il ignora la sommation, souhaitant la maintenir hors de la conversation. Mais elle lui donna alors un deuxième coup de pied, assez fort pour ne pas lui laisser d'autre choix que de se retourner.

— Je meurs de faim, dit-elle, pointant du menton vers les stands de nourriture. Tu pourrais aller me chercher une tranche de pizza ?

Henning n'était pas le seul à ne pas apprécier leur présence dans le bus de nuit. Le chauffeur n'avait pas l'air trop réjoui quand il prit leurs billets ; plusieurs passagers marmonnèrent des commentaires désobligeants tandis qu'ils se frayaient un chemin vers les sièges libres au fond du car.

Cela suffit presque pour que Tom compatisse avec les Va-nu-pieds. Avant de commencer à en incarner un, il n'avait pas idée de leur impopularité, du moins aussitôt sortis de San Francisco. Mais à chaque fois qu'il se prenait à regretter que Christine et lui n'aient pas choisi une couverture plus respectable – qui leur aurait permis de mieux se fondre et de ne pas attirer une telle hostilité – il se rappelait que les faiblesses de ce déguisement particulier constituaient aussi ses points forts. Plus vous étiez visible, plus les gens vous ignoraient – ils vous considéraient simplement comme un couple de sacs à puces inoffensifs et ne se posaient pas plus de questions.

Christine se glissa dans le siège près de la vitre dans la toute dernière rangée, près des toilettes malodorantes. Elle parut perplexe quand Tom s'assit de l'autre côté de l'allée.

— Qu'est-ce qu'il y a ? (Elle tapota le siège à côté d'elle.) Tu ne vas pas me tenir compagnie ?

— Je me suis dit qu'on pourrait s'étaler un peu. Ce sera plus facile pour se reposer.

— Oh. (Elle avait l'air déçue.) J'imagine que tu ne m'aimes plus.

— J'ai oublié de te dire, répondit-il. J'ai rencontré quelqu'un d'autre. Sur Internet.

— Elle est jolie ?

— Tout ce que je sais c'est que c'est une Russe propre qui cherche riche étudiant américain.

— Heureusement que ce n'est pas dans l'autre sens.

— Très drôle.

Ils se taquinaient de la sorte depuis deux semaines, faisant semblant d'être petits copains et espérant, à force de plaisanteries, alléger un peu la tension sexuelle qui leur paraissait constamment dans l'air, mais ne parvenant qu'à l'intensifier. C'était déjà assez pénible à la maison, mais c'était devenu insupportable maintenant qu'ils voyageaient de conserve, compagnons de route vingt-quatre heures sur vingt-quatre, mangeant ensemble, dormant côte à côte dans la petite tente pour nains. Il avait entendu Christine ronfler, l'avait vue accroupie dans les bois, et lui avait tenu les cheveux en arrière quand elle vomissait le matin, mais toute cette intimité n'avait pas réussi à engendrer la plus petite once de mépris. Il se sentait toujours troublé à chaque fois qu'elle l'effleurait et savait qu'être assis à côté d'elle pendant les douze heures à venir, les yeux grands ouverts, le genou de Christine à quelques centimètres du sien serait une pure torture insomniaque.

Malgré une multitude d'occasions, Tom ne lui avait toujours pas fait d'avances – il n'avait pas essayé de l'embrasser dans la tente, ni même de lui tenir la main – et il n'en avait pas l'intention. Elle avait seize ans et était enceinte de quatre mois – son ventre commençait tout juste à s'arrondir – et la dernière chose dont elle avait besoin était des avances sexuelles de la part de son compagnon de route, le type qui était censé veiller sur elle. Sa mission était simple : sa seule tâche consistait à la livrer sans encombre à Boston, où des sympathisants à la cause de M. Gilchrest avaient proposé de la recueillir et de lui fournir le gîte et le couvert et des soins médicaux jusqu'à la naissance du bébé, censé sauver le monde.

Tom ne croyait pas à toutes ces idioties d'Enfant Miraculeux, bien sûr. Il ne comprenait même pas ce que *sauver le monde* voulait dire. Les disparus allaient-ils revenir ? Ou bien les choses s'arrangeraient-elles juste pour ceux qui restaient, moins de tristesse et d'inquiétude partout, un avenir plus radieux devant soi ? La prophétie était d'une imprécision exaspérante, ce qui conduisait à toutes sortes de rumeurs infondées et de folles spéculations dont il ne tenait aucune pour sérieuse, pour la simple raison que sa foi en M. Gilchrest avait volé en éclats. Il aidait Christine parce qu'il l'aimait bien, et parce que cela lui semblait un bon moment pour quitter San Francisco et passer au chapitre suivant de sa vie, quel qu'il soit.

Malgré tout, juste pour le plaisir, il s'autorisait parfois à entretenir la possibilité lointaine que tout cela pouvait être vrai. Peut-être M. Gilchrest était-il un saint homme, malgré tous ses défauts, et le bébé réellement une sorte de sauveur. Peut-être tout dépendait-il vraiment de Christine, et donc, de lui. Peut-être se souviendrait-on de Tom Garvey dans des milliers d'années comme du gars qui l'avait aidée quand elle en avait le plus besoin, et s'était toujours comporté en gentleman, même quand il n'était pas obligé.

C'est moi, pensait-il avec une sombre satisfaction. *Le gars qui ne l'a pas touchée.*

Ils démarrèrent en début de soirée, trop tard pour profiter du paysage des Rocheuses. Le car était neuf et propre, avec des sièges somptueux qui s'inclinaient, une sélection de films et la connexion Internet gratuite, même si ni Tom ni Christine n'en avaient l'usage. Les toilettes ne sentaient même pas si mauvais, du moins pas encore.

Il essaya de regarder le film – *Bolt*, un dessin animé au sujet d'un chien qui croit par erreur posséder des super pouvoirs – mais c'était peine perdue. Il n'avait plus de goût pour la culture pop depuis la Soudaine Disparition. Toute cette culture lui semblait si agitée et fausse maintenant, si désespérément encline à vous forcer à regarder ailleurs pour que vous ne remarquiez pas les mauvaises nouvelles devant vous. Il ne suivait plus le sport, n'avait pas la moindre idée de qui avait gagné les Séries mondiales de base-ball. Toutes les équipes étaient rapiécées de toute façon, les trous bouchés par des joueurs mineurs et de vieux retraités. Tout ce qui lui manquait vraiment était la musique. Il aurait bien aimé avoir son iPod vert métallique avec lui, mais il avait disparu depuis longtemps – perdu ou volé à Columbus, ou peut-être à Ann Arbor.

Au moins Christine avait-elle l'air de s'amuser. Elle gloussait en regardant l'écran devant elle, assise avec ses pieds sales sur le coussin du siège et ses genoux qu'elles tenaient serrés contre sa poitrine – dont elle prétendait qu'elle avait beaucoup grossi, même si Tom ne voyait pas vraiment de différence. D'ici, avec son petit ventre dissimulé sous un pull trop grand et une veste en laine polaire miteuse, elle avait juste l'air d'une gamine, qui aurait dû se préoccuper de ses devoirs et de son entraînement de football, pas de ses seins douloureux ou de savoir si elle produisait assez d'acide folique. Il avait dû la regarder fixement un peu trop longtemps, parce qu'elle se retourna soudain, comme s'il l'avait appelée par son nom.

— Quoi ? demanda-t-elle, un peu sur la défensive.

La cible sur son front s'était un peu effacée ; il faudrait qu'elle la retouche quand ils arriveraient à Omaha.

— Rien, dit-il. Je rêvais.

— T'es sûr ?

— Ouais, retourne à ton film.

— C'est assez drôle, lui dit-elle, ses yeux se plissant de plaisir. Ce petit chien est tordant.

Plusieurs personnes se précipitèrent aux toilettes lorsque le film fut terminé. La queue avançait bien au début, mais elle s'immobilisa lorsqu'un homme un peu plus âgé, muni d'une canne et à l'air farouchement déterminé, s'y engouffra et y resta un long moment. Les gens derrière lui commençaient visiblement à s'énerver au fur et à mesure que les minutes passaient, soupirant de plus en plus fréquemment et commandant à leurs collègues de devant de frapper à la porte et de vérifier s'il était toujours vivant, ou du moins de demander si *Guerre et Paix* était un aussi bon livre qu'on le prétendait.

Comme par hasard, Henning se retrouva en deuxième position dans la queue pendant l'embouteillage. Tom garda la tête baissée, faisant semblant d'être captivé par la lecture du gratuit qu'il avait pris à la gare routière, mais il sentait le regard insistant du soldat lui forer le centre de sa cible.

— Pig Pen ! cria-t-il lorsque Tom leva finalement les yeux. (Il avait l'air assez soûl.) Mon vieux copain.

— Hé.

— Yo, Papi ! aboya Henning, s'adressant à la porte fermée des toilettes. Ton temps est écoulé ! (Il se retourna vers Tom l'air contrarié.) Qu'est-ce qu'il fout là-dedans ?

— On ne peut pas presser Mère Nature, lui rappela Tom.

C'était une phrase qu'un Va-nu-pieds aurait pu prononcer.

— Mon cul, répondit Henning, déclenchant un vif hochement de tête en signe d'acquiescement de la part de la femme d'âge mûr qui se trouvait devant lui. Je vais compter jusqu'à dix. S'il est pas sorti, j'enfonce la porte à coups de pied.

À ce moment précis, la chasse d'eau résonna, suscitant une nette vague de soulagement tout le long de l'allée. Suivit un long et étrange interlude de silence plein de suspense, à la fin duquel la chasse fut tirée une deuxième fois. Lorsque la porte finit par s'ouvrir, l'occupant désormais célèbre sortit et embrassa son public du regard. Il épongea la sueur de son front à l'aide d'une serviette en papier et lança un humble appel au pardon.

— J'avais un petit problème.

Il se frotta le ventre, un peu hésitant, comme si les choses n'étaient toujours pas complètement rentrées dans l'ordre.

— Je n'y pouvais rien.

Tom ressentit un parfum de malheur lorsque le vieil homme s'éloigna en claudiquant et que sa remplaçante entra aux toilettes et émit un petit cri de protestation en fermant la porte.

— Alors, comment ça va, dans le fond ? demanda Henning, beaucoup plus joyeux maintenant que l'embouteillage s'était débloqué. Vous faites la fête ?

— On se détend, lui dit Tom. On essaie de se reposer.

— Ouais, c'est ça.

Henning opina, comme si on ne la lui faisait pas, et tapota l'une de ses poches de derrière.

— J'ai du Jim Beam. Je veux bien partager.

— On n'est pas trop alcool.

— Je vois. (Henning rapprocha son pouce de son index et porta les doigts à sa bouche.) Vous aimez l'herbe, hein ?

Tom hocha judicieusement la tête. Les Va-nu-pieds aimaient certainement l'herbe.

— J'en ai aussi, déclara Henning. Il y a un arrêt dans quelques heures si vous voulez vous joindre.

Avant que Tom puisse répondre, on tira la chasse.

— Merci, mon dieu, marmonna Henning.

En sortant des toilettes, la femme d'âge mûr sourit à Henning d'un air nauséeux.

206

— Ils sont à vous, lui dit-elle.

En entrant, Henning tira une autre bouffée de son joint imaginaire.

— À plus tard, Pig Pen.

Bercé par le vrombissement des gros pneus, Tom s'assoupit quelque part près de Ogallala. Il fut réveillé un peu plus tard – il n'avait aucune idée de combien de temps il avait dormi – par le bruit de voix et un sentiment confus d'alarme. Le car était dans le noir, à part la lueur éparse de quelques veilleuses et écrans de portables, et il lui fallut quelques instants pour reprendre ses esprits. Il se tourna instinctivement pour vérifier si tout allait bien avec Christine, mais le soldat se trouvait dans son champ de vision. Il était assis juste à côté d'elle, une pinte de whiskey à la main, lui parlant d'une voix basse et sur un ton de confidence.

— Hé !

La voix de Tom éclata plus fort qu'il ne l'avait voulu, lui attirant plusieurs regards énervés et quelques « chuts » de ses compagnons de voyage.

— Qu'est-ce que tu... ?

— Pig Pen.

Henning parla d'une voix douce. Son visage exprimait de la gentillesse.

— On t'a réveillé ?

— Jennifer ? (Tom se pencha en avant, essayant d'apercevoir Christine.) Ça va ?

— Tout va bien, dit-elle, mais Tom crut détecter dans sa voix une note de reproche mérité.

Il était censé lui servir de garde du corps, et le voilà qui dormait pendant ses heures de travail. Dieu seul savait depuis combien de temps elle se trouvait piégée de la sorte, à repousser les avances d'un soldat éméché.

— Rendors-toi.

Henning tendit le bras au-dessus de l'allée et lui tapota l'épaule dans un geste de réconfort presque paternel.

— Il n'y a aucune raison de s'inquiéter.

Tom se frotta les yeux et essaya de réfléchir. Il ne voulait pas se mettre Henning à dos ou causer le moindre dérangement. S'il y avait une chose dont ils n'avaient pas besoin, c'était d'attirer inutilement l'attention sur eux.

— Écoute, dit-il, du ton le plus amical et le plus raisonnable possible. Je ne veux pas être chiant, mais il est vraiment tard, et on n'a pas beaucoup dormi ces derniers jours. Ce serait vraiment sympa si tu retournais à ton siège et que tu nous laissais nous reposer.

— Non, non, protesta Henning. C'est pas comme ça. On discute, juste.

— Ça n'a rien de personnel, expliqua Tom. Je te demande gentiment.

— S'il te plaît, dit Henning. J'ai besoin de parler à quelqu'un. Je traverse vraiment des moments très durs en ce moment.

Il avait l'air sincère, et Tom commença à se demander s'il n'avait peut-être pas réagi de manière excessive. Mais il n'aimait tout simplement pas la situation, cet étranger appuyé contre Christine, occupant le siège dont Tom n'avait si stupidement pas voulu.

— Ça va, lui dit Christine. Ça ne m'embête pas que Mark reste.

— Mark, hein ?

Henning hocha la tête.

— C'est mon nom.

— OK, c'est bon. (Tom soupira, reconnaissant sa défaite.) Si ça lui va, j'imagine que ça me va.

Henning lui tendit la bouteille en guise de signe de paix. *Et puis merde,* pensa Tom. Il prit une petite gorgée, grimaçant lorsqu'il sentit l'alcool lui embraser la gorge.

— Voilà, c'est mieux, dit Henning. Omaha est encore loin. Autant s'amuser.

— Mark me parlait de la guerre, expliqua Christine.

— La guerre ?

Tom fut pris d'un frisson alors que le bourbon qu'il avait bu lui parcourait tout le corps. Tout à coup, il se sentit la tête claire et complètement réveillé.

— Laquelle ?

— Yémen, dit-il. Un putain d'enfer.

Christine s'endormit, mais Tom et Henning continuèrent de parler à voix basse, se passant la bouteille en un va-et-vient par-dessus l'allée centrale.

— Je pars dans dix jours. (Henning avait l'air de ne pas vraiment y croire.) Un déploiement de douze mois.

Il raconta qu'il venait d'une famille de militaires. Son père avait servi dans l'armée ; de même que deux oncles et une tante. Henning et son grand frère, Adam, avaient passé un pacte pour s'engager après le 14 Octobre. Il était originaire d'une petite ville rurale pleine de protestants fondamentalistes et, à l'époque, à peu près tout le monde croyait que la Fin des Temps était arrivée. Ils s'attendaient à ce qu'une guerre majeure explose au Moyen-Orient, la bataille annoncée dans le Livre de la Révélation. L'ennemi ne serait rien moins que l'armée de l'Antéchrist, leur chef à langue fourchue unissant les forces du mal sous une seule bannière pour envahir la Terre Sainte.

Jusque-là, cependant, rien de tout cela n'était arrivé. Le monde était plein de tyrans corrompus et méprisables, mais dans les trois années passées, aucun d'eux ne s'était révélé comme un Antéchrist plausible, et personne n'avait envahi Israël. Au lieu d'une grande guerre nouvelle, il y avait juste le tas habituel de petites guerres minables. C'était pratiquement fini en Afghanistan, mais en Somalie c'était encore le bazar, et les choses empiraient au Yémen. Quelques mois plus tôt, le Président avait annoncé une grande augmentation du nombre de troupes.

— J'ai parlé à un gars qui vient de rentrer, lui dit Henning. Il raconte que c'est pratiquement l'âge de pierre là-bas, rien que du sable et des cailloux, et des Engins Explosifs Improvisés.

— Merde. (Tom but une autre gorgée de bourbon. Il commençait à se sentir assez parti.) T'as peur ?

— Putain, ouais.

Henning tira sur son lobe d'oreille comme s'il essayait de se l'arracher.

— J'ai dix-neuf ans. Je n'ai pas envie de me réveiller en Allemagne amputé d'une jambe.

— Ça n'arrivera pas.

— C'est arrivé à mon frère.

Henning parla d'un ton neutre, d'une voix plate et distante.

— Une putain de voiture piégée.

— Oh, non. Ça craint.

— Je vais le voir demain. Pour la première fois depuis que ça s'est passé.

— Comment il va ?

— Ça va, je crois. Ils l'ont mis dans une chaise roulante, mais il va avoir une nouvelle jambe bientôt. Une de ces prothèses de pointe.

— C'est cool.

— Peut-être qu'il va devenir un de ces coureurs bioniques. J'ai lu un article sur ce gars, il court en fait plus vite maintenant qu'avant.

Henning avala les dernières gouttes de bourbon, puis fourra la bouteille vide dans la poche du siège devant lui.

— Ça va faire bizarre de le voir comme ça. Mon grand frère.

Henning s'inclina en arrière et ferma les yeux. Tom pensa qu'il était en train de s'assoupir, mais à ce moment-là il émit un léger grognement, comme si une chose intéressante venait de lui arriver.

— T'as raison, Pig Pen. Tu vas où tu veux, tu fais ce que tu veux. Personne pour te donner des ordres ou te faire sauter la cervelle. (Il regarda Tom.) C'est l'idée, non ? Tu te balades partout, et tu cherches à faire la fête ?

— Notre devoir est de nous amuser, expliqua Tom.

Il connaissait assez bien la théologie ; de nombreux enseignants qu'il avait formés à San Francisco avaient traversé une phase va-nu-pieds avant de devenir des adeptes de saint Wayne.

— Nous croyons que le plaisir est un don du créateur, et que nous glorifions le créateur chaque fois que nous nous amusons. Le seul péché est le malheur. Pour nous, c'est la Règle Numéro Un.

Henning sourit.

— C'est mon genre de religion.

— Ça a l'air simple, mais ce n'est pas aussi facile que tu crois. C'est comme si la race humaine avait été programmée pour le malheur.

— Je te crois, dit Henning, avec une conviction surprenante. Tu fais ça depuis combien de temps ?

— Environ un an.

Tom et Christine avaient affiné leur histoire en prévision, précisément, de ce genre d'interrogatoire, et il se félicitait qu'ils l'aient fait – il était un peu trop soûl pour improviser.

— J'étais à la fac, mais tout paraissait avoir tellement peu de sens. Genre, le monde arrive à sa fin, et je prépare un diplôme de comptabilité. Qu'est-ce que ça va m'apporter ?

Henning se tapa le front.

— C'est quoi le truc du cercle ?

— C'est une bulle intérieure. Une cible. Pour que le Créateur nous reconnaisse.

Henning jeta un œil à Christine. Elle respirait doucement, la tête appuyée contre la vitre ; le repos rendait ses traits délicats, comme s'ils avaient été dessinés sur son visage plutôt que sculptés.

— Comment ça se fait que le sien est d'une couleur différente ? Ça signifie quelque chose ?

— C'est un choix personnel, comme une signature. Je le fais en marron et or parce que c'étaient les couleurs de mon lycée.

— Je pourrais le faire en vert et beige, dit Henning. Genre tenue de camouflage.

— Sympa. (Tom hocha la tête en signe d'approbation.) Je n'en ai jamais vu de comme ça.

Henning se pencha au-dessus de l'allée, comme s'il voulait partager un secret.

— Alors, c'est vrai ?

— Quoi ?

— Vous aimez les orgies et les trucs comme ça ?

D'après ce que Tom savait, les Va-nu-pieds organisaient ces grands rassemblements dans le désert au moment du solstice, où tout le monde prenait des champignons et du LSD, dansait et faisait l'amour. Cela ne l'attirait pas beaucoup, une autre de ces grandes fêtes braillardes type confrérie.

— On ne les appelle pas orgies, expliqua-t-il. C'est plus du genre retraite spirituelle. Tu vois, comme un rituel de fraternisation.

— Ça me plaît bien. Ça me dérangerait pas de fraterniser avec quelques jolies filles hippies.

— Vraiment ? (Tom ne put pas résister.) Même si elles n'ont pas changé de culotte depuis une semaine ?

— Qu'est-ce que ça peut foutre ? dit Henning en souriant. La pureté vient de l'intérieur, pas vrai ?

Christine lui donna un coup de coude pour le réveiller lorsqu'ils entrèrent dans la gare routière d'Omaha. Tom avait le sentiment que sa tête était devenue énorme, bien trop lourde pour son cou.

— Oh, non.

Il ferma les yeux contre l'assaut de la lumière du jour à travers les vitres teintées.

— Me dis pas que c'est le matin.

— Pauvre chou.

Elle lui tapota gentiment l'avant-bras. Ils étaient assis côte à côte, Tom sur le siège qu'avait occupé Henning.

— Pouah.

Il fit tourner sa langue dans sa bouche. Il y avait un goût abominable là-dedans – de bourbon rance, d'herbe, de gaz d'échappement, de tristesse.

— Tue-moi, qu'on en finisse.

— Pas question. C'est plus rigolo de te voir souffrir.

Henning était parti. Ils lui avaient dit au revoir vers quatre heures du matin, sur une aire de repos, au beau milieu de nulle part.

— J'espère qu'il va bien, dit-elle, comme si elle lisait dans ses pensées.

— Moi aussi.

Il était en route pour San Francisco, faisant du stop en direction de l'ouest, un bout de papier dans son portefeuille sur lequel Tom avait inscrit l'adresse du café Elmore et « Demande Gerald ». Il n'y avait pas de Gerald, mais ce n'était pas grave. Les Va-nu-pieds l'accueilleraient, avec ou sans présentation. Tout le monde était le bienvenu, même – surtout – un soldat qui avait choisi de ne pas prendre part à la tuerie et à la mort.

— C'est assez incroyable, fit remarquer Christine tandis qu'ils se tenaient sur la dalle en béton, attendant de récupérer leurs bagages. Tu l'as converti à une religion à laquelle tu ne crois même pas.

— Je ne l'ai pas converti. Il s'est converti tout seul.

Le chauffeur était de mauvaise humeur, balançant les valises et les sacs en toile par terre derrière lui, sans prêter attention à l'endroit où ils atterrissaient. Les gens reculèrent de quelques pas pour lui laisser de la place.

— On ne peut pas vraiment lui en vouloir, dit Christine. Il s'amusera plus à San Francisco.

Leur sac à dos atterrit dans un bruit sourd. Tom se pencha pour l'attraper, mais dut se relever un peu trop vite. Il sentit ses jambes flancher et, chancelant, s'immobilisa quelques secondes, pour attendre que le tournis lui passe. Il sentit la sueur lui couler sur le front, une grosse goutte après l'autre.

— Oh, là, là ! dit-il. Ça va être dur aujourd'hui.

— Bienvenue au club, lui dit-elle. On peut peut-être vomir ensemble.

Une famille de roux attendait debout dans la gare routière, passant anxieusement en revue chacun des passagers qui arrivaient. Ils étaient quatre : un père maigrelet et une mère bien en chair – ils avaient à peu près le même âge que les parents de Tom –, une adolescente boudeuse et un type unijambiste, l'air hagard, dans une chaise roulante. *Adam*, pensa Tom. Il souriait d'un air ironique, tenant en l'air une feuille de papier, à la façon d'un chauffeur d'aéroport.

MARK HENNING, pouvait-on lire.

Les Henning remarquèrent à peine Tom et Christine. Ils étaient trop occupés à vérifier chaque nouveau visage qui franchissait la porte, attendant patiemment que le bon apparaisse, le seul qui importait.

Flocons de neige et sucres d'orge

Kevin arriva à la mairie vers huit heures ce matin-là, une heure plus tôt que d'habitude, espérant pouvoir travailler un peu avant de se rendre au lycée, où il avait rendez-vous avec la conseillère d'orientation de Jill. Afin de remplir une promesse de campagne, il avait opté pour un style de gouvernance interactive, se rendant disponible pour rencontrer les électeurs pendant une heure tous les jours, sur la base du premier arrivé, premier servi. C'était en partie une question de bonne politique, et en partie une stratégie pour faire face. Kevin était un être social : il aimait avoir quelque part où aller le matin, une raison de se raser, se doucher et enfiler des habits décents. Il aimait se sentir occupé et important, avoir la certitude que sa sphère d'influence dépassait les limites de son jardin.

Il avait appris cela à ses dépens, après avoir vendu sa chaîne de magasins d'alcool, Patriot Liquor Megastores, une bonne affaire qui l'avait laissé financièrement indépendant à l'âge de quarante-cinq ans. Une retraite précoce avait été le rêve de sa vie d'homme marié, l'objectif vers lequel lui et Laurie avaient tendu depuis toujours. Ils ne l'exprimaient pas à voix haute, mais ils aspiraient à être l'un de ces couples que l'on voit en couverture de magazines comme *Money Magazine* – des gens d'âge mûr pleins de vie, montant un tandem ou debout sur le pont de leur bateau à voile, des réfugiés heureux à l'abri des corvées quotidiennes, qui avaient réussi, grâce à une combinaison de chance, de dur travail et de soigneuse planification, à obtenir leur part de la belle vie, alors qu'ils étaient encore assez jeunes pour en profiter.

Mais cela ne s'était pas passé de cette façon. Le monde avait trop changé, et Laurie aussi. Alors qu'il était occupé à gérer la vente de son affaire – transaction stressante et longue – elle s'éloignait peu à peu de la vie qu'ils avaient connue, se préparant mentalement à un avenir complètement différent, un avenir qui n'incluait ni tandem ni bateau à voile, ni même un mari, en l'occurrence. Leur rêve commun était devenu la propriété exclusive de Kevin et, du coup, inutile.

Il lui fallut un certain temps pour le comprendre. Tout ce qu'il savait à l'époque, c'était que la retraite ne lui convenait pas, et qu'il était possible de se sentir comme un invité malvenu dans sa propre maison. Au lieu de s'employer à toutes les activités excitantes dont il avait rêvé – s'entraîner au triathlon pour les plus de quarante ans, apprendre à pêcher à la mouche, rallumer la passion dans son mariage – il passait la plupart de son temps à déprimer, homme désœuvré vêtu d'un ample pantalon de jogging qui ne comprenait pas pourquoi sa femme l'ignorait. Il prit du poids, se mit à surveiller de près les courses de nourriture et développa un intérêt malsain pour les vieux jeux vidéo de son fils, surtout pour *John Madden Football*, qui pouvait consommer des après-midi entiers si on ne faisait pas attention. Il se laissa pousser la barbe, mais il y avait trop de gris dedans, si bien qu'il la rasa. C'était ce qui passait pour un grand événement dans l'existence d'un retraité.

Se porter candidat à une charge officielle fut le parfait antidote contre ce qui l'affligeait. Cela lui permit de sortir de chez lui et d'entrer en contact avec un tas d'autres personnes, tout en se révélant bien moins exigeant qu'un vrai travail. En tant que maire d'une petite ville, il travaillait rarement plus de trois ou quatre heures par jour – dont il consacrait une bonne partie à se déplacer à l'intérieur du complexe muni-cipal, pour bavarder avec différents employés et chefs de départements – mais le petit peu de structure dans sa routine quotidienne faisait toute la différence. Le reste s'organisa autour – il passait les après-midi à faire des courses et du sport, les soirées à se détendre ; et plus tard, il y avait toujours le Carpe Diem.

En chemin vers le bureau, il s'arrêta au commissa-riat de police pour sa séance de mise à jour quoti-dienne et surprit le chef Rogers en train de manger un énorme muffin aux myrtilles, violation claire de son régime pour personne cardiaque.

— Oh.

Le chef recouvrit de sa main le dôme entamé de son muffin, comme pour protéger sa pudeur.

— Il est un peu tôt, non ?

— Pardon. (Kevin recula d'un pas.) Je peux revenir plus tard.

— Pas de problème. Le chef lui fit signe d'entrer. C'est pas une grande affaire. Vous voulez du café ?

Kevin appuya sur le bouton verseur d'un thermos argenté pour se remplir une tasse en polyester, y ajouta une petite boîte de lait, puis prit un siège.

— Alice me tuerait.

Le chef hocha la tête d'un air de fierté coupable en direction de son muffin. C'était un homme mou au regard triste, qui avait eu deux crises cardiaques et un triple pontage avant l'âge de soixante ans.

— Mais j'ai déjà renoncé à l'alcool et au sexe. Je veux bien être damné si je dois aussi renoncer au petit déjeuner.

— C'est votre choix. On ne veut simplement pas vous revoir à l'hôpital.

Le chef soupira.

— Écoutez. Si je meurs demain, je regretterai beaucoup de choses, mais ce muffin n'en fera pas partie.

— Je ne m'inquiéterais pas pour ça. Vous allez probablement tous nous enterrer.

Le chef ne semblait pas considérer le scénario comme très vraisemblable.

— Rendez-moi un service, d'accord ? Si vous arrivez un matin et que vous me retrouvez crevé sur mon bureau, retirez les miettes de mon visage avant que l'ambulance arrive.

— Pas de problème, dit Kevin. Vous voulez aussi que je vous recoiffe ?

— C'est une question de dignité, expliqua le chef. À un certain stade, c'est tout ce qui vous reste.

Kevin opina, laissant son silence marquer la transition vers les affaires officielles. Si l'on n'y prenait garde, la conversation à bâtons rompus avec Ed Rogers pouvait durer toute la matinée.

— Des problèmes la nuit dernière ?

— Pas trop. Une conduite en état d'ébriété, une affaire domestique, une meute de chiens errants dans Willow Road. Les merdes habituelles.

— C'était quoi l'affaire domestique ?

— Roy Grandy a encore menacé sa femme. Il a passé la nuit au poste.

— Rien d'étonnant.

Kevin secoua la tête. L'épouse de Grandy avait obtenu un ordre de protection au cours de l'été, mais elle l'avait laissé expirer.

— Qu'est-ce que vous allez faire ?

— Pas grand-chose. Le temps d'arriver sur place, sa femme prétendait que c'était un gros malentendu. On va devoir le relâcher.

— Du nouveau sur l'affaire Falzone ?

— Nan. (Le chef avait l'air exaspéré.) Toujours la même histoire. Personne ne sait rien.

— Bon, continuons de creuser.

— C'est comme de parler à un mur, Kevin. On ne peut pas obtenir d'informations de la part de gens qui refusent de parler. Ils vont devoir se rendre compte que c'est à double sens. S'ils veulent qu'on les protège, il va falloir qu'ils jouent le jeu.

— Je sais. Je m'inquiète juste pour ma femme. Au cas où il y aurait un cinglé qui rôderait dans les parages.

— Je comprends bien. (L'air sombre du chef se transforma en expression narquoise.) Mais je dois vous dire, si ma femme faisait vœu de silence, je la soutiendrais à cent dix pour cent.

Trois semaines s'étaient écoulées depuis qu'on avait retrouvé le corps d'un Surveillant assassiné près du Monument aux Disparus dans Greenway Park. Depuis lors, à part la conduite de tests de balistique de routine et l'identification de la victime – il s'agissait de Jason Falzone, vingt-trois ans, ancien serveur de café de Stonewood Heights – la police avait très peu progressé dans l'enquête. Une prospection porte à porte du quartier en bordure du parc n'avait pas permis de localiser le moindre témoin ayant vu ou entendu quelque chose de suspect. Ce n'était pas très surprenant : Falzone avait été tué après minuit, dans une zone déserte, à plusieurs centaines de mètres de la maison la plus proche. Un seul coup de feu avait été tiré à bout portant, à l'arrière du crâne.

Les efforts des enquêteurs pour localiser le partenaire de la victime, ou pour interviewer quiconque au sein des CS (qui refusaient, par principe, de coopérer avec la police ou toute autre agence gouvernementale) n'avaient rien donné non plus. Après une négociation controversée, Patti Levin, la directrice et porte-parole du chapitre de Mapleton, avait accepté

« par courtoisie » de répondre par écrit à une série de questions, mais les informations qu'elle avait fournies ne conduisirent nulle part. Les détectives étaient sceptiques au sujet de son insistance sur le fait que Falzone se trouvait seul le soir du meurtre, dans la mesure où il était de notoriété publique que les Surveillants se déplaçaient par paires.

Nous n'avons pas toujours un nombre pair de personnes de service, écrivit-elle. *La simple algèbre impose que certains de nos adeptes devront travailler indépendamment.*

Offensés par ce qu'ils considéraient comme des réponses évasives, sans parler du ton condescendant de Levin, certains membres de l'équipe d'investigation avaient évoqué la possibilité d'utiliser des mesures plus agressives – assignations, mandats de perquisition, etc. – mais Kevin les avait convaincus de patienter. L'une de ses priorités en tant que maire était d'atténuer la tension entre la ville et les Coupables Survivants ; on n'y parvenait pas en envoyant un groupe d'officiers lourdement armés dans le complexe chargés de la vague mission de rassembler de potentiels témoins, pas après ce qui était arrivé la dernière fois.

Alors que les jours s'écoulaient sans arrestation, Kevin s'attendait à ce que la police devienne l'objet de l'ire d'habitants effrayés – les meurtres étaient extrêmement rares à Mapleton, et les meurtres irrésolus et arbitraires inouïs – mais la révolte ne se matérialisa jamais. Non seulement cela – si les lettres envoyées au journal local fournissaient la moindre indication, un bon nombre de citoyens estimaient que Jason Falzone avait plus ou moins obtenu ce qu'il méritait. *Je n'essaie pas de justifier ce qui s'est passé*, déclarait l'auteur de l'une de ces lettres, *mais les fauteurs de trouble qui délibérément et de façon répétée deviennent des nuisances ne devraient pas être étonnés de provoquer une réaction.* D'autres commentateurs se montrèrent plus tranchants : *Cela fait longtemps que l'on aurait dû expulser les CS de Mapleton. Si la police ne le fait pas, quelqu'un d'autre s'en chargera.*

Même les parents de la victime exprimèrent une vue mesurée sur sa mort : *Nous pleurons la perte de notre fils bien-aimé. Mais la vérité est que Jason était devenu un fanatique. Avant de disparaître de nos vies, il parlait fréquemment de son désir de mourir en martyr. Il semble que son vœu lui ait été accordé.*

Donc, ils en étaient là : un meurtre brutal, du style exécution, pas de témoins, personne ne réclamant justice – ni la famille de la victime, ni les CS, ni les bonnes âmes de Mapleton. Juste un gamin mort dans le parc, signe supplémentaire que le monde avait perdu la tête.

Le restaurant *Chez Daisy* était l'un de ces endroits rétro remplis de skaï gris acier et bordeaux. Le lieu avait été rénové une vingtaine d'années plus tôt, mais était aujourd'hui de nouveau complètement décati – les banquettes rapiécées avec du gros scotch, les tasses à café ébréchées, le sol en damier autrefois éblouissant devenu terne et usé.

La version par Bing Crosby de « The Little Drummer Boy » passait sur la stéréo du restaurant. Kevin frotta la vitre embuée pour admirer la scène festive à l'extérieur – des flocons de neige et des sucres d'orge gigantesques suspendus aux fils électriques s'étendaient tout du long de Main Street, de vraies couronnes de feuillage vert étaient accrochées sur les lampadaires et le quartier d'affaires grouillait de voitures et de piétons.

— Ça se présente bien cette année, dit-il. Tout ce qu'il nous faut, c'est un peu de neige.

Jill grommela une non-réponse tout en mordant dans son hamburger végétarien. Il se sentait un peu coupable de la laisser sauter un cours pour déjeuner avec lui, mais ils avaient besoin de parler, et c'était difficile de le faire à la maison, avec Aimee toujours à rôder. De plus, à ce stade du semestre, les dégâts étaient faits.

L'entretien avec la conseillère d'orientation ne s'était pas bien passé, pour dire le moins. De manière assez vague, Kevin savait que les notes de Jill baissaient, mais il avait mal évalué la gravité de la situation. Ancienne élève avec une moyenne de A et des scores éblouissants à ses tests de niveau, sa fille échouait en maths et en chimie et pourrait au mieux obtenir des C à ses cours avancés en anglais et en histoire – deux de ses meilleures matières – si elle brillait à ses examens de fin d'année et rendait un certain nombre de devoirs en retard avant les vacances de Noël, éventualité qui semblait s'éloigner un peu plus chaque jour.

— Je ne comprends pas, lui dit la conseillère.

C'était une jeune femme sérieuse aux cheveux longs et raides, avec des lunettes à monture octogonale.

— C'est un désastre scolaire complet.

Jill était restée assise là, indéchiffrable, son expression oscillant entre l'ennui poli et un léger amusement, comme s'ils parlaient de quelqu'un d'autre, d'une fille qu'elle connaissait à peine. Kevin eut le droit aussi à des critiques assez dures. Mme Margolis ne comprenait pas son attitude blasée, le fait qu'il n'ait parlé à aucun des professeurs de Jill ni répondu à aucun des nombreux e-mails l'informant des progrès insatisfaisants de sa fille.

— Quels e-mails ? demanda-t-il. Je n'ai reçu aucun e-mail.

Il s'avéra que les messages arrivaient toujours sur le compte de Laurie, si bien qu'il ne les avait en fait jamais vus, mais la confusion corroborait simplement l'argument plus général de la conseillère : Jill ne bénéficiait ni d'un soutien ni d'une surveillance suffisants à la maison. Kevin ne discuta pas ce point ; il savait qu'il avait échoué. Dès que Tom avait commencé l'école élémentaire, Laurie avait été celle qui s'occupait de l'éducation des enfants. Elle surveillait les devoirs, signait les bulletins scolaires et les autorisations de sortie et rencontrait les nouveaux enseignants lors de la soirée de rentrée. Pendant toutes ces années, Kevin n'avait eu pour seule tâche que de se montrer intéressé quand sa femme lui racontait ce qui se passait ; il ne s'était à l'évidence pas résolu au fait que toute cette responsabilité lui incombait maintenant.

— Je me rends compte qu'il y a eu des... bouleversements chez vous, dit Mme Margolis. Clairement, Jill a des problèmes d'adaptation.

Elle conclut la rencontre en traçant une grande croix sur la liste de souhaits d'universités qu'elle et Jill avaient établie au début de l'année scolaire. Williams, Wesleyan, Bryn Mawr – toutes ces universités étaient exclues maintenant. C'était tard dans le processus, mais ce qu'ils devaient faire dans les semaines à venir était de recentrer leur attention sur des institutions moins sélectives, des établissements qui pourraient plus facilement pardonner un semestre de notes calamiteuses d'une élève par ailleurs excellente. C'était malheureux, dit-elle, mais c'était une réalité aujourd'hui, aussi feraient-ils mieux de la regarder en face.

I'll play my drum for him, pa rum pum pum pum...

— Alors, qu'est-ce que tu en penses ? demanda Kevin, fixant sa fille par-dessus l'étroite table en Formica.

— À propos de quoi ?

Elle le fixa à son tour, le visage calme et indéchiffrable.

— Tu sais. L'université, l'année prochaine, le reste de ta vie...

Sa bouche fit une moue de dégoût.

— Oh, ça.

— Ouais, ça.

Elle trempa une frite dans un petit pot de ketchup, puis l'enfourna.

— Je ne sais pas. Je ne suis même pas sûre de vouloir aller à l'université.

— Vraiment ?

Elle haussa les épaules.

— Tommy est parti à l'université. Regarde ce qui lui est arrivé.

— Tu n'es pas Tommy.

Elle s'essuya la bouche avec une serviette. Une légère rougeur lui était montée aux joues.

— C'est pas que ça, lui dit-elle. C'est que... on est les seuls qui restent. Si je pars, tu te retrouveras tout seul.

— Ne t'inquiète pas pour moi. Fais ce que tu as à faire. Tout ira bien.

Il essaya de sourire, mais n'y parvint qu'à moitié.

— En plus, la dernière fois que j'ai vérifié, on était trois à vivre à la maison.

— Aimee ne fait pas partie de la famille. C'est juste une invitée.

Kevin attrapa son verre – il était vide à part les glaçons – et porta la paille à sa bouche, aspirant quelques gouttelettes d'eau égarées. Elle avait raison, évidemment. Ils étaient les seuls qui restaient.

— Qu'est-ce que tu en penses ? demanda-t-elle. Tu veux que je parte à l'université ?

— Je veux que tu fasses ce dont tu as envie. Ce qui te rendra heureuse.

— Waouh, merci papa. Tu es d'une grande aide.

— C'est pour ça qu'ils me paient un gros salaire.

Elle leva le bras et posa la main sur le haut de son crâne, pinçant d'un air absent ses cheveux qui repoussaient. Sa tonsure s'était remarquablement épaissie et assombrie ces dernières semaines, lui conférant une expression beaucoup moins sévère.

— J'ai réfléchi, dit-elle. Je préférerais simplement rester à la maison l'année prochaine, si t'es d'accord.

— Bien sûr que je suis d'accord.

— Je peux peut-être aller à Bridgeton State. Suivre quelques cours. Peut-être trouver un travail à temps partiel.

— Pas de problème, dit-il. Ça devrait marcher.

Ils terminèrent de manger en silence, à peine capables de se regarder. Kevin savait qu'un parent moins égoïste aurait été déçu – Jill méritait bien mieux que Bridgeton State, l'université de la dernière chance – mais tout ce qu'il éprouvait était un soulagement si intense que c'en était presque gênant. Il lui fallut attendre que la serveuse débarrasse leurs assiettes pour pouvoir retrouver assez de confiance et se remettre à parler.

— Bon, euh, je voulais te demander ce que tu voudrais pour Noël.

— Noël ?

— Ouais, dit-il. Grande fête ? Très bientôt ?

— Je n'y ai pas vraiment réfléchi.

— Allez, dit-il. Aide-moi.

— Je sais pas. Un pull ?

— Couleur ? Taille ? J'aurais besoin d'un peu de conseils.

— Petit, lui dit-elle, grimaçant comme si l'information était pénible à révéler. Noir, j'imagine.

— Super. Et pour Aimee ?

— Aimee ? (Jill parut surprise, voire un peu agacée.) Tu n'es pas obligé d'acheter quelque chose pour Aimee.

— Qu'est-ce qu'elle va faire, être là et nous regarder ouvrir nos cadeaux ?

La serveuse revint avec l'addition. Kevin y jeta un œil puis attrapa son portefeuille.

— Peut-être des gants, suggéra Jill. Elle m'emprunte toujours les miens.

— OK. (Kevin sortit sa carte de crédit et la posa sur la table.) Je lui achèterai des gants. Dis-moi si tu as une autre idée.

— Et pour maman ? dit Jill au bout de quelques secondes. Est-ce qu'on devrait lui acheter un cadeau ?

Kevin se mit presque à rire, mais s'arrêta lorsqu'il vit l'expression sérieuse de sa fille.

— Je ne sais pas, dit-il. On ne la verra probablement pas.

— Elle aimait les boucles d'oreille, murmura Jill. Mais j'imagine qu'elle ne peut plus en porter.

Ils se tenaient à un passage piéton à l'extérieur du restaurant lorsqu'une femme passa près d'eux sur un vélo orange. Elle salua Kevin tout en filant, geste laconique qu'il ne put vraiment décoder.

— Hé.

Il leva la main à retardement, s'adressant à l'espace qu'elle n'occupait plus.

— Comment ça va ?

— C'est qui ?

Jill suivit la cycliste du regard tandis qu'elle s'éloignait, virant vers Pleasant Street à la même allure que la voiture qui la bordait.

— Tu ne la connais pas, répondit Kevin, se demandant pourquoi il ne voulait pas dire son nom.

— C'est fort, fit remarquer Jill. Circuler en vélo au mois de décembre.

— Elle est habillée en conséquence, dit-il, espérant que c'était vrai. Ils ont tous ces habits en Goretex et le reste.

Il parla d'un air dégagé, attendant que la gêne émotionnelle qu'il éprouvait passe. Il n'avait pas vu Nora ni ne lui avait parlé depuis la soirée où ils avaient dansé ensemble jusqu'à ce que les lumières se rallument. Il l'avait raccompagnée à sa voiture et lui avait dit bonne nuit en gentleman, lui serrant la main et lui disant combien il avait apprécié sa compagnie. Sa sœur se tenait là, une petite femme trapue à l'air impatient, si bien que les choses n'allèrent pas plus loin.

— Appelez-moi un de ces jours, lui dit-elle. Je suis dans l'annuaire.

— Absolument, répondit-il. Je le ferai.

Et il était sincère. Pourquoi ne l'aurait-il pas été ? Elle était intelligente, jolie, sa conversation était agréable, et il ne pouvait pas dire qu'il se passait grand-chose dans sa vie en ce moment. Mais trois semaines s'étaient écoulées et il ne l'avait toujours pas appelée. Il y avait beaucoup pensé, assez pour ne plus avoir à chercher son numéro dans les Pages blanches de Mapleton. Mais danser avec elle était une chose ; sortir un soir avec elle, apprendre réellement à la connaître, s'approcher de ce avec quoi elle devait vivre – une chose entièrement différente.

Elle ne fait pas partie de ma ligue, songea-t-il, sans vraiment savoir ce qu'il voulait dire par là, ni à quelle ligue chacun d'eux appartenait.

Il reconduisit Jill au lycée, puis rentra à la maison et souleva des poids au sous-sol, séance ambitieuse de musculation qui lui procura une sensation plaisante dans les bras et la poitrine. Il prépara du poulet rôti et des pommes de terre pour les filles, lut un chapitre de *American Lion : Andrew Jackson in the White House* après le dîner, puis se rendit au Carpe Diem, où la soirée s'écoula sans surprise, peuplée des visages familiers et occupée par l'agréable badinage de personnes qui se connaissaient un peu trop bien et referaient exactement de même le lendemain.

Ce ne fut qu'une fois au lit qu'il se remit à penser à Nora, au choc qu'il avait ressenti quand elle était passée devant lui en vélo. Dans la lumière du jour, l'instant était venu et reparti à toute allure, mais dans le noir, dans le silence de sa chambre à coucher, il se déroula au ralenti et s'aiguisa. Dans cette version simplifiée, Jill n'était pas avec lui ; Main Street était vide. Non seulement cela, mais Nora ne portait ni Lycra ni casque, juste la jolie robe qu'elle avait à la soirée dansante. Ses cheveux détachés volaient au vent et sa voix résonna avec clarté et fermeté lorsqu'elle passa lentement devant lui.

— Lâche, dit-elle, et il ne put qu'opiner.

Le meilleur fauteuil du monde

Dans la voiture, Nora s'évertua à faire comme si de rien n'était, comme si se rendre au centre commercial au plus fort de la saison des fêtes était une activité normale – parce que vous étiez une Américaine, parce que Noël était tout près, parce que vous faisiez partie d'une grande famille que cela vous plaise ou non, et que vous deviez acheter des cadeaux pour un certain nombre d'entre eux. Karen suivit son exemple, conservant un tour léger et simple à la conversation, ne disant rien qui pourrait attirer l'attention sur la signification de l'expédition, ou suggérer que Nora « se montrait courageuse », ou « marquait un pas en avant », ou encore « continuait sa vie », toutes ces expressions condescendantes qu'elle s'était mise à mépriser.

— C'est difficile d'acheter des cadeaux à des adolescents, dit Karen. Ils ne m'ont pas dit quels jeux vidéo ils aimeraient, comme si j'étais censée connaître la différence entre *Brainwave Assassin 2* et *Brainwave Assassin* Édition spéciale. En plus, je leur ai dit que je ne leur achèterais rien qui serait classifié pour plus de dix-sept ans – je n'aime même pas les jeux pour plus de treize ans, pour être honnête – donc ça limite vraiment mes choix. Et les boîtes dans lesquelles ils sont

228

emballés sont tellement minuscules, ça a l'air... totalement vide sous l'arbre, pas comme quand on était petites et qu'il y avait tous ces cadeaux qui débordaient et occupaient tout le salon. Ça, ça donnait vraiment le sentiment de Noël.

— Peut-être des livres ? suggéra Nora. Ils aiment lire, non ?

— Oui, je suppose.

Karen garda les yeux fixés sur les feux arrière rougeoyant de la Ford Explorer devant elles. La circulation était dense pour sept heures et demie du soir, presque comme à l'heure de pointe ; apparemment, le troupeau avait pris la décision collective d'aller faire des courses.

— Ils aiment ces séries fantastiques, et tous les titres se ressemblent. À Noël dernier, j'ai acheté à Jonathan une de ces trilogies complètes – *Les Loups-garous de Nécropolis*, ou quelque chose comme ça – et il s'est avéré qu'il l'avait déjà. Ils étaient là, sur ses étagères. C'était comme ça avec tout. Je ne crois pas que les garçons ont reçu quoi que ce soit qui leur ait fait plaisir.

— Peut-être que tu devrais essayer de les surprendre. Ne te focalise pas tant sur ce qu'ils veulent. Présente-leur quelque chose de nouveau.

— Comme quoi ?

— Je ne sais pas. Comme une planche de surf, par exemple. Des chèques cadeaux pour des cours d'escalade ou de plongée, ce genre de trucs.

— Hum. (Karen parut intriguée.) Ce n'est pas une mauvaise idée.

Nora ne pouvait dire si sa sœur était sincère, mais cela n'importait pas vraiment. Il y avait une demi-heure de trajet pour arriver au centre commercial, et il fallait bien qu'elles parlent de quelque chose. Ne serait-ce que parce que c'était l'occasion pour Nora de s'exercer à parler de la pluie et du beau temps, de se rappeler comment c'était d'être une personne normale, de mener une petite conversation inoffensive, rien de trop lourd ou dérangeant. Elle avait besoin de développer cette compétence si elle voulait un jour sérieusement envisager de rentrer de nouveau dans le monde social – passer un entretien d'embauche, disons, ou sortir dîner avec un homme intéressant.

— Il... il fait plutôt chaud pour la saison, se lança-t-elle.

— Je sais !

La réponse de Karen était étrangement emphatique, comme si elle avait attendu toute la journée une occasion de discuter du temps.

— Hier après-midi, je suis sortie avec rien qu'un pull.

— Waouh. En décembre. C'est fou.

— Ça ne va pas durer.

— Non ?

— Un front froid arrive demain. Je l'ai entendu à la radio.

— Dommage.

— Qu'est-ce que tu veux !

La bonne humeur de Karen revint aussi vite qu'elle avait disparu.

— Ce serait sympa s'il neigeait pour Noël. On n'a pas eu de Noël blanc depuis longtemps.

C'était d'une simplicité enfantine, songea Nora. Il suffisait de babiller, d'empiler une remarque inepte sur l'autre. Le truc était d'avoir l'air intéressé, même si on ne l'était pas. Il fallait veiller à cela.

— J'ai parlé à maman cet après-midi, dit Karen. Il se peut qu'elle ne prépare pas de dinde cette année. Elle a dit peut-être un gros rosbif ou un gigot d'agneau. Je lui ai rappelé que Chuck n'aimait pas l'agneau, mais tu la connais. Les informations entrent par une oreille et ressortent par l'autre.

— Je sais de quoi tu parles.

— Mais je dois dire, je suis assez d'accord avec elle à propos de la dinde. Je veux dire, on vient d'avoir de la dinde pour Thanksgiving et on a mangé les restes pendant des lustres. Basta, la dinde.

Nora hocha la tête, même si elle s'en moquait – elle ne mangeait pas de viande ces derniers temps, pas même de la volaille ou du poisson. Il ne s'agissait pas tant d'une objection éthique que d'un changement conceptuel, comme si la nourriture et les animaux avaient cessé d'être des catégories qui se recoupaient. Malgré tout, elle fut soulagée d'apprendre qu'il n'y aurait peut-être pas de dinde au repas de Noël. Karen en avait préparé une grosse pour Thanksgiving, et toute la famille s'était réunie autour de la bête pour ce qui lui avait paru un temps affreusement long, s'émerveillant de sa peau dorée et de sa chair tendre. *Quel magnifique oiseau,* ne cessaient-ils de se dire, ce qui était une drôle d'expression pour désigner une chose morte et privée de tête. Et puis son cousin Jerry avait fait poser tout le monde pour une photographie de groupe, avec le magnifique oiseau occupant la place d'honneur. Au moins, personne n'envisagerait cela avec un rosbif.

— C'est génial ! s'exclama Karen, tandis qu'elles étaient arrêtées à un feu rouge sur la voie d'accès au centre commercial. (Elle serra la jambe de Nora, juste au-dessus du genou.) Je ne peux pas croire qu'on fait ça.

À vrai dire Nora pouvait à peine y croire elle-même. Tout cela participait d'une expérience, la décision impulsive qu'elle avait prise de rester à la maison cette année et d'affronter les fêtes, au lieu de fuir en Floride ou au Mexique pendant une semaine, de rôtir au soleil, et de faire comme si Noël n'existait pas. Malgré tout, elle était surprise d'avoir accepté l'invitation de Karen de l'accompagner au centre commercial, l'épicentre de toute cette folie.

C'était principalement de la faute de Kevin Garvey, elle en était assez convaincue. Un mois s'était écoulé depuis qu'ils avaient dansé à la soirée, et elle ne savait toujours pas quoi penser de lui. Tout ce qu'elle savait, c'était que n'importe quoi – même une excursion au centre commercial avec sa sœur – l'emporterait sur la perspective d'un autre soir à rester chez elle comme une adolescente, à attendre qu'il appelle. Cela aurait dû être clair maintenant qu'il ne se passerait rien, mais une partie de son cerveau ne parvenait pas à enregistrer le message – elle continuait de vérifier son e-mail toutes les cinq minutes, d'apporter le téléphone partout où elle allait, au cas où il déciderait de la joindre pendant qu'elle était sous la douche ou dans la buanderie.

Bien sûr, elle aurait pu décrocher le téléphone ou lui envoyer un e-mail. C'était le maire, après tout ; si elle avait voulu, elle aurait pu simplement passer le voir à ses heures de bureau et commencer à se plaindre à propos des parcmètres, par exemple. À l'époque où elle était jeune et célibataire, elle n'avait jamais eu de problème à prendre l'initiative, proposer à un garçon de sortir ou du moins lui faciliter la tâche pour qu'il le lui demande. Mais ce n'était plus la question. Kevin avait dit qu'il l'appellerait, et il avait l'air d'un homme de parole. Si ce n'était pas le cas, alors tant pis – il ne lui conviendrait pas de toute manière.

D'une certaine manière, elle savait qu'il avait dansé avec elle par pitié. Elle voulait bien admettre que cela avait commencé de cette façon – le philanthrope qui fait de la charité – mais cela s'était terminé tout à fait autrement, sa tête sur son épaule, les bras de Kevin qui l'enlaçaient, une sorte de courant qui passait entre leurs corps, lui donnant le sentiment d'avoir été ramenée à la vie. Et lui aussi : elle avait vu l'expression de son visage quand les lumières s'étaient rallumées, la tendresse et la curiosité de son regard, sa façon de continuer à la serrer et à bouger les pieds bien après l'arrêt de la musique.

C'était dur au début quand il n'avait pas appelé – vraiment dur –, c'était long, un mois, et elle s'était plus ou moins réconciliée avec l'idée que tout cela avait été une fausse alerte, du moins jusqu'à la semaine dernière, quand elle était passée devant lui en vélo et que tout s'était de nouveau ravivé. Il se tenait là, dans Main Street, avec sa fille au look punk à côté de lui ; tout ce que Nora avait à faire était d'appuyer sur les freins, de se glisser jusqu'à eux et de dire, *Hé, comment ça va ?* Au moins aurait-elle pu étudier son visage, peut-être avoir une compréhension plus claire de ce qui se passait. Mais elle avait été lâche – elle n'avait pas bougé, avait oublié de freiner, était passée devant eux à toute vitesse comme si elle était en retard à un rendez-vous, comme si elle se rendait dans un lieu plus intéressant que chez elle, où le téléphone ne sonnait jamais, où personne ne lui rendait jamais visite.

— Oh, regarde ! dit Karen.

Elles roulaient au pas dans le parking, essayant de trouver une place qui ne serait pas à un kilomètre de l'entrée. Karen indiqua du doigt une mère et sa fille – la mère devait avoir l'âge de Nora, l'enfant peut-être huit ou neuf ans –, toutes les deux portant un bonnet en feutre orné de bois de renne, celui de la fille agrémenté en plus de lumières rouges clignotantes.

— C'est pas adorable ?

Deux Surveillants vêtus de blanc se tenaient devant l'entrée de chez Macy's, en compagnie d'un type grisonnant qui agitait une clochette pour l'Armée du Salut. Par politesse, Nora accepta une brochure d'un des Surveillants – AVEZ-VOUS DÉJÀ OUBLIÉ ? pouvait-on lire sur la couverture – puis la jeta dans une poubelle commodément située juste à l'intérieur.

Elle eut une mini crise de panique lorsqu'elles passèrent devant le comptoir des parfums, le sentiment de danger imminent d'un petit animal. C'était en partie une réaction à l'odeur d'une dizaine de parfums vaporisés dans l'air par de jeunes femmes très maquillées qui semblaient penser qu'elles offraient un service public, et en partie un sentiment plus général de surcharge sensorielle provoquée par le brusque assaut de lumières vives, de musique rythmée et de consommateurs empressés. Les mannequins aux visages sans expression n'aidaient pas, leurs corps paralysés parés de vêtements dernier cri.

Elle respira plus facilement une fois qu'elles entrèrent dans le hall central, avec son haut plafond de verre – le centre commercial était construit sur trois niveaux, avec des balcons aux deux étages supérieurs – et son vaste sol blanc, qui lui rappelaient une vieille gare ferroviaire. Derrière la fontaine, un immense sapin de Noël dominait une ligne d'enfants attendant de rencontrer le Père Noël, son sommet orné d'un ange dépassant le premier niveau du centre commercial. L'arbre lui évoquait un bateau dans une bouteille, si grand que l'on se demandait comment il avait pu arriver là.

Karen était une consommatrice très efficace, l'une de ces personnes qui savent toujours exactement ce qu'elles cherchent et où on peut le trouver. Elle traversa le centre commercial à grandes enjambées, d'un air concentré, les yeux fixés droit devant elle, sans regarder au hasard ni acheter quoi que ce soit par impulsion. Elle fonctionnait de manière identique au supermarché, barrant chaque produit sur sa liste avec un feutre rouge et ne repassant jamais deux fois au même endroit.

— Qu'est-ce que tu en penses ? demanda-t-elle, soulevant une cravate rayée orange et bleu dans le magasin de vêtements Big Guys Wearhouse. Trop audacieuse ?

— Pour Chuck ?

— Qui d'autre ?

Elle rejeta la cravate sur la table de liquidation des stocks.

— Les garçons ne s'habillent jamais.

— Bientôt, ils le feront. Ils auront des galas de fin d'année et ce genre de choses, non ?

— Oui, j'imagine.

Karen replongea la main dans l'entremêlement serpentin des cravates.

— Il faudrait d'abord qu'ils commencent à se doucher.

— Ils ne se douchent pas ?

— Ils *prétendent* qu'ils le font. Mais leurs serviettes sont toujours sèches. Hum.

Elle sélectionna une candidate plus probable, losanges jaunes sur fond de soie verte.

— Qu'est-ce que tu en penses ?

— C'est joli.

— Je ne sais pas. (Karen fronça les sourcils.) Il a déjà trop de cravates vertes. Il a trop de cravates, point. À chaque fois que quelqu'un lui demande ce qu'il veut pour Noël, il répond toujours *une cravate. Une cravate sera très bien.* Alors, c'est ce qu'il reçoit. Pour ses anniversaires et la fête des pères aussi. Et il a toujours l'air ravi.

Elle relâcha la cravate, puis jeta un œil à Nora. Son visage affichait une expression douce – mélange d'affection, de résignation et d'amusement.

— Mon Dieu, il est tellement ennuyeux.

— Il n'est pas ennuyeux, dit Nora. Il est juste...

Elle hésita, ne trouvant pas de meilleur adjectif.

— Ennuyeux, dit de nouveau Karen.

Il était difficile de disputer ce point. Chuck était un bon pourvoyeur, un gars solide et terne qui travaillait comme contrôleur en chef de qualité pour les laboratoires Myriad. Il aimait le steak, Bruce Springsteen et le base-ball, et n'avait jamais exprimé une opinion que Nora ait trouvée un tant soit peu surprenante. *On risque toujours de s'ennuyer avec Chuck,* disait Doug.

Bien sûr, Doug était M. Imprévisible, charmant et excentrique, une nouvelle passion par mois – Tito Puente et Bill Frisell, le squash, la doctrine libertaire, la cuisine éthiopienne, les jeunes femmes sexy avec plein de tatouages et un don pour la fellation.

— C'est toujours la même chose, dit Karen, en examinant une large cravate rouge avec un mélange de fines rayures noires et de rayures argentées plus larges. J'essaie de le faire sortir des sentiers battus, de lui suggérer de porter une chemise bleue avec son costume gris ou, Dieu m'en préserve, une rose, et il me regarde comme si j'étais folle, tout simplement. *Tu sais quoi, gardons la blanche.*

— Il sait ce qu'il aime, dit Nora. Il a ses petites habitudes.

Karen s'éloigna de la table de liquidation des stocks. Apparemment, la rouge était la bonne.

— J'imagine que je ne devrais pas me plaindre, dit-elle.

— Non, acquiesça Nora. Tu ne devrais vraiment pas.

En chemin vers la piazza des restaurants, Nora passa devant le magasin Bien-Être et décida d'aller voir. Il lui restait vingt minutes à tuer avant son rendez-vous avec Karen qui s'était éclipsée pour une « petite séance de courses en solitaire », le code familial pour dire : *Je vais t'acheter un cadeau et j'ai besoin que tu disparaisses pendant un petit moment.*

Son cœur battait encore fort lorsqu'elle entra dans le magasin, son visage encore chaud d'un mélange de fierté et de gêne. Elle venait de se forcer à entreprendre seule un petit tour du grand sapin de Noël, au niveau principal, où tous les parents et les enfants attendaient pour rencontrer le Père Noël. C'était un autre défi en cette période de fêtes, une tentative d'affronter sa peur en face, de briser cette habitude honteuse qu'elle avait d'éviter autant que possible la vue de jeunes enfants. Elle ne voulait pas être ce type de personne – renfermée, sur la défensive, se tenant à distance de tout ce qui pouvait lui rappeler ce qu'elle avait perdu. Une logique semblable l'avait incitée à postuler à la crèche l'année dernière, mais bien trop tôt hélas. Cette tentative était plus contrôlée, une sorte d'occasion unique de serrer les dents.

Tout se passa bien, en fait. La façon dont le circuit était installé, les enfants faisaient la queue sur la droite, rencontraient le Père Noël au milieu, puis sortaient par la gauche. Nora s'approcha du côté de la sortie, marchant vite, comme une consommatrice ordinaire en chemin vers Nordstrom. Un seul enfant passa, un garçon trapu parlant avec excitation à son père qui portait un bouc. Aucun des deux ne porta la moindre attention à Nora. Derrière eux, sur l'estrade de fortune, un garçon asiatique en costume sombre serrait la main du Père Noël.

La partie difficile vint lorsque Nora fit le tour de l'arbre – il y avait un train miniature géant qui tournait frénétiquement tout autour – et se dirigea dans le sens opposé, marchant lentement le long de la queue, comme un général passant ses troupes en revue. Elle remarqua d'abord que le moral était bas. Il se faisait tard ; la plupart des enfants avaient l'air hébétés, prêts à s'effondrer. Quelques petits enfants pleuraient ou s'agitaient dans les bras de leurs parents, et certains des plus grands semblaient sur le point de s'enfuir en direction du parking. Les parents avaient l'air sombres, les bulles invisibles de bande dessinée au-dessus de leurs têtes remplies de pensées du type, *Arrête de pleurnicher... On y est presque... C'est censé être amusant... Tu vas le faire que ça te plaise ou non !* Nora se souvint du sentiment, elle possédait des photos pour le prouver, ses deux enfants assis, les larmes aux yeux et malheureux sur les genoux d'un Père Noël frustré.

Il devait y avoir trente enfants dans la queue, et seulement deux garçons lui rappelèrent Jeremy, beaucoup moins qu'elle ne l'eût imaginé. Il y avait un moment par le passé où presque n'importe quel petit garçon pouvait lui briser le cœur, mais maintenant elle était à peu près digne, tant qu'il ne s'agissait pas d'un petit garçon blond et tout maigre, les pommettes rouges comme sur les soldats de plomb. Une seule petite fille lui rappela Erin, et la ressemblance n'était pas vraiment physique – cela avait plus trait à son expression, une sagesse prématurée qui fendait le cœur sur un visage si innocent. La petite fille – c'était une beauté qui suçait son pouce, couronnée d'une masse de cheveux foncés, sauvagement emmêlés – dévisagea Nora avec une telle curiosité solennelle que Nora s'arrêta et la dévisagea en retour, sans doute un peu trop longtemps.

— Je peux vous aider ? demanda son père en levant les yeux de son BlackBerry.

Il avait environ quarante ans, les cheveux gris mais l'air physiquement très en forme dans son costard froissé.

— Vous avez une charmante petite fille, lui dit Nora. Vous devriez en prendre grand soin.

L'homme plaça sa main d'un geste protecteur sur la tête de sa fille.

— J'en prends grand soin, répondit-il un peu à contrecœur.

— Je suis heureuse pour vous, dit Nora. Puis elle s'éloigna, avant d'avoir l'occasion d'ajouter un autre mot qui le contrarierait ou qui lui gâcherait sa journée à elle, comme cela était arrivé trop de fois par le passé.

Le magasin Bien-Être avait une devise intéressante – Tout Ce Dont Vous Avez Besoin pour le Restant de Votre Vie –, mais il s'avéra être l'un de ces empires pour gens riches qui se spécialisait dans la vente d'articles complaisants pour ceux qui possédaient déjà tout, produits du type chaussons chauffants et balances qui vous offraient des félicitations sincères et personnalisées quand vous aviez atteint la perte de poids que vous vous étiez fixée et des critiques constructives, également personnalisées, quand ce n'était pas le cas. Malgré tout, Nora parcourut lentement tout le magasin, examinant les radios de secours manuellement rechargeables, les oreillers programmables et les épilateurs silencieux, goûtant l'environnement agréablement austère – la musique d'ambiance New Age au lieu des chants de Noël – et l'âge avancé de la clientèle. Pas de beaux petits enfants vous dévisageant dans le magasin Bien-Être, simplement des hommes et des femmes d'âge mûr se saluant poliment d'un hochement de tête tandis qu'ils se fournissaient en chauffe-serviettes et accessoires de pointe pour le vin.

Elle ne remarqua le fauteuil qu'au moment où elle s'apprêtait à sortir du magasin. Il occupait son propre coin sombre du parterre d'exposition, un fauteuil inclinable à l'air ordinaire en cuir marron, trônant sur le piédestal bas recouvert de moquette, baigné par la lueur douce du plafonnier. Elle se rapprocha pour le regarder de plus près et fut interloquée de découvrir qu'il coûtait près de dix mille dollars.

— Il les vaut, lui dit le vendeur.

Il s'était approché et lui avait parlé avant même qu'elle ne se rende compte de sa présence.

— C'est le meilleur fauteuil du monde.

— Il peut, dit Nora en riant.

Le vendeur hocha la tête d'un air pensif. C'était un jeune homme hirsute vêtu d'un costume coûteux, le genre de costume inattendu pour un employé du centre commercial. Il se pencha en avant, comme pour lui confier un secret.

— C'est un fauteuil masseur, dit-il. Vous aimez les massages ?

Nora fronça les sourcils – c'était une question compliquée. Elle adorait les massages autrefois. Elle avait un rendez-vous fixe deux fois par mois au club de sport Integrative Bodywork avec Arno, un génie autrichien trapu qui venait du centre de thalasso pour travailler à son club de fitness. Une heure avec lui, et peu importait ce qui la faisait souffrir – ses règles, un de ses genoux, son mariage médiocre –, elle se sentait complètement revigorée, capable d'affronter le monde avec une énergie positive et un grand cœur. Elle avait essayé de retourner le voir environ un an plus tôt, mais elle avait découvert qu'elle ne supportait plus d'être touchée de manière si intime.

— J'aime bien, répondit-elle.

Le vendeur sourit et fit un geste en direction du fauteuil.

— Essayez-le, dit-il. Vous pourrez me remercier ensuite.

Nora s'alarma au début – la violence avec laquelle le repose-tête se mettait brusquement en marche, le remous des balles dures en plastique – ou quoi que ce fût – contre le revêtement en cuir doux, forant dans les muscles noués qui entouraient sa colonne vertébrale, le mécanisme qui, tel des doigts gourmands, la pinçait dans le cou et les épaules. Le coussin vibrateur du siège ondulait de façon indécente, lançant dans ses fesses et ses cuisses des pulsations chaudes et intermittentes d'électricité. C'était beaucoup trop, jusqu'à ce que le vendeur lui indique comment faire fonctionner la table des commandes. Elle testa les réglages – vitesse, température, intensité – et finit par trouver la combinaison optimale, puis elle monta le repose-pieds, ferma les yeux, et se laissa aller.

— Pas mal, hein ? fit remarquer le vendeur.

— Mmmm, acquiesça Nora.

— Je parie que vous ne vous rendiez pas compte à quel point vous étiez tendue. C'est une période de l'année stressante.

Comme elle ne répondit pas, il ajouta :

— Prenez votre temps. Dix minutes et vous vous sentirez comme neuve.

Ouais, pensa Nora, appréciant trop le fauteuil pour s'irriter de la présomption de l'homme. C'était un appareil absolument remarquable, différent de tout ce qu'elle avait pu essayer auparavant. Dans un massage normal, vous éprouviez le sentiment légèrement inquiétant d'être pressuré, le corps aplati contre la table, le visage écrasé dans le trou, une force puissante, bien qu'assez agréable, vous manœuvrant d'en haut. Avec ce fauteuil c'était exactement l'inverse : toute l'énergie surgissait d'en bas, votre corps s'élevait et se détendait, rien ne vous retenait, sinon l'air.

Il y avait eu une époque, assez récente, où l'idée d'un fauteuil masseur à dix mille dollars lui aurait paru obscène, une forme honteuse de complaisance. Mais en réalité, si l'on y pensait, ce n'était pas un prix si élevé à payer pour un instrument aussi thérapeutique, surtout si l'on étalait le coût sur dix ou vingt ans. À la fin, un fauteuil masseur n'était pas si différent d'une piscine chauffée ou d'une Rolex, ou bien d'une voiture de sport, n'importe lequel des autres articles de luxe que les gens achetaient pour se remonter le moral, alors que beaucoup étaient bien plus heureux que Nora au départ.

Et puis, qui le saurait ? Karen, peut-être, mais Karen s'en moquerait. Elle encourageait toujours Nora à se choyer, à s'acheter une nouvelle paire de chaussures ou un bijou, à partir en croisière, à passer une semaine à Canyon Ranch. Sans compter que Nora laisserait sa sœur utiliser le fauteuil quand elle le voudrait. Elles pourraient le transformer en un rendez-vous régulier, la séance de massage du mercredi soir. Et même si les voisins s'en apercevaient, qu'est-ce que Nora en avait à faire ? Que feraient-ils ? Lui tenir des propos méchants et la blesser ?

Bonne chance, pensa-t-elle.

Non, la seule chose qui la retenait était la pensée de ce qui arriverait si elle possédait vraiment ce fauteuil, si elle pouvait se sentir aussi bien quand elle le voulait. Que se passerait-il s'il n'y avait pas d'autres clients grouillant autour, pas de vendeur rôdant à proximité, pas de Karen à retrouver dans cinq ou dix minutes ? Que se passerait-il s'il n'y avait que Nora, seule dans une maison vide, avec toute la nuit devant elle, et aucune raison d'appuyer sur le bouton d'arrêt ?

La Méthode Balzer

Le matin de Noël, elles regardèrent une présentation PowerPoint, les dix-huit résidentes de la Maison Bleue rassemblées dans la salle froide de réunion en sous-sol. Ils s'organisaient de cette façon pour le moment, proposant des projections simultanées dans chaque maison au sein du complexe, ainsi que dans les différentes antennes éparpillées dans toute la ville. Il y avait eu des discussions au sein du chapitre de Mapleton sur la nécessité de construire ou d'acquérir une structure assez grande pour contenir tous les membres, mais Laurie préférait cette vie plus intime et communautaire, différente de celle d'une église. La religion organisée avait échoué ; les CS n'avaient rien à gagner à en devenir une à leur tour.

Les lumières s'éteignirent et la première diapositive apparut sur le mur, la photo d'une couronne accrochée à la porte d'une maison de banlieue ordinaire.

C'EST « NOËL » AUJOURD'HUI.

Laurie lança un regard rapide à Meg, qui semblait toujours perplexe. Elles étaient restées éveillées tard la nuit passée, discutant des sentiments conflictuels de

Meg à propos de la saison des fêtes, le fait que sa famille et ses amis lui manquaient en cette période, et la forçait à remettre en question son engagement dans sa nouvelle vie. Elle avait même regretté de ne pas avoir passé un dernier Noël avec les gens qu'elle aimait, comme au bon vieux temps, avant de rejoindre les CS. Laurie lui avait dit que c'était normal d'éprouver de la nostalgie à cette époque de l'année, que cela ressemblait à la douleur que les amputés ressentaient dans leur membre fantôme.

La deuxième diapositive montrait un sapin de Noël miteux, orné de quelques bouts de guirlandes, couché sur le trottoir couvert de neige sale, attendant le passage d'un camion d'éboueurs.

« NOËL » N'A PAS DE SENS.

Meg renifla, comme une enfant essayant de se montrer courageuse. Pendant l'Épanchement du soir précédent, elle avait raconté à Laurie une vision qu'elle avait eue à l'âge de quatre ou cinq ans. N'arrivant pas à dormir la veille de Noël, elle était descendue sur la pointe des pieds et avait aperçu un gros homme barbu devant l'arbre familial, rayant des éléments sur une liste. Il ne portait pas de costume rouge – il s'agissait plutôt d'un uniforme bleu qui ressemblait à celui d'un chauffeur de bus – mais elle reconnut quand même en lui le Père Noël. Elle l'observa pendant un moment, puis remonta en cachette, emplie d'enthousiasme et d'émerveillement. Adolescente, elle se persuada que toute la scène avait été un rêve, mais si réelle à l'époque, qu'elle l'avait rapportée à sa famille le lendemain matin. Ils s'y référaient toujours par plaisanterie, comme s'il s'agissait d'un événement historique attesté – Le Soir où Meg Vit le Père Noël.

Dans la diapositive qui suivait, un groupe de jeunes chanteurs de Noël se tenait en demi-cercle, bouche ouverte, les yeux brillants de bonheur.

Laurie se souvenait à peine des Noëls de son enfance. Devenir parent avait obscurci tout cela ; elle gardait surtout en mémoire l'excitation sur le visage de ses propres enfants, leur plaisir festif et contagieux. Un sentiment que Meg ne connaîtrait jamais. Laurie l'avait assurée qu'il était normal d'en éprouver de la colère, et sain de reconnaître et d'exprimer cette colère, bien mieux que de l'alimenter par dénégation.

Le vœu de silence interdisait de rire comme de parler, mais quelques personnes ricanèrent toutefois à la diapositive suivante, une maison illuminée comme un bordel de Las Vegas, le jardin de devant regorgeant d'objets de Noël de toutes sortes – une scène de la nativité, une horde de rennes, un Grinch gonflable, des lutins, de petits soldats, des anges et un bonhomme de neige en plastique, plus un gars surmonté d'un chapeau haut de forme qui devait être l'Ebenezer Scrooge de Dickens.

« NOËL » EST UNE DISTRACTION. NOUS NE POUVONS PLUS NOUS PERMETTRE DE NOUS DISTRAIRE.

Laurie avait vu de nombreuses présentations Power-Point dans les six derniers mois, et avait même aidé à en concevoir quelques-unes. Elles étaient devenues un mode essentiel de communication au sein des CS, une sorte de sermon portable et sans prêcheur. Elle en comprenait la structure maintenant, savait qu'elles prenaient toujours un certain tour vers le milieu, s'éloignant du sujet central pour se focaliser sur le seul qui importait vraiment.

« NOËL » APPARTIENT À L'ANCIEN MONDE.

La légende ne changea pas tandis qu'une série d'images passaient rapidement, chacune représentant le monde du passé : un mégastore Walmart, un homme au volant d'une grosse tondeuse, la Maison Blanche, les pom-pom girls de l'équipe de football américain Dallas Cowboys, un rappeur dont Laurie ne connaissait pas le nom, une pizza qu'elle ne put supporter de regarder, un bel homme et une femme élégante partageant un dîner aux chandelles, une cathédrale européenne, un avion de combat, une plage bondée, une mère allaitant un nourrisson.

L'ANCIEN MONDE N'EST PLUS. IL A DISPARU IL Y A TROIS ANS.

Dans les présentations PowerPoint des CS, le Ravissement était illustré par des photos sur lesquelles des individus spécifiques avaient été maladroitement effacés. Certains étaient célèbres, d'autres d'un intérêt plus local. Laurie était l'auteur de l'une des photos, un cliché pris sur le vif de Jill et Jen Sussman lors d'une expédition pour cueillir des pommes quand elles avaient dix ans. Jill souriait et tenait en l'air une pomme rouge brillante. L'espace formé par Jen à côté d'elle était vide, une tache gris pâle entourée de flamboyantes couleurs automnales.

NOUS APPARTENONS AU NOUVEAU MONDE.

Des visages familiers et sérieux emplirent l'écran, l'un après l'autre, toute la communauté du chapitre de Mapleton. Meg apparut vers la fin, en compagnie des autres Jeunes Recrues, et Laurie lui serra la jambe en signe de félicitations.

NOUS SOMMES DES RAPPELS VIVANTS.

Deux Surveillants se tenaient sur un quai de gare, fixant des yeux un homme d'affaires bien habillé qui essayait de faire comme s'ils n'étaient pas là.

NOUS NE LES LAISSERONS PAS OUBLIER.

Deux Surveillantes accompagnaient une jeune mère dans la rue en train de promener un bébé dans une poussette.

NOUS ATTENDRONS ET OBSERVERONS, ET NOUS NOUS MONTRERONS MÉRITANTS.

Les deux mêmes photos réapparurent, avec les Surveillants oblitérés, remarquables par leur absence.

CETTE FOIS NOUS NE SERONS PAS OUBLIÉS.

Une montre, l'aiguille des minutes en mouvement.

CE NE SERA PLUS LONG MAINTENANT.

Un homme à l'air inquiet les regardait à partir du mur. C'était un homme d'âge mûr, un peu bouffi, pas particulièrement beau.

C'EST PHIL CROWTHER. PHIL EST UN MARTYR.

Le visage de Phil fut remplacé par celui d'un homme plus jeune, barbu, au regard brûlant de fanatique.

JASON FALZONE EST AUSSI UN MARTYR.

Laurie secoua la tête. Pauvre garçon. Il était à peine plus âgé que son fils.

NOUS SOMMES TOUS PRÊTS À DEVENIR DES MARTYRS.

Laurie se demanda comment Meg prenait la chose, mais elle ne put déchiffrer son expression. Elles avaient parlé du meurtre de Jason et compris le danger qu'elles couraient à chaque fois qu'elles quittaient le complexe. Néanmoins, il y avait quelque chose à propos du mot *martyr* qui lui donnait des frissons.

NOUS FUMONS POUR PROCLAMER NOTRE FOI.

L'image d'une cigarette apparut sur le mur, un cylindre blanc et marron flottant sur un austère fond noir.

LAISSEZ-NOUS FUMER.

Une femme au premier rang ouvrit un nouveau paquet et le fit circuler dans la pièce. Une par une, les membres de la Maison Bleue allumèrent leur cigarette et fumèrent, se rappelant que le temps tirait à sa fin et qu'elles n'avaient pas peur.

Les filles dormirent tard, laissant Kevin se débrouiller tout seul une bonne partie de la matinée. Il écouta la radio un moment, mais la musique enjouée de fête lui porta sur les nerfs, rappel déprimant de Noëls plus heureux et plus animés. Il valait mieux éteindre, lire le journal et boire son café en silence, comme s'il s'agissait d'un matin ordinaire.

Evan Balzer, songea-t-il, le nom remontant spontanément du fond de sa mémoire d'homme mûr. *C'est comme cela qu'il faisait.*

Balzer était un ancien ami de fac, un type silencieux et observateur, qui habitait à l'étage de Kevin en deuxième année. Il était très discret, mais au semestre de printemps Kevin et lui suivaient le même cours d'économie ; ils avaient pris l'habitude d'étudier ensemble deux soirs par semaine, et puis de sortir boire quelques bières et manger un plat d'ailes de poulet une fois qu'ils avaient terminé.

C'était marrant de sortir avec Balzer – il était intelligent, avait un humour empreint d'ironie et plein d'opinions sur des sujets variés –, mais il était difficile de le connaître sur un plan personnel. Il parlait avec aisance de politique, de films et de musique, mais devenait muet comme une carpe dès que quelqu'un lui posait des questions sur sa famille ou sa vie avant l'université. Il fallut des mois avant qu'il ne juge Kevin assez digne de confiance pour partager avec lui un peu de son passé.

Certaines personnes ont des enfances pourries intéressantes, mais celle de Balzer était tout simplement pourrie – son père l'avait abandonné quand il avait deux ans, sa mère était une alcoolique invétérée mais assez jolie pour qu'il y ait souvent un homme ou deux dans les parages, même s'ils restaient rarement longtemps. Par nécessité, Balzer avait appris à se débrouiller tout seul à un jeune âge – s'il ne faisait pas la cuisine, les courses, ou le linge, alors il était probable que personne ne le ferait pour lui. D'une certaine façon, il réussit aussi à exceller à l'école, obtenant d'assez bonnes notes pour décrocher une bourse d'études intégrale à Rutgers, même s'il devait quand même travailler comme serveur chez Bennigan pour se maintenir à flot.

Kevin s'émerveillait de la résistance de son ami, sa capacité à s'épanouir dans l'adversité. Cela lui permit de se rendre compte à quel point il avait été chanceux en comparaison, de grandir dans une famille plutôt heureuse et stable qui avait plus d'amour et d'argent qu'il ne faut pour vivre. Il avait passé les deux premières décennies de sa vie à considérer comme un acquis le fait que tout irait toujours bien, qu'il ne pouvait tomber très bas avant que quelqu'un ne le rattrape et le remette sur pied. Balzer, lui, n'avait pas une minute considéré la chose comme acquise ; il savait d'expérience qu'il était possible de tomber chaque fois plus bas, que des gens comme lui ne pouvaient s'autoriser un instant de faiblesse, une seule erreur.

Bien qu'ils fussent restés proches jusqu'à la fin de leur licence, Kevin ne parvint jamais à convaincre Balzer de venir chez lui pour Thanksgiving ou Noël. C'était dommage, parce que Balzer avait coupé le contact avec sa mère – il prétendait ne même pas savoir où elle habitat – et n'avait jamais de projets pour les fêtes, sauf de les passer seul dans son minuscule appartement en ville, qu'il louait depuis le début de sa troisième année, espérant économiser un peu d'argent en se préparant ses repas.

— Ne t'inquiète pas pour moi, disait-il toujours à Kevin. Ça va aller.

— Qu'est-ce que tu vas faire ?

— Rien de particulier. Juste lire, j'imagine. Regarder la télé. L'ordinaire.

— L'ordinaire ? Mais c'est Noël.

Balzer haussa les épaules.

— Pas si je ne le veux pas.

Dans une certaine mesure, Kevin admirait l'entêtement de Balzer, son refus d'accepter ce qu'il percevait comme de la charité, même de la part d'un bon ami. Mais cela ne rendait pas l'incapacité de Kevin à l'aider plus facile. Il était à la maison, assis à la table entourée des nombreux membres de sa famille, et tout le monde parlait, riait et se bâfrait, lorsque, tout à coup, de façon parfaitement inopinée, une vision sinistre de Balzer, tout seul dans son appartement cellule, en train de manger des nouilles chinoises avec les stores tirés, lui apparaissait.

Balzer partit étudier le droit tout de suite après sa licence, et Kevin et lui finirent par perdre contact. Assis dans sa cuisine le matin de Noël, Kevin songea que cela pourrait être intéressant de le chercher sur Facebook, de voir ce qu'il était devenu ces vingt dernières années. Il était peut-être marié maintenant, peut-être père, vivant l'existence heureuse et pleine qui lui avait été refusée dans sa jeunesse, lui permettant d'aimer et d'être aimé en retour. Peut-être apprécierait-il l'ironie si Kevin lui confiait que c'était lui aujourd'hui qui se cachait des fêtes, employant la Méthode Balzer avec d'assez bons résultats.

Mais, à ce moment-là, les filles descendirent et il oublia son ancien ami, parce que tout à coup cela ressemblait vraiment à Noël, ils avaient des choses à faire – des chaussettes à vider et des cadeaux à ouvrir. Aimee pensa que ce serait sympathique d'avoir de la musique, alors Kevin ralluma la radio. Les chants de Noël lui paraissaient agréables maintenant, démodés et familiers et, d'une certaine façon, réconfortants, comme ils étaient censés l'être.

Il n'y avait pas beaucoup de cadeaux sous l'arbre – du moins pas autant que par le passé quand les enfants étaient petits et que les ouvrir tous occupait la plus grande partie de la matinée – mais les filles semblaient s'en moquer. Elles prirent leur temps avec chaque cadeau, examinant le paquet et retirant le papier de manière très délibérée, comme si l'on obtenait des points supplémentaires pour être soigneux. Elles essayèrent les vêtements sur-le-champ, dans le salon, défilant avec les T-shirts et les pulls par-dessus leurs hauts de pyjama – dans le cas d'Aimee, un T-shirt sans manche dangereusement fin – se disant combien elles avaient l'air belles, faisant même grand cas de cadeaux comme d'épaisses chaussettes ou des chaussons de feutre, s'amusant tellement que Kevin regretta de ne pas leur avoir acheté quelques cadeaux de plus, juste pour prolonger le plaisir.

— Cool ! dit Aimee, s'enfonçant sur la tête le bonnet que Kevin avait trouvé au magasin de sport Mike's Sporting Goods, le genre avec des oreilles, qui vous donnait l'air niais et s'attachait sous le menton. (Elle le portait bas sur le front, presque au niveau des sourcils, mais il lui allait bien quand même.) J'avais besoin d'un bonnet comme ça.

Elle se leva du canapé, ouvrant les bras tandis qu'elle s'approchait de Kevin, qu'elle étreignit pour le remercier. Elle fit de même après chaque cadeau, au point que c'en était devenu une sorte de blague, une ponctuation rythmique dans le processus. C'était un peu plus facile pour Kevin maintenant que sa tenue matinale avait été augmentée d'un nouveau pull, d'une écharpe, d'un bonnet et d'une paire de moufles.

— Vous êtes tellement sympas avec moi tous les deux, dit-elle. (Kevin crut un instant qu'elle allait se mettre à pleurer.) Je ne me souviens pas de la dernière fois où j'ai passé un si bon Noël.

Kevin reçut quelques cadeaux, lui aussi, mais seulement après avoir enduré l'habituelle série de plaintes sur combien il était difficile d'acheter des cadeaux pour un homme de son âge, comme si les hommes adultes étaient des êtres parfaitement autosuffisants, comme si un pénis et une barbe qui repoussait dans la journée étaient tout ce dont ils auraient jamais besoin dans la vie. Jill lui offrit une biographie du jeune Teddy Roosevelt et Aimee des poignées de musculation à ressort, parce qu'elle savait qu'il aimait faire de l'exercice. Les filles lui présentèrent aussi deux paquets identiques, deux objets pesants enveloppés dans du papier argenté. À l'intérieur de celui de Jill se trouvait une tasse humoristique qui le proclamait PAPA N° 1.

— Waouh, dit-il. Merci. Je savais que je faisais partie des dix premiers, mais je ne pensais pas que j'avais atteint la première place.

La tasse offerte par Aimee était exactement la même, sauf que celle-ci était marquée MEILLEUR MAIRE DU MONDE.

— On devrait célébrer Noël plus souvent, dit-il. C'est bon pour mon amour-propre.

Les filles se mirent ensuite à ranger, rassemblant les morceaux de papier cadeau et jetant les paquets, fourrant les déchets dans un sac-poubelle en plastique. Kevin montra du doigt le cadeau solitaire sous

252

l'arbre, une petite boîte entourée de ruban qui avait l'air de contenir un bijou.

— Et celui-là ?

Jill leva les yeux. Elle avait un nœud rouge adhésif collé sur le front qui lui donnait l'air d'un grand bébé inquiet.

— C'est pour maman, dit-elle en observant Kevin attentivement. Au cas où elle passerait.

Kevin opina, comme s'il comprenait parfaitement.

— C'est vraiment gentil, lui répondit-il.

Elles sonnèrent à la porte de Gary, mais personne ne répondit. Meg haussa les épaules et s'assit devant la porte d'entrée, sur le béton froid, satisfaite d'attendre à la vue de tous que son ex-fiancé revienne de l'endroit où il pouvait bien se trouver un matin de Noël. Laurie s'installa à côté d'elle, s'astreignant à ignorer le sentiment sourd d'effroi qui l'assaillait depuis qu'elles avaient quitté Gingko Street. Elle n'avait pas envie d'être ici, et elle n'avait pas non plus envie de se rendre au prochain arrêt sur leur itinéraire.

Malheureusement, leurs instructions étaient claires. Leur tâche était de rendre visite à leurs proches, de faire ce qu'elles pouvaient pour perturber le rythme douillet de la fête et ses rituels. Laurie comprenait le sens de cette tâche dans le grand ordre des choses : si les CS avaient une mission essentielle, c'était de résister au soi-disant Retour à la Normale, le processus quotidien d'oubli du Ravissement, ou, du moins, de sa relégation dans le passé, qui consistait à considérer le phénomène comme participant de la fabrique constante de l'histoire humaine, plutôt que comme le cataclysme qui avait marqué la fin de l'Histoire.

Les CS n'avaient rien de spécial contre Noël (ils réprouvaient toutes les fêtes sans distinction) et n'étaient pas non plus des ennemis de Jésus-Christ, comme beaucoup de gens le croyaient par erreur. Sur ce dernier point, elle était un peu perdue, Laurie devait l'admettre. Elle s'était débattue avec cette question avant de rejoindre la secte, perplexe devant le fait que les CS semblaient épouser tant d'éléments de la théologie chrétienne (le Ravissement et la Tribulation, évidemment, mais aussi le péché inhérent au genre humain et la certitude du Jugement dernier), tout en ignorant complètement la figure de Jésus. En règle générale, ils se centraient beaucoup plus sur Dieu le Père, la déité jalouse de l'Ancien Testament qui exigeait une obéissance aveugle et testait la loyauté de ses adeptes de manière cruellement inventive.

Il fallut longtemps à Laurie pour le comprendre, et elle n'était toujours pas sûre d'avoir correctement saisi. Les CS n'aimaient pas beaucoup expliquer leur credo ; ils n'avaient ni prêtres ni pasteurs, pas d'évangile et pas de système formel d'instruction. C'était un mode de vie, pas une religion, une improvisation constante ancrée dans la conviction que le monde d'*après* le Ravissement exigeait une nouvelle façon de vivre, détachée des formes anciennes et discréditées – plus de mariages, plus de religion conventionnelle, plus de distraction insouciante. Ces temps étaient révolus. L'humanité devait se blottir et attendre l'inévitable.

C'était un matin ensoleillé, beaucoup plus froid qu'il n'en avait l'air, Magazine Street aussi immobile et silencieuse qu'une photographie. Même s'il était censé gagner un bon salaire à la sortie de son école de commerce, Gary vivait toujours comme un étudiant, partageant le dernier étage d'une petite maison miteuse avec deux autres gars, qui avaient tous les deux aussi une petite amie. Les week-ends étaient fous, lui avait expliqué Meg, avec tous ces gens qui faisaient l'amour dans un espace si petit. Et si on ne le faisait pas, si l'on n'était pas d'humeur ou autre, on avait presque l'impression de violer les termes du bail.

Elles avaient probablement passé une demi-heure assises devant la porte d'entrée avant d'apercevoir une autre âme, un vieil homme grincheux qui promenait son chihuahua frissonnant. L'homme les regarda avec colère et marmonna quelques mots que Laurie ne comprit pas, même si elle était certaine qu'il ne s'agissait pas de *Joyeux Noël*. Avant de rejoindre les CS, elle n'avait pas idée de la grossièreté des gens, à quel point ils se sentaient libres d'agresser et d'insulter de parfaits étrangers.

Quelques minutes plus tard, une voiture en provenance de Grapevine tourna dans Magazine Street, un véhicule sombre aux lignes pures qui ressemblait à un 4 × 4 qui aurait rétréci. Laurie sentit l'excitation de Meg à son approche, et sa déception quand la voiture se contenta de les dépasser dans un grondement. Elle était surexcitée de voir Gary, malgré les nombreuses mises en garde de Laurie de ne pas trop attendre de la rencontre. Meg allait devoir apprendre par elle-même ce que Laurie avait compris au cours de l'été – qu'il valait mieux laisser les choses en l'état, ne pas continuer à toucher cette dent douloureuse du bout de votre langue. Non parce que vous ne les aimiez plus, mais parce que au contraire vous les aimiez, et parce que cet amour était inutile maintenant, simple douleur sourde dans votre membre fantôme.

Nora s'était entraînée à ne pas trop penser à ses enfants. Non qu'elle voulût les oublier – pas du tout –, mais au contraire parce qu'elle voulait s'en souvenir avec plus de précision. Pour la même raison, elle essayait de ne pas trop regarder d'anciennes photographies ou vidéos. Dans les deux cas on se rappelait seulement ce que l'on connaissait déjà, toujours ces petites impressions sur lesquelles on pouvait compter. *Erin était têtue. Jeremy avait un clown à son anniversaire. Elle avait des cheveux tellement fins qu'ils volaient au vent. Il aimait beaucoup la compote de pomme.* Au bout d'un moment, ces petits morceaux de souvenirs se solidifiaient en une sorte de récit officiel qui éloignait les milliers d'autres souvenirs également valables, remisant les perdants dans une sorte de garde-meuble encombré dans les bas-fonds de son cerveau.

Elle avait découvert récemment que ces souvenirs remisés avaient bien plus de chance de refaire surface si elle ne s'efforçait pas de les retrouver, s'il leur était simplement permis d'émerger de leur propre gré au cours d'une journée normale. Faire du vélo était une activité particulièrement productive à cet égard, le moteur parfait pour les récupérer pendant que sa conscience était occupée à une multitude de tâches simples (regarder attentivement la route, vérifier l'indicateur de vitesse, surveiller sa respiration et la direction du vent) et son inconscient libre de vagabonder. Parfois, elle passait simplement son temps à chanter et rechanter le même petit morceau d'une vieille chanson – *Shareef don't like it ! Rockin' the Casbah, Rock the Casbah !* – ou bien à se demander pourquoi ses jambes lui paraissaient si lourdes et engourdies. Mais il y avait aussi ces jours magiques où un déclic se produisait, et toutes sortes de souvenirs incroyables commençaient à surgir dans sa tête, autant de petits trésors perdus en provenance du passé – Jeremy descendant un matin dans son pyjama jaune qui lui allait la veille au soir, mais qui maintenant avait l'air trop petit d'une bonne taille ; la minuscule Erin l'air paniqué, puis réjoui, puis de nouveau paniqué alors qu'elle mordillait dans sa première chips aux oignons et à la crème fraîche. La façon dont les sourcils de Jeremy blondissaient l'été. L'apparence du pouce d'Erin après qu'elle l'avait sucé toute la nuit, rose et ridé, des décennies plus âgé que le reste de son corps. Tout était là, enfermé dans un coffre-fort, une immense fortune dont Nora ne pouvait que trop rarement retirer quelques petites pépites.

Elle était censée aller chez sa sœur pour ouvrir les cadeaux et partager un petit déjeuner tardif composé d'omelette et de bacon, mais elle appela Karen et lui dit de ne pas l'attendre. Elle lui expliqua qu'elle ne se sentait pas très bien, mais qu'elle pensait que cela irait mieux si elle dormait encore un peu.

— Je te retrouverai cet après-midi chez maman.

— Tu es sûre ?

Elle perçut une certaine suspicion dans la voix de Karen, cette capacité presque inquiétante qu'elle avait de sentir la moindre tentative de dissimulation ou d'esquive. Ce devait être une mère formidable.

— Je peux faire quelque chose ? Tu veux que je vienne ?

— Ça va aller, l'assura Nora. Profite de la matinée. Je te verrai tout à l'heure, d'accord ?

Parfois, quand elle attendait trop longtemps dans le froid, Laurie se retrouvait dans une sorte d'état inconscient, sans plus aucune notion de son environnement. C'était un mécanisme de défense, méthode efficace pour se préserver de l'angoisse et de l'inconfort physique, mais c'était aussi un peu effrayant, comme le début d'une mort par hypothermie.

Elle avait dû perdre conscience de la sorte devant chez Gary (elles étaient assises là depuis un bon moment), parce qu'elle n'enregistra le fait qu'une voiture s'était arrêtée juste devant la maison qu'au moment où des gens en sortirent et que Meg se mettait déjà en mouvement, descendant les marches et traversant à grands pas la pelouse desséchée et marron avec un sentiment d'urgence presque alarmant après un tel intervalle prolongé de calme.

Le conducteur fit le tour de la voiture par le devant – c'était une petite Lexus de sport, toute propre et brillante sous le soleil pâle d'hiver – et prit place au côté de la jeune femme qui venait de quitter le siège passager. Il était grand et beau dans son pardessus en poil de chameau, et le cerveau de Laurie s'était suffisamment réchauffé pour reconnaître qu'il s'agissait de Gary, dont elle avait vu à de nombreuses reprises le visage confiant et souriant dans le Livre de Souvenirs de Meg. La femme lui paraissait vaguement familière. Tous les deux fixèrent Meg du regard d'un air où se mêlaient divers degrés de pitié et de perplexité, pourtant lorsque Gary finit par parler, tout ce que Laurie perçut dans sa voix fut une note de mécontentement las.

— Qu'est-ce que tu fous ici ?

Fidèle à son entraînement, Meg garda le silence. Cela aurait été mieux si elle avait eu une cigarette à la main, mais ni l'une ni l'autre ne fumaient quand la voiture s'était arrêtée. C'était la faute de Laurie, qui avait failli dans sa surveillance.

— Tu m'as entendu ?

Gary parla plus fort cette fois, comme s'il pensait que Meg souffrait peut-être d'un problème auditif.

— Je t'ai posé une question.

Sa compagne le regarda d'un air étonné.

— Tu sais qu'elle ne peut pas parler, non ?

— Oh, elle peut, dit Gary. Elle parlait à m'en casser les oreilles avant.

L'air vaguement mortifié, la jeune femme se tourna vers Meg. Elle était petite et bien bâtie, un peu instable sur ses talons aiguilles. Laurie ne put s'empêcher d'admirer son manteau, une parka bleue chatoyante, aux poignets et à la capuche bordés de fourrure. La fourrure était probablement synthétique, mais le manteau avait l'air vraiment chaud.

— Je suis désolée, dit la jeune femme à Meg. Je sais que ça doit te faire bizarre. De nous voir ensemble.

Laurie se pencha vers la gauche pour essayer d'apercevoir le visage de Meg, mais son angle de vue n'était pas bon.

— Tu n'as pas à t'excuser auprès d'elle, dit Gary d'un ton brusque. C'est elle qui devrait s'excuser.

— Ça a commencé il y a deux semaines, continua la jeune femme, comme si Meg avait exigé une explication. On est allés avec tout un groupe chez Massimo. On a bu beaucoup de vin rouge, et j'étais trop soûle pour rentrer en voiture. Alors Gary a proposé de m'emmener. (Elle leva les sourcils, comme si l'histoire se passait de développements.) Je ne sais pas si c'est sérieux ou pas. On est juste ensemble. Pour l'instant.

— Gina. (La voix de Gary éclata comme une menace.) Arrête. Ça ne la regarde pas.

Gina, songea Laurie. *La cousine de Meg. L'une des demoiselles d'honneur.*

— Bien sûr que ça la regarde, dit Gina. Vous avez été ensemble toutes ces années. Vous alliez vous marier.

Gary étudia Meg d'un air dégoûté.

— Regarde-la. Je ne sais même pas qui est cette personne.

— C'est toujours Meg.

Gina parla si doucement que Laurie put à peine entendre ce qu'elle disait.

— Ne sois pas méchant avec elle.

— Je ne suis pas méchant. (L'expression de Gary se radoucit un peu.) Je ne peux simplement pas supporter de la voir comme ça. Pas aujourd'hui.

Il évita d'approcher de son ex-fiancée tandis qu'il se dirigeait vers la maison, comme s'il pensait qu'elle pourrait essayer de l'attaquer, ou du moins de lui bloquer la route. Gina hésita juste le temps de hausser les épaules en signe d'excuse, puis lui emboîta le pas. Ni l'un ni l'autre ne prêtèrent la moindre attention à Laurie lorsqu'ils montèrent les marches, pas un mot, même pas un regard rapide dans sa direction.

Une fois Gary et Gina rentrés, Laurie alluma une cigarette et traversa la pelouse pour rejoindre Meg, qui se tenait toujours debout, dos à la maison, fixant la Lexus comme si elle envisageait de l'acheter. Laurie tendit une cigarette, et Meg la prit, reniflant discrètement tandis qu'elle la portait à sa bouche. Laurie aurait aimé pouvoir dire quelques mots – *Bien joué*, ou *Beau travail* – pour que Meg sache combien elle était fière d'elle. Mais elle se contenta de lui tapoter l'épaule, juste une fois, très doucement. Elle espérait que cela suffirait.

Nora n'avait pas prévu de partir pour un long trajet. Elle était censée arriver chez sa mère entre une et deux heures cet après-midi-là, un emploi du temps qui lui permettait seulement de faire un tour de vingt-cinq ou trente kilomètres, la moitié de sa distance habituelle, mais assez, espérait-elle, pour se vider la tête et faire travailler son cœur, peut-être même brûler quelques calories avant le grand repas. En outre, il gelait, la température ne dépassant pas les moins quatre degrés d'après le thermomètre placé à l'extérieur de la fenêtre de sa cuisine, pas vraiment les conditions idéales pour une séance d'entraînement acharné.

Mais le froid ne fut pas un obstacle. Il y avait du soleil, les routes étaient dégagées (la neige et la glace étaient les deux éléments qui empêchaient vraiment de faire du vélo en hiver) et le vent n'était pas très fort. Elle portait des gants à la pointe de la technologie, des surchausses en Néoprène et un sous-casque en polypropylène. Seul son visage était exposé aux éléments, et cela ne la dérangeait pas.

Elle s'était imaginé qu'elle ferait demi-tour au bout d'une douzaine de kilomètres, vers la moitié de la distance du sentier cyclable, mais lorsqu'elle y arriva, elle se contenta de continuer. Elle aimait trop être en mouvement, les pédales montant et descendant sous ses pieds, de la vapeur blanche sortant en filets de sa bouche. Qu'est-ce que cela pouvait bien faire si elle était un peu en retard chez sa mère ? Il y aurait beaucoup de monde – tous les frères et sœurs de sa mère et leurs familles, des tantes, des oncles et des cousins – et elle ne leur manquerait sans doute pas. En réalité, ils se sentiraient même soulagés. Nora absente, ils pourraient rire, ouvrir les cadeaux et complimenter tous les enfants des autres, sans se demander constamment s'ils avaient pu la blesser par inadvertance, ils ne se sentiraient pas obligés de lui lancer ces regards tristes et compatissants, ni de pousser ces petits soupirs tragiques.

C'était ce qui rendait les vacances si épuisantes. Non pas l'insensibilité des membres de sa famille, leur incapacité à reconnaître sa souffrance, mais précisément l'inverse – leur incapacité à l'oublier, ne serait-ce qu'un instant. Ils marchaient toujours sur la pointe des pieds en sa présence, si attentionnés et pleins de considération, si douloureusement empathiques, comme si elle était en train de mourir d'un cancer ou souffrait d'une maladie qui la défigurait, comme la tante de sa mère, May – figure pitoyable de l'enfance de Nora – dont le visage, atteint de paralysie de Bell, était défiguré en une grimace permanente.

« Sois gentille avec Tante May », lui disait sa mère. « Ce n'est pas un monstre. »

La partie risquée du sentier, au-delà de la Route 23, était pratiquement vide aujourd'hui, pas de cinglés ou de chiens errants en vue, pas de sacrifice animal ou d'activité criminelle en cours, juste le cycliste occasionnel roulant en sens inverse qui lui lançait un petit signe de camaraderie au passage. Cela aurait été presque idyllique, si elle n'avait pas eu un besoin aussi pressant de faire pipi. Pendant les mois d'été, le comté installait des toilettes de chantier au bout du sentier (endroit infect, à la limite du tolérable), mais ils l'enlevaient en hiver. Nora n'aimait pas trop s'accroupir dans les bois, surtout quand il n'y avait pas beaucoup de verdure pour se cacher, mais il y avait des jours où l'on n'avait pas le choix, et aujourd'hui en était un. Au moins trouva-t-elle un Kleenex dans la poche de son coupe-vent.

Avant de remonter sur son vélo, elle composa le numéro du portable de Karen et fut soulagée de tomber sur sa messagerie. Comme une gamine jouant à sécher les cours, elle toussa une ou deux fois, puis parla d'une voix maladive. Elle dit qu'elle se sentait un peu moins bien que ce matin et ne pensait pas que ce serait une bonne idée de sortir de la maison, surtout qu'elle ne savait pas si ce qu'elle avait était contagieux.

— Je vais me préparer du thé et retourner au lit, ajouta-t-elle. Souhaite un joyeux Noël à tout le monde de ma part.

Les routes au-delà du sentier cyclable devenaient semi-rurales. On y apercevait quelques maisons isolées et de rares petites fermes, les éteules de maïs se dressant dans les champs gelés comme les poils sur une jambe en mal de rasage. Nora ne savait pas où elle allait, mais cela ne la gênait pas de se perdre. Maintenant qu'elle n'avait plus à se rendre au repas de Noël, elle ne voyait pas d'inconvénient à ce que sa promenade durât toute la journée.

Elle aurait voulu penser à ses enfants, mais son esprit ne cessait de revenir à Tante May. Elle était décédée depuis longtemps, pourtant Nora se la représentait toujours avec une étonnante clarté. Elle avait l'habitude de rester tranquillement assise au milieu des rassemblements familiaux, la bouche de biais, ses yeux nageant avec désespoir derrière les verres épais de ses lunettes. De temps en temps, elle essayait de parler, mais personne ne comprenait un mot de ce qu'elle disait. Nora se rappelait, qu'enfant, on l'amadouait pour qu'elle l'embrasse, puis qu'on lui donnait un bonbon en guise de récompense.

Est-ce que c'est moi ? se demanda-t-elle. *La nouvelle Tante May ?*

Elle parcourut cent kilomètres en tout. Quand elle rentra finalement chez elle, cinq messages clignotaient sur son répondeur, mais elle se dit qu'ils pouvaient attendre. Elle monta, retira ses vêtements moites (elle était soudain frissonnante) et prit un long bain chaud, au cours duquel elle essaya à plusieurs reprises de contorsionner sa bouche, de façon à ce que le côté gauche pende plus bas que le droit, et tenta d'imaginer comment vivre de la sorte, le visage figé, la parole confuse, et tout le monde se montrant ultra gentil avec vous, pour que vous n'ayez pas le sentiment d'être un monstre.

Il y avait quelque chose de pathétique à regarder *La Vie est belle** tout seul, mais Kevin ne savait pas quoi faire d'autre. Le Carpe Diem était fermé ; Pete et Steve étaient occupés avec leurs familles. La pensée l'effleura d'appeler Melissa Hulbert, mais il décida que ce n'était pas une bonne idée. Elle ne serait sans doute pas trop enthousiaste de recevoir un appel à demi sincère le jour de Noël, surtout dans la mesure où il n'avait pas essayé de la recontacter depuis leur rencontre malheureuse, le soir où elle avait craché au visage de la Surveillante.

Les filles étaient parties environ une heure plus tôt. La soudaineté de leur départ l'avait surpris (un texto, et elles n'étaient plus là), mais il ne pouvait pas dire qu'il leur en voulait d'avoir envie de passer du temps avec leurs amis. Elles étaient restées avec lui toute la matinée et la plus grande partie de l'après-midi, et ils s'étaient bien amusés. Après les cadeaux, Aimee avait cuisiné des pancakes aux pépites de chocolat, puis ils avaient fait une grande promenade autour du lac. À leur retour, ils avaient joué trois parties de Yahtzee. Alors, vraiment, il n'avait aucune raison de se plaindre.

* Film réalisé par Frank Capra en 1946. (*N.d.E.*)

Sauf qu'il était là, avec le reste de l'après-midi et toute la soirée devant lui, vaste étendue de solitude. Il ne comprenait pas comment sa vie, autrefois si remplie, s'était réduite à cela – son mariage révolu, son fils parti, ses deux parents morts, ses frères et sœurs éparpillés (un frère en Californie, une sœur au Canada). Quelques parents demeuraient toujours dans la région proche – Oncle Jack et Tante Marie, une poignée de cousins –, mais tout le monde était occupé à ses propres affaires. Le clan Garvey ressemblait à l'ancienne Union soviétique, une nation naguère puissante, désormais éclatée en un tas de petites unités, faibles et maussades.

Ici, ce doit être le Kirghizistan, pensa-t-il.

Par-dessus tout, le film ne lui plaisait pas. Peut-être parce qu'il l'avait vu trop souvent, mais l'histoire lui parut laborieuse, tous ces efforts pour rappeler à un homme bon qu'il est bon. Ou peut-être Kevin se sentait-il un peu trop comme George Bailey, sans ange gardien en vue. Il ne cessait de zapper, en quête d'autre chose à regarder, mais il revenait sans cesse au film, jusqu'au moment où la sonnerie de la porte retentit, trois coups secs, si soudains et excitants qu'il se leva un peu trop rapidement du canapé et faillit tourner de l'œil. Avant de pouvoir accueillir ses visiteurs, il dut s'immobiliser et fermer les yeux un instant, pour récupérer du choc de s'être levé.

Pendant une minute ou deux, Laurie ne put penser à rien, sauf au fait qu'il était agréable de ne plus être dans le froid. Peu à peu, pourtant, tandis que son corps se réchauffait, l'étrangeté de se retrouver chez elle commença à la saisir. C'était sa maison ! Elle était si grande et si joliment meublée, plus belle que dans le souvenir qu'elle s'était autorisée à en avoir. Ce canapé moelleux sur lequel elle était assise – elle l'avait choisi à Elegant Interiors, hésitant pendant des jours sur les échantillons, essayant de décider si le vert gris fonctionnerait mieux avec le tapis que le rouge brique. Et cette télévision, avec son écran géant LCD-HD (*La Vie est belle* y passait, en plus), qu'ils avaient achetée deux mois avant le Ravissement, enthousiasmés par la définition presque naturelle de son image. Ils avaient regardé les reportages sur la catastrophe sur ce même écran, les présentateurs visiblement effarés par ce qu'ils racontaient, les images d'accidents de la circulation et de témoins oculaires abasourdis passant en boucle, à vous en lasser. Et cet homme debout devant elles, souriant nerveusement, c'était son mari.

— Waouh, fit-il. C'est une sacrée surprise.

Kevin avait eu l'air un peu troublé de les trouver devant sa porte, mais il s'était rapidement remis, leur proposant d'entrer comme si elles étaient des invitées, enlaçant Laurie dans l'entrée (elle avait essayé d'éviter l'étreinte, mais c'était impossible dans cet espace étroit) et serrant la main de Meg, lui disant combien il était content de faire sa connaissance.

— Vous avez l'air d'avoir froid toutes les deux, remarqua-t-il. Vous n'êtes pas vraiment habillées pour ce temps.

Quel euphémisme, pensa Laurie. Il était difficile de trouver des vêtements blancs vraiment chauds. Les pantalons, les T-shirts et les pulls n'étaient pas un problème, mais les vêtements d'extérieur, c'était une autre histoire. Elle avait la chance d'avoir une écharpe blanche dont elle pouvait s'entourer la tête et un épais sweat-shirt à capuche, orné de la marque discrète de Nike sur la poche. Mais elle avait besoin de meilleurs gants (ceux en coton qu'elle avait étaient ridiculement fins, le genre que l'on porte pour mener une inspection surprise) et d'une paire de bottes, ou du moins de vraies chaussures, quelque chose d'un peu plus substantiel que les tennis usées jusqu'à la corde qu'elle avait aux pieds

— Vous voulez manger quelque chose ? demanda Kevin. Je peux également faire du café ou du thé, ou ce que vous voulez. Il y a du vin et de la bière aussi, si vous préférez. Servez-vous, faites comme chez vous. Tu sais où tout se trouve.

Laurie ne répondit pas à cette offre, ni n'osa regarder Meg. Bien sûr qu'elles voulaient manger ; elles mouraient de faim. Mais elles ne pouvaient pas le dire, et elles ne pouvaient certainement pas se servir. S'il plaçait de la nourriture devant elles, elles seraient plus que contentes de l'avaler, mais cela devrait venir de lui, pas d'elles.

— Il vaut mieux ne pas y regarder de trop près, ajouta-t-il, comme une pensée après-coup. On ne mange pas aussi sainement qu'avant. Je ne crois pas que tu approuverais.

Laurie faillit rire. Elle aurait été heureuse de dévorer deux ou trois saucisses directement du paquet pour qu'il comprenne où elle en était en ce moment au sujet des repas sains. Mais Kevin ne lui en donna pas l'occasion. Au lieu de se diriger vers la cuisine en bon hôte, il se contenta de s'asseoir dans le fauteuil inclinable en cuir marron que Laurie avait acheté à Triangle Furniture, le fauteuil dans lequel elle adorait lire les matins paresseux de week-ends, sans avoir besoin de lampe, le soleil qui filtrait à travers les fenêtres orientées au sud étant suffisant.

— Tu as l'air en forme, dit-il, l'examinant avec une franchise alarmante. J'aime bien tes cheveux gris. Ça te rajeunit, en fait. Va comprendre.

Laurie se sentit rougir. Elle ne savait pas si elle était gênée par la simple remarque, ou parce que Meg était à côté. Malgré tout, c'était agréable de recevoir un compliment. Kevin n'avait jamais été aussi avare de compliments que certains des maris des amies de Laurie, surtout aux premiers temps de leur mariage, mais les louanges s'étaient cependant raréfiées dans les dernières années.

— Moi aussi, je commence à avoir des cheveux gris, dit-il en se tapotant les tempes. J'imagine que ce sont les risques du métier.

C'était vrai, se rendit compte Laurie, même si elle n'avait pas remarqué le changement avant qu'il ne le souligne. *Distingué*, lui aurait-elle dit si elle l'avait pu. Comme beaucoup d'hommes de sa génération, Kevin avait eu l'air gamin bien au-delà de l'âge, et les cheveux gris – le peu qu'il en avait – ajoutaient à son allure une touche bienvenue de gravité.

— Tu as beaucoup maigri, continua-t-il, lançant un regard mélancolique à sa propre boucle de ceinture. Je fais de l'exercice, mais on dirait que je ne peux pas descendre au-dessous des quatre-vingt-cinq kilos.

Laurie dut faire un effort conscient pour ne pas penser trop fort au corps de Kevin. Le voir de près après tout ce temps, se retrouver confrontée à sa personne physique, éprouver de nouveau la fierté subtile de la possession, l'un des plus agréables sentiments sous-jacents de son mariage – *Mon mari est un bel homme* – était un peu bouleversant. Pas beau exactement, mais séduisant, dans le genre large d'épaules et amical. Il portait un sweat-shirt gris à fermeture Éclair qu'elle avait l'habitude de lui emprunter les jours de pluie, bien ample et doux au toucher.

— Ce que je devrais faire, c'est d'éviter de grignoter tard le soir. Les burritos réchauffés au micro-ondes et les tartes aux myrtilles, les cochonneries comme ça. C'est ça qui me tue.

Meg émit un léger grognement, et Laurie lança un regard significatif en direction de la cuisine, mais Kevin ne comprit pas. Il était trop distrait par la télé, James Stewart bégayait et agitait les bras. Il attrapa la télécommande sur la table basse et appuya sur le bouton d'arrêt.

— Je ne supporte pas ce film, marmonna-t-il. Rappelle-moi de ne plus jamais le regarder.

Sans la télé allumée, la maison semblait étrangement silencieuse, presque funèbre. L'horloge sur la boîte du câble indiquait qu'il n'était que seize heures vingt, mais la pénombre du soir commençait déjà à s'installer à l'intérieur, pressant contre les vitres.

— Jill n'est pas là, annonça Kevin, même si ce n'était pas vraiment utile. Elle est sortie il y a environ une heure, avec son amie Aimee. Tu sais pour Aimee, non ? Elle vit avec nous depuis la fin de l'été. C'est une gentille fille, mais un peu extravagante.

Kevin se mordit la lèvre, comme s'il soupesait une question difficile.

— Jill va bien, je pense. Mais elle a eu une année difficile. Tu lui manques vraiment.

Laurie n'exprima aucun sentiment, ne voulant pas trahir le soulagement qu'elle ressentait à l'absence de sa fille. Kevin, elle pouvait s'en arranger. C'était un adulte, et elle savait pouvoir compter sur lui pour se comporter comme tel, pour accepter le fait que leur relation avait subi un changement nécessaire et irrévocable. Mais Jill n'était qu'une enfant, et Laurie toujours sa mère – cela n'avait rien à voir. Kevin se leva brusquement du fauteuil.

— Je vais l'appeler. Elle serait furieuse de te rater.

Il alla chercher le téléphone à la cuisine. Dès qu'il fut parti, Meg sortit son bloc-notes et écrivit **Toilettes ?** Elle hocha la tête en signe de remerciement lorsque Laurie lui indiqua du doigt le bout du couloir, et s'y dirigea aussitôt.

— Pas de chance, annonça Kevin à son retour, le téléphone toujours à la main. J'ai laissé un message, mais elle ne vérifie pas systématiquement. Je sais qu'elle aimerait te voir.

Ils se fixèrent du regard. La situation paraissait un peu plus étrange sans Meg dans la pièce. Kevin laissa échapper un lent filet d'air.

— Je n'ai pas de nouvelles de Tom. Pas depuis l'été. Je suis un peu inquiet pour lui.

268

Il attendit un moment avant de poursuivre.

— Je suis inquiet pour toi aussi. Surtout après ce qui est arrivé le mois dernier. J'espère que tu fais attention.

Laurie haussa les épaules pour essayer de lui dire qu'elle allait bien, mais le geste parut plus ambivalent qu'elle ne l'aurait voulu. Kevin posa sa main sur son bras, quelques centimètres au-dessus de son coude. Il n'y avait rien de particulièrement tendre dans son geste, mais la peau de Laurie se mit à frémir à son toucher. Il y avait longtemps.

— Écoute, dit-il. Je ne sais pas pourquoi tu es là, mais cela me fait vraiment plaisir de te voir.

Laurie opina, essayant de lui transmettre le sentiment qu'elle était contente de le voir aussi. La main de Kevin bougeait maintenant, mouvement timide de bas en haut sur son bras, pas assez déterminé pour être qualifié de caresse. Mais Kevin était l'un de ces hommes qui n'aimait pas beaucoup le contact ordinaire. Il la touchait rarement, à moins qu'il ne songe à faire l'amour.

— Pourquoi tu ne resterais pas ce soir ? dit-il. C'est Noël. Tu devrais être avec ta famille. Juste ce soir. Voir comment ça fait.

Laurie lança un regard inquiet en direction des toilettes, se demandant ce qui prenait tellement de temps à Meg.

— Ton amie peut rester aussi, continua Kevin. Je peux préparer le lit dans la chambre d'amis si elle veut. Elle pourra rentrer demain matin.

Laurie se demanda ce que cela voulait dire : « Elle pourra rentrer demain matin. » Cela signifiait-il qu'elle, Laurie, allait rester ? Kevin lui demandait-il de revenir s'installer à la maison ? Elle secoua la tête, avec tristesse mais fermeté, essayant de lui faire clairement comprendre qu'elle n'était pas là pour une visite conjugale.

— Pardon, dit-il, saisissant finalement, et retirant du bras de Laurie cette main gênante. Je me sens juste un peu déprimé ce soir. C'est agréable d'avoir de la compagnie.

Laurie hocha la tête. Elle se sentait désolée pour lui, vraiment. Kevin avait toujours aimé les fêtes, tous ces rassemblements familiaux obligatoires.

— C'est un peu frustrant, lui dit-il. J'aurais aimé que tu me parles. Je suis ton mari. J'aimerais entendre ta voix.

Laurie sentit sa résolution faiblir. Elle était sur le point d'ouvrir la bouche, de dire quelque chose comme : « Je sais, c'est ridicule », détruisant huit mois de dur travail par un seul instant de faiblesse, mais avant qu'elle ne puisse le faire, ils entendirent la chasse d'eau. L'instant d'après, la porte des toilettes s'ouvrit. Et puis, juste au moment où Meg apparut, un sourire d'excuse aux lèvres, le téléphone sonna dans la main de Kevin. Il l'ouvrit sans vérifier le numéro qui s'affichait.

— Allô ? dit-il.

Nora fut si surprise d'entendre la voix de Kevin qu'elle ne put se décider à parler. Elle s'était d'une certaine façon convaincue, à l'aide de deux verres de vin sur un estomac quasiment vide, que Kevin ne serait pas chez lui, qu'elle pourrait juste laisser un bref message sur son répondeur et s'en tirer de la sorte.

— Allô ? répéta-t-il, l'air plus perplexe qu'irrité. Qui est à l'appareil ?

Elle fut tentée de raccrocher, ou de prétendre qu'elle s'était trompée de numéro, mais elle se ressaisit. *Je suis une adulte*, pensa-t-elle, *pas une gamine de douze ans qui fait une blague au téléphone.*

— C'est Nora, dit-elle. Nora Durst. On a dansé à la soirée.

— Je me souviens.

Son ton était un peu plus plat qu'elle ne l'aurait espéré, comme si Kevin se tenait un peu sur ses gardes.

— Comment allez-vous ?

— Je vais bien. Et vous ?

— Ça va, répondit-il, mais pas comme il l'aurait voulu. Je, euh, je profite des fêtes.

— Pareil pour moi, dit-elle, mais pas comme elle l'aurait voulu non plus.

— Et... ?

La question de Kevin, qui n'en était pas vraiment une, resta en suspens pendant quelques secondes, le temps pour Nora de reprendre une gorgée de vin et de se repasser mentalement le discours qu'elle avait répété dans la baignoire : *Vous voulez prendre un café un de ces jours ? Je suis libre la plupart des après-midi.* Elle avait bien réfléchi. Les après-midi ne généraient pas trop de pression, et le café non plus. Si vous retrouviez quelqu'un pour un café dans l'après-midi, vous pouviez prétendre qu'il ne s'agissait même pas d'un flirt.

— Je me demandais, dit-elle. Vous voulez aller en Floride ?

— En Floride ? (Il paraissait aussi surpris qu'elle.)

— Oui.

Le mot était sorti tout seul, mais c'était le bon. Elle voulait la Floride, pas un café.

— Je ne sais pas pour vous, mais j'aurais bien besoin d'un peu de soleil. C'est tellement déprimant ici.

— Et vous voulez que je... ?

— Si vous en avez envie, lui dit-elle. Si vous êtes libre.

— Waouh. (Il ne semblait pas mécontent.) Vous pensez à quoi en termes de dates ?

— Je ne sais pas. Demain serait trop tôt ?

— Après-demain serait mieux.

Il marqua une pause, puis ajouta :

— Écoutez, je ne peux pas vraiment parler, là. Je peux vous rappeler ?

Kevin essaya de rempocher le téléphone d'un air nonchalant, mais ce n'était pas facile avec Laurie et son amie qui le dévisageaient avec une telle franche curiosité, comme s'il leur devait une explication.

— Juste une connaissance, marmonna-t-il. Tu ne la connais pas.

À l'évidence, Laurie ne le crut pas, mais qu'était-il censé dire ? *Une femme que je connais à peine m'a demandé si je voulais l'accompagner en Floride, et je crois que je viens d'accepter ?* Il avait du mal à y croire lui-même. Il n'avait raccroché que quelques secondes plus tôt, et déjà il lui semblait qu'il y avait dû y avoir une erreur – un malentendu compliqué, ou peut-être même une farce. Il faudrait qu'il rappelle Nora et lui demande des clarifications, mais il avait besoin d'être seul pour le faire, et il n'avait aucune idée de combien de temps il devrait attendre pour cela. Laurie et son acolyte paraissaient satisfaites de rester là, à le dévisager pour le restant de la soirée.

— Bon.

Il frappa doucement des mains, tentant de changer de sujet.

— Vous avez faim ?

Laurie marchait lentement en direction de Main Street, un pas ou deux derrière Meg, appréciant la lenteur peu familière due à un ventre bien rempli. Le repas n'était pas sophistiqué (il n'y avait pas les restes habituels d'un après-midi de fête comme souvent le soir de Noël), mais c'était quand même délicieux. Elles avaient dévoré tout ce que Kevin avait placé devant elles (mini-carottes, bols de soupe au poulet Campbell saupoudrée de petits crackers, des sandwichs de pain de mie au salami et au fromage), puis complétèrent par un sac de chocolats Hershey's Kisses et une tasse de café chaud.

Elles approchaient de l'angle de la rue lorsqu'elles entendirent des bruits de pas et Kevin les appeler. Laurie se retourna et l'aperçut en train de courir au milieu de la rue, sans manteau ni bonnet, le bras en l'air comme s'il essayait de héler un taxi.

— Tu as oublié ça, dit-il quand il les rattrapa.

Il avait une petite boîte à la main, le cadeau orphelin qu'elle avait remarqué sous l'arbre.

— Je veux dire, j'ai oublié. C'est pour toi. De la part de Jill.

Laurie le devina rien qu'à le voir. Un cadeau de la part de Kevin aurait été moins soigné, affaire bâclée et pleine de bosses, avec le moins de chichis possibles. Mais le paquet qu'il tenait avait été enveloppé avec soin, le papier tendu, les coins bien anguleux, le ruban frisé entre ciseaux et pouce.

— Elle m'aurait tué, ajouta-t-il, respirant plus fort qu'elle ne s'y serait attendue après un si petit sprint.

Laurie accepta le cadeau, mais ne fit pas mine de l'ouvrir. Elle vit qu'il aurait aimé rester et la regarder faire, mais elle ne pensait pas que c'était une bonne idée. Ils avaient déjà eu assez de Noël familial comme cela, beaucoup plus que ce qui était bon pour eux.

— D'accord, dit-il, comprenant. Je suis content de t'avoir rattrapée. Et encore merci d'être venue.

Il repartit vers la maison, et elles continuèrent sur Main Street, s'arrêtant sous un lampadaire près de Hickory Road pour ouvrir le cadeau. Meg se tenait tout près, observant avec une expression avide tandis que Laurie défaisait méthodiquement le travail de sa fille – enlevait le ruban, brisait le scotch, retirait le papier. Laurie pensa que la boîte devait contenir un bijou, mais quand elle souleva le couvercle, elle y trouva un briquet en plastique bon marché, posé sur une couche de coton. Rien de sophistiqué, juste un Bic rouge jetable et trois mots peints sur la partie réservoir avec ce qui semblait être du Typex.

Ne m'oublie pas.

Meg sortit ses cigarettes et, chacune à leur tour, elles en allumèrent une avec le nouveau briquet. C'était un cadeau vraiment adorable, et Laurie ne put s'empêcher de pleurer un peu, s'imaginant sa fille à la table de la cuisine en train d'inscrire ce message simple et sincère à l'aide d'un petit pinceau. C'était un objet à chérir, chargé de valeur sentimentale, ce pourquoi Laurie n'eut pas d'autre choix que de se mettre à genoux et de le laisser tomber dans le premier collecteur d'eaux pluviales qu'elles virent, le poussant à travers la grille comme une pièce dans la fente d'une machine. Sa chute sembla durer longtemps, et il atterrit presque sans un bruit.

QUATRIÈME PARTIE

La Saint-Valentin

Une petite amie meilleure-que-la-moyenne

La chambre du conseil était bondée pour la réunion municipale de janvier. Kevin était rentré de Floride depuis deux semaines, aussi le nombre de commentaires qu'il reçut sur son bronzage l'étonna.

— Vous avez l'air en forme, Monsieur le Maire !

— Vous vous êtes bien amusé au soleil, hein ?

— Vous étiez près de Boca ? Mon oncle a une maison là-bas.

— J'aurais bien besoin de vacances, moi aussi !

J'étais si pâle que ça ? se demanda-t-il, en prenant place au centre de la longue table à l'avant de la pièce, entre le conseiller DiFazio et la conseillère Herrera. Ou bien les gens réagissaient-ils à quelque chose de plus profond que l'éclat doré de sa peau, un changement qu'ils ne pouvaient pas expliquer autrement ?

Dans tous les cas, Kevin était ravi de voir que tant de gens s'étaient déplacés, une vaste amélioration par rapport à la lamentable audience de décembre, qui n'était composée que de la douzaine d'habituels, grippe-sous âgés pour la plupart, opposés à toute dépense publique (tant au niveau fédéral, qu'étatique ou local), sauf si celle-ci concernait la retraite et l'assurance-maladie dont ils dépendaient pour leur subsistance. La seule personne dans le public âgée de moins de quarante ans était une journaliste du *Messenger*, jolie fille fraîchement diplômée qui s'endormait à intervalles réguliers au-dessus de son ordinateur portable.

Il donna un coup de marteau pour lancer la réunion à sept heures précises, sans prendre la peine d'attendre les cinq minutes habituelles pour contenter les retardataires. Il voulait essayer de se tenir à l'emploi du temps pour une fois, faire avancer les choses, et terminer la réunion aussi près que possible de neuf heures. Il avait dit à Nora qu'il serait de retour dans ces eaux-là, et il ne voulait pas la faire attendre.

— Bienvenue, dit-il. Cela fait plaisir de vous voir tous ici, surtout par un soir d'hiver si froid. Comme la plupart d'entre vous le savent, je suis le Maire Garvey, et ces charmantes personnes à côté de moi sont vos conseillers municipaux.

Il y eut quelques applaudissements polis, puis le conseiller DiFazio se leva pour les entraîner à sa suite à réciter le Serment d'Allégeance, qu'ils marmonnèrent tous en vitesse et d'un air vaguement embarrassé. Kevin demanda ensuite à tout le monde de rester debout pour observer un moment de silence en l'honneur de Ted Figueroa, le beau-frère récemment décédé de la conseillère Carney et une figure importante de Mapleton dans le monde des sports et de la jeunesse.

— Nous sommes nombreux à avoir connu Ted comme entraîneur légendaire et moteur du Programme de Basketball du samedi matin qu'il a codirigé pendant deux décennies, alors que ses propres enfants étaient devenus des adultes depuis longtemps. C'était un homme dévoué et généreux, et je sais que je parle en notre nom à tous quand je dis qu'il va cruellement nous manquer.

Il baissa la tête et compta lentement jusqu'à dix, ce qui correspondait à peu près à un moment de silence, d'après ce que quelqu'un lui avait dit un jour. Personnellement, il n'avait jamais été un grand fan de Ted Figueroa (c'était un con, en fait, entraîneur ultra-compétitif qui triait sur le volet les meilleurs joueurs pour ses équipes à lui, et gagnait presque toujours le championnat), mais ce n'était ni le moment ni le lieu de se montrer honnête au sujet du mort.

— Bien, dit-il, après que tout le monde eut repris sa place. Le premier point à l'ordre du jour est l'approbation du compte rendu de la réunion de décembre. Y a-t-il une motion pour approuver ?

Le conseiller Reynaud proposa la motion. La conseillère Chen l'appuya.

— Tout le monde est pour ? demanda Kevin.

Les voix pour furent unanimes.

— La motion passe.

Quand elle était plus jeune, dans l'intervalle bien trop bref de liberté entre son premier baiser et ses fiançailles avec Doug, Nora en était venue à se considérer comme une petite amie de premier ordre. Là où elle se trouvait aujourd'hui (la moitié d'une vie plus tard et dans un monde qui n'avait plus rien à voir), elle avait du mal à retracer les origines de cette conviction. Il était possible qu'elle ait lu un article dans le magazine *Glamour* sur « Les Dix Compétences essentielles de la petite amie » et qu'elle se soit rendu compte qu'elle en avait maîtrisé huit. Ou peut-être avait-elle fait « Le Quiz de la championne des petites amies » dans *Elle* et s'était retrouvée dans la catégorie supérieure : *Vous êtes en or !* Mais il était tout aussi probable qu'avec son amour-propre démesuré, il ne lui soit pas venu à l'esprit de penser autrement. Après tout, Nora était jolie et intelligente, ses jeans lui allaient bien, elle avait les cheveux lisses et brillants.

Bien sûr qu'elle était une meilleure petite amie que la plupart. Elle était meilleure en tout.

Cette conviction faisait tellement partie intégrante de son image de soi qu'elle s'en était ouverte au cours d'une dispute terrible à la fac, au cours de laquelle elle avait rompu avec son petit copain préféré. Brian était un étudiant en philosophie charismatique, dont la pâleur de rat de bibliothèque et la taille épaisse (il cultivait un dédain européen pour le sport) ne retiraient rien à sa séduction intellectuelle. Nora et lui avaient formé un couple stable pendant la plus grande partie de leur deuxième année – ils se désignaient eux-mêmes comme « meilleurs amis et âmes sœurs » – jusqu'à ce que Brian décide, à son retour des vacances de printemps, qu'ils devraient commencer à voir d'autres personnes.

— Je ne veux pas voir d'autres personnes, lui dit-elle.

— D'accord, répondit-il. Mais si je le fais, moi ?

— Alors c'est fini entre nous. Je ne vais pas te partager.

— Je suis désolé d'entendre ça. Parce que je vois déjà quelqu'un.

— Quoi ? (Nora était véritablement déconcertée.) Pourquoi tu ferais ça ?

— Qu'est-ce que tu veux dire ? Pourquoi est-ce que n'importe qui voit quelqu'un ?

— Je veux dire, pourquoi tu en ressens le besoin ?

— Je ne comprends pas ta question.

— Je suis vraiment une bonne petite amie, lui dit-elle. Tu le sais, non ?

Il l'étudia pendant quelques secondes, presque comme s'il la voyait pour la première fois. Son regard avait quelque chose d'impersonnel, une sorte de détachement scientifique.

— T'es pas mal, concéda-t-il, un peu à contre-cœur. Certainement au-dessus de la moyenne.

Quand elle eut terminé la fac, cette histoire devint l'une de ses anecdotes préférées de ses années d'université. Elle la raconta si souvent qu'elle en devint finalement une blague récurrente avec Doug. À chaque fois qu'elle se montrait attentionnée à son égard (allait chercher ses chemises chez le teinturier, lui préparait un dîner sophistiqué sans raison apparente, lui faisait un massage dans le dos quand il rentrait du travail), il l'examinait pendant une ou deux secondes, se frottant le menton comme un étudiant en philosophie.

— C'est vrai, faisait-il, d'un air légèrement étonné. Tu es vraiment une petite amie au-dessus-de-la-moyenne.

— Tu l'as dit, répliquait-elle. Je suis presque au maximum.

La blague paraissait moins drôle ces temps-ci, ou peut-être drôle d'une manière différente, alors qu'elle s'essayait à être la petite amie de Kevin Garvey, et qu'elle s'en tirait si mal. Non parce qu'elle ne l'aimait pas – ce n'était pas du tout le problème –, mais parce qu'elle ne pouvait pas se rappeler comment jouer un rôle qui autrefois avait été une seconde nature. Que disait une petite amie ? Que faisait-elle ? Cela lui rappelait son voyage de noces à Paris, lorsqu'elle prit soudain conscience qu'elle ne parlait pas un mot de français, alors qu'elle l'avait étudié pendant quatre ans au lycée.

« C'est tellement frustrant », dit-elle à Doug. « Je savais tout ça avant. »

Elle avait envie de dire la même chose à Kevin, lui dire qu'elle était juste un peu rouillée, qu'un de ces jours tout lui reviendrait.

« Je m'appelle Nora. Comment vous appelez-vous ? »*
« Je suis vraiment une bonne petite amie. »

* En français dans le texte (N.d.T.).

Les réunions du conseil municipal ressemblaient un peu à l'église, pensa Kevin, une succession familière de rituels (Embauches, Démissions et Retraites, Annonces : « Félicitations à la Troupe 173 'Brownie', dont la deuxième collecte de fonds annuelle grâce à la vente de biscuits de pain d'épice a rapporté plus de trois cents dollars pour Fuzzy Amigos International, association caritative qui expédie des animaux en peluche à de pauvres enfants indigènes d'Équateur, de Bolivie, et du Pérou... », Proclamations : « Le 25 février est par la présente proclamé Jour de Dîner au Restaurant à Mapleton ! », Demandes de Permis de construire, Résolutions Budgétaires, Comptes Rendus de Comités et Ordonnances en Instance), à la fois fastidieux et curieusement réconfortants en même temps.

Ils avancèrent dans l'ordre du jour à une bonne allure – les seuls facteurs de ralentissement furent le rapport du comité des Bâtiments et Terrains (trop de détails sur le processus de sélection du contrat de revêtement concernant le lot municipal n° 3) et celui de la sécurité publique (un résumé évasif sur l'enquête au point mort visant le meurtre de Falzone, suivi d'une longue discussion sur le besoin d'une présence policière accrue le soir, dans et autour de Greenway Park) – et réussirent à conclure les affaires officielles un peu en avance.

— Bon, dit Kevin à l'audience. C'est votre tour. La discussion est ouverte aux commentaires du public.

En théorie, Kevin était avide d'entendre ce que les électeurs avaient à dire. Il répétait tout le temps : « Nous sommes là pour vous servir. Et nous ne pouvons pas le faire si nous ne savons pas ce qui vous préoccupe. Le travail le plus important que nous puissions faire est d'écouter vos inquiétudes et critiques, et trouver des manières efficaces et rentables de s'y atteler. » Il aimait penser que la séance des commentaires du public était comme un cours d'éducation civique en acte – de l'auto-gouvernance sur une échelle intime, un dialogue en tête à tête entre les électeurs et leurs élus, la démocratie telle que les fondateurs l'avaient imaginée.

En pratique, cependant, la séance des commentaires du public s'avérait souvent être un étalage de lubies, forum où les excentriques et monomaniaques de tous poils exprimaient leurs petits griefs et leurs doléances existentielles, dont la plupart ne relevaient absolument pas de la compétence du gouvernement municipal. L'une des oratrices habituelles ressentait le besoin de fournir à ses concitoyens des mises à jour mensuelles sur un conflit compliqué entre elle et son assurance médicale concernant sa facturation. Un autre prônait l'abolition du changement d'heure en été dans les limites de Mapleton, geste dont il admettait le caractère peu orthodoxe, mais dont il espérait qu'il inciterait d'autres villes et États à suivre leur exemple. Un vieil homme frêle se plaignait régulièrement du médiocre service de livraison du *Daily Journal*, quotidien qui avait cessé de paraître plus de vingt ans auparavant. Pendant un temps, le conseil avait essayé de trier les orateurs, excluant ceux dont les commentaires ne concernaient pas des « questions locales pertinentes », mais cette mesure avait causé tant de ressentiment qu'elle fut rapidement abandonnée. Aujourd'hui, ils étaient revenus à l'ancien système, officieusement désigné « un cinglé, un discours ».

La première personne à prendre la parole à la réunion de janvier était un jeune père habitant Rainier Road. Il se plaignit des voitures qui, s'y engouffrant à toute vitesse, empruntaient sa rue comme raccourci le soir aux heures de pointe et se demandait pourquoi la police paraissait si peu encline à faire respecter les lois sur la circulation routière.

— Qu'est-ce qu'il va falloir pour que vous vous décidiez à intervenir ? demanda-t-il. La mort d'un enfant ?

La conseillère Carney, présidente du comité de Sécurité publique, assura à l'homme que la police projetait une vaste initiative en termes de sécurité routière cet été, une campagne qui comprendrait à la fois un volet d'information publique et une large composante coercitive. Dans l'intervalle, elle demanderait personnellement au chef Rogers de garder un œil sur Rainier Road et les rues avoisinantes le soir aux heures de pointe.

L'oratrice suivante était une femme d'âge mûr à l'air amical. Appuyée sur des béquilles, elle voulait savoir pourquoi tant de trottoirs de Mapleton n'étaient pas correctement déblayés après les tempêtes de neige. Elle-même avait glissé sur une plaque de verglas dans Watley Terrace et s'était déchiré le ligament croisé antérieur.

— Le déblaiement est obligatoire à Stonewood Heights, fit-elle remarquer. Et il est beaucoup moins dangereux de se déplacer à pied là-bas en hiver. Pourquoi ne fait-on pas pareil ?

Le conseiller DiFazio expliqua que, s'il se souvenait bien, des auditions s'étaient tenues à ce sujet précis à trois reprises. Or, à chaque fois, un grand nombre de personnes âgées s'étaient opposées à tout changement de la loi, tant pour des raisons de santé que pour des raisons financières.

— C'est un peu la quadrature du cercle, là, dit-il. C'est une situation qui fera toujours des mécontents.

— Je vais vous dire ce que j'aimerais qu'on envisage, intervint Kevin. J'aimerais compiler un registre des personnes qui ont besoin d'aide pour déblayer, et peut-être le partager avec le bureau du bénévolat du lycée. De cette façon, les jeunes lycéens pourraient obtenir des points en rendant un service communautaire réellement nécessaire.

Plusieurs membres du conseil approuvèrent l'idée, et la conseillère Chen, présidente du comité pour l'éducation, accepta de suivre l'affaire avec le lycée.

Les choses s'échauffèrent un peu lorsque l'orateur suivant (jeune homme déterminé aux yeux enfoncés et à la barbe clairsemée) prit la parole. Il se présenta comme chef cuisinier et propriétaire du *Purity Café*, restaurant végétalien qui avait récemment ouvert, et dit qu'il voulait protester publiquement contre la notation injuste que son établissement avait reçue de l'inspection sanitaire.

— C'est ridicule, dit-il. *Purity Café* est impeccable. On ne manipule ni viande, ni œufs, ni produits laitiers, qui sont les sources principales de maladies d'origine alimentaire. Tout ce que nous servons est frais et préparé avec amour, dans une cuisine dernier cri. Mais nous avons reçu un B et *Chicken Quick* un A ? *Chicken Quick*, vraiment ? Vous vous moquez de moi ? Vous n'avez jamais entendu parler de salmonelle ? Et *Chumley's Steakhouse* ? Sincèrement ? Vous n'avez jamais vu la cuisine à *Chumley's Steakhouse* ? Est-ce que vous allez réellement me dire, en me regardant droit dans les yeux, qu'elle est plus propre que celle de *Purity Café* ? C'est une blague. Quelque chose pue, et je peux vous assurer que ce n'est pas la nourriture dans mon restaurant.

Kevin n'aimait pas beaucoup le ton condescendant du chef ni sa décision peu judicieuse de critiquer ses concurrents – ce n'était certainement pas le moyen de se faire des amis et d'influencer les gens dans une petite ville – mais il devait admettre qu'un A pour *Chicken Quick* paraissait un peu exagéré. Laurie lui avait interdit d'y aller trois ans plus tôt, après avoir trouvé une pile de la taille d'une pièce dans un pot de sauce à l'ail. Lorsqu'elle l'avait rapporté pour le montrer au propriétaire, il avait ri et dit : *Ah, c'est là qu'elle était passée, alors.*

Bruce Hardin, inspecteur sanitaire de longue date à Mapleton, demanda la permission de répondre directement aux « allégations irresponsables » du chef. Bruce était un type costaud dans la cinquantaine, qui avait perdu sa femme dans la Soudaine Disparition. Il n'avait pas l'air particulièrement vaniteux, pourtant il était difficile d'expliquer le contraste déconcertant entre ses cheveux marron foncé et sa moustache grise sans imaginer qu'une certaine quantité de L'Oréal pour homme était impliquée. Parlant avec l'autorité fade d'un bureaucrate vétéran, il fit remarquer que ses rapports étaient consignés aux archives, et qu'ils contenaient des photographies documentant chaque infraction citée. Quiconque souhaitait examiner son rapport sur *Purity Café*, ou n'importe quel autre restaurant, était le bienvenu. Il avait la conviction que son travail pouvait résister à l'examen le plus rigoureux qui soit. Puis il se tourna vers le chef barbu et se mit à le fixer.

— Je suis à ce poste depuis vingt-trois ans, dit-il, avec un tremblement perceptible dans la voix. Et c'est la première fois que mon intégrité a jamais été mise en question.

Faisant un peu marche arrière, le chef insista pour dire qu'il n'avait mis en question l'intégrité de personne. Bruce répondit que ce n'était pas ce qui lui avait semblé, et que c'était lâche d'essayer de le nier. Kevin intervint avant que la situation ne dégénère, suggérant qu'il serait peut-être plus constructif qu'ils s'assoient tous les deux dans un endroit plus calme et qu'ils aient une franche discussion sur les mesures que *Purity Café* pourrait prendre pour améliorer sa note au cours de la prochaine période d'inspection. Il ajouta qu'il avait entendu dire beaucoup de bien du restaurant végétalien, et considérait que celui-ci était un ajout précieux à la liste éclectique des restaurants de la ville.

— Je ne suis absolument pas végétarien, dit-il, mais j'ai hâte d'y manger. Peut-être pour le déjeuner, mercredi prochain ?

Il lança un regard aux membres du conseil.

— Qui veut se joindre à moi ?

— Vous payez ? lança le conseiller Reynaud, suscitant un rire appréciatif du public.

Kevin vérifia sa montre avant d'appeler l'orateur suivant. Il était déjà neuf heures moins le quart, et il y avait au moins dix personnes la main levée, y compris le type de l'heure d'été et le monsieur qui ne recevait jamais son journal.

— Waouh, leur dit-il. On dirait que jusque-là ce n'était que des exercices d'échauffement.

Elle était toujours un peu surprise de trouver Kevin sur le seuil de sa porte, même quand elle s'y attendait. La situation lui paraissait un peu trop normale, un homme grand et amical lui présentant un sac en papier marron d'où dépassait le goulot d'une bouteille de vin.

— Désolé, lui dit-il. La réunion du conseil s'est terminée tard. Tout le monde avait besoin d'y aller de sa petite remarque.

Nora ouvrit le vin et il lui raconta toute la réunion, avec beaucoup plus de détails qu'elle n'en demandait. Elle fit son possible pour avoir l'air intéressée, hochant la tête aux moments appropriés, émettant de temps en temps un commentaire ou une question pour qu'il continue.

Une bonne petite amie est quelqu'un qui sait bien écouter, se rappela-t-elle.

Mais elle faisait seulement semblant, et elle le savait. Dans sa vie antérieure, Doug avait l'habitude de s'asseoir de l'autre côté de cette table et d'éprouver sa patience de la même manière, par de longs soliloques sinueux au sujet de n'importe quelle affaire qui

287

l'occupait à ce moment-là, l'informant de tous les obscurs détails financiers et légaux de la transaction, réfléchissant à voix haute aux différents obstacles susceptibles de surgir, et à la manière dont il pourrait les surmonter. Mais cela avait beau l'ennuyer, elle comprenait que le travail de Doug la concernait bien à un niveau personnel, que cela pouvait avoir des conséquences pour leur famille, et qu'elle devait donc se montrer attentive. Or, si agréable que fût la compagnie de Kevin, elle n'arrivait pas vraiment à se convaincre qu'il lui fallait s'intéresser aux subtilités du code de la construction ou à l'extension d'une date butoir pour les permis animaux.

— Cela concerne seulement les chiens ?

— Les chats aussi.

— Alors, vous renoncez à exiger les amendes ?

— Techniquement, on prolonge la période d'enregistrement.

— Quelle est la différence ?

— On préfère encourager les gens à se soumettre à la loi, expliqua-t-il.

Ils étaient assis tous les deux devant la télé, le bras de Kevin entourant l'épaule de Nora et ses doigts jouant avec ses cheveux lisses et foncés. Elle ne voyait pas d'objection à ce qu'il la touche de la sorte, mais elle ne donnait aucun signe qu'elle appréciait non plus. Son attention était rivée à l'écran, qu'elle étudiait avec un air d'une sombre intensité, comme si *Bob l'Éponge* était un film d'auteur suédois des années soixante.

Il était plutôt heureux de regarder avec elle, non qu'il appréciât le dessin animé – il le trouvait outrancier et bizarre – mais parce que cela lui fournissait une excuse pour finalement arrêter de parler. Il avait dégoisé bien trop longtemps au sujet de la réunion du conseil (s'étendant à n'en plus finir sur les dépassements budgétaires pour le déblaiement de la neige, sur le bien-fondé de remplacer les parcmètres à pièces par des machines à tickets, etc., etc.), simplement pour leur épargner l'étrangeté d'un silence prolongé de vieux couple marié qui n'a plus rien à se dire.

Ils se connaissaient pourtant à peine, même après le temps passé ensemble en vacances. Il y avait encore tant de choses à découvrir, tant de questions qu'il aurait voulu lui poser, si seulement elle le laissait. Mais elle lui avait clairement fait comprendre en Floride que les choses personnelles relevaient d'un domaine interdit. Elle refusait de parler de son mari ou de ses enfants, ou même de sa vie avant. Et il avait vu combien elle devenait tendue les rares fois où il avait essayé de lui parler de sa propre famille, la manière dont elle grimaçait et détournait le regard, comme si un policier lui braquait une lampe torche dans les yeux.

Au moins en Floride se trouvaient-ils dans un environnement étranger, passant la plupart de leur temps à l'extérieur où il était facile de rompre le silence par un simple échange à propos de la température de la mer, ou de la beauté du coucher de soleil, ou du vol d'un pélican. Mais ici, à Mapleton, il n'y avait rien de tout cela. Ils étaient toujours à l'intérieur, toujours chez elle. Nora refusait d'aller au cinéma, au restaurant ou même au Carpe Diem pour un verre après le dîner. Toute leur activité se résumait à des conversations laborieuses et à *Bob l'Éponge*.

Et de cela aussi, elle refusait de parler. Il comprenait qu'il s'agissait d'un rite du souvenir et était touché qu'elle le laisse y participer, mais il aurait aimé en savoir un peu plus sur ce que la série signifiait pour elle et sur ce qu'elle écrivait dans son cahier une fois l'épisode terminé. Mais apparemment, *Bob l'Éponge* ne le regardait pas non plus.

Nora ne souhaitait pas être cette femme, distante et renfermée. Elle aurait voulu être comme en Floride, sincère et vivante, libre de corps et d'esprit. Ces cinq jours étaient passés comme un rêve – Kevin et elle enivrés de soleil et d'adrénaline, sans cesse étonnés de se retrouver ensemble dans cette chaleur inhabituelle, libérés de la prison de leurs routines quotidiennes. Ils marchaient, faisaient du vélo, flirtaient, se baignaient dans la mer, et quand ils étaient à cours de conversation, ils prenaient un autre verre, barbotaient dans un jacuzzi, ou bien lisaient quelques pages des romans policiers qu'ils s'étaient achetés à la librairie de l'aéroport. En fin d'après-midi, ils se séparaient quelques heures, se retirant dans leur chambre respective pour prendre une douche et faire une sieste, avant de se rejoindre pour le dîner.

Elle l'avait invité à venir dans sa chambre le tout premier soir. Après une bouteille de vin au dîner et une séance étourdissante de caresses sur la plage, cela lui paraissait être la chose polie à faire. Elle se déshabilla sans gêne, ne lui demandant pas d'éteindre la lumière. Elle se contenta de se tenir debout, nue, se délectant de son appréciation. Elle avait le sentiment que sa peau rayonnait.

Alors, qu'est-ce que tu en penses ? demanda-t-elle.

Jolies clavicules, répondit-il. *Une assez bonne posture aussi.*

C'est tout ?

Viens au lit et je te dirais ce que je pense du creux de tes genoux.

Elle le rejoignit au lit, se pelotonnant contre lui. Le torse de Kevin était un grand bloc pâle, d'une solidité rassurante. La première fois qu'elle l'avait enlacé, elle avait eu l'impression d'étreindre un arbre.

Alors, et le creux de mes genoux ?

Honnêtement ?

Oui.

La main de Kevin glissa le long de l'arrière de ses cuisses.

Un peu moite.

Elle rit et il l'embrassa, puis elle lui rendit son baiser, et c'en fut fini de la conversation. Le seul obstacle surgit quelques minutes plus tard, lorsqu'il essaya de la pénétrer et découvrit qu'elle était trop sèche. Elle s'excusa, lui expliqua qu'elle n'avait plus l'habitude, mais il lui imposa le silence et se mit à lui lécher la poitrine, descendant jusqu'à son entrejambe et son clitoris, qu'il humidifia de sa langue. Il prit son temps, lui signifiant qu'elle pouvait se détendre, l'entraînant le long d'un sentier inconnu, jusqu'à ce qu'elle cesse de s'inquiéter de savoir où celui-ci pouvait mener et prît conscience, dans un petit cri, qu'elle en avait déjà atteint l'extrémité, que quelque chose en elle avait cédé et qu'un liquide chaud s'était répandu hors d'elle. Quand elle eut repris son souffle, elle lui rendit la faveur, sans penser une seule fois à Doug ou à Kylie lorsqu'elle le prit dans sa bouche, sans penser à rien jusqu'à ce que ce soit terminé, jusqu'à ce qu'il eût finalement arrêté de gémir et qu'elle fût sûre d'avoir avalé jusqu'à la dernière goutte.

Kevin ressentit un bref soubresaut de suspense lorsque le dessin animé fut fini et que Nora eut refermé son cahier.

— Excuse-moi.

Elle se couvrit la bouche, étouffant poliment un bâillement.

— Je suis un peu fatiguée.

— Moi aussi, admit-il. Ça a été une longue journée.

— Il fait tellement froid dehors.

Elle frissonna en signe de compassion.

— Je suis désolée que tu doives y aller.

— Je ne suis pas *obligé*, lui rappela-t-il. J'aimerais beaucoup rester. Tu m'as manqué.

Nora réfléchit un instant.

— Bientôt, lui dit-elle. J'ai besoin d'un peu de temps encore.

— On n'est pas obligé de faire quoi que ce soit. On pourrait simplement se tenir compagnie. Juste parler jusqu'à ce qu'on s'endorme.

— Je suis désolée Kevin. Je n'ai vraiment pas envie.

Bien sûr que si, tu as envie, aurait-il voulu lui dire. *Tu ne te souviens pas de comment c'était ? Comment pourrais-tu ne pas en avoir envie ?* Mais il savait que c'était inutile. Dès que l'on commençait à plaider son cas, c'était déjà perdu.

Elle le raccompagna à la porte et l'embrassa pour lui dire au revoir, un adieu chaste mais prolongé qui ressemblait à la fois à une excuse, et à une manière de dire « une autre fois ».

— Je peux t'appeler demain ? demanda-t-il.

— Bien sûr, répondit-elle.

Nora ferma la porte à clé et porta les verres à vin dans l'évier. Puis elle monta et se prépara pour aller au lit.

Je suis une terrible petite amie, pensa-t-elle tandis qu'elle se brossait les dents. *Je ne sais même pas pourquoi j'essaie.*

C'était embarrassant, de savoir que tout était de sa faute, qu'elle s'était portée volontaire pour le poste et qu'elle avait frauduleusement convaincu Kevin de le lui confier. C'était elle qui l'avait invité en Floride, après tout, elle qui s'était débrouillée pour incarner un être humain relativement gai et fonctionnel pendant cinq jours. Au terme des vacances, elle s'était presque mise à croire qu'elle était vraiment cet être humain relativement gai et fonctionnel (le type

292

capable de tenir la main d'une autre personne sous la table, ou lui faire goûter des petites cuillerées de son dessert), aussi pouvait-elle difficilement lui reprocher de partager cette opinion erronée, ou de se sentir confus et trahi alors qu'elle avait tout repris.

Mais elle n'était pas cette personne, pas ici à Mapleton en tout cas, loin s'en fallait, et ce n'était pas la peine de se cacher la vérité. Elle n'avait pas d'amour à offrir à Kevin, ni à n'importe qui d'autre, pas de joie, d'énergie, aucune perspective. Elle était toujours brisée et certaines parties cruciales lui manquaient. Cette prise de conscience l'avait presque anéantie quand elle était rentrée, le poids insupportable de sa propre existence, chape de plomb sur ses épaules frêles. *Bienvenue à la maison, Nora.* Elle lui semblait tellement plus lourde que dans son souvenir, tellement plus oppressante, ce qui était apparemment le prix à payer pour s'en être subrepticement débarrassé pendant quelques jours. *Tu as fait bon voyage ?*

L'Antenne

Un matin sans vent de la fin janvier, alors qu'une légère neige poudreuse tombait, Laurie et Meg se rendirent à pied de Gingko Street à leurs nouveaux quartiers dans Parker Road, une tranquille enclave résidentielle sur le bord est de Greenway Park.

L'antenne 17 était petite, mais plus jolie que ce à quoi Laurie s'était attendu, une maison bleu foncé de style Cape Cod, avec des lucarnes et des moulures blanches autour des fenêtres. Au lieu d'un sentier en béton, une allée de pavés couleur terre menait à l'entrée principale. La seule chose que Laurie n'aimait pas était la porte d'entrée, un peu trop ornée à son goût par rapport au reste de la maison, porte en bois marron étincelant dans lequel était taillé un ovale allongé de verre fumé décoratif, le genre de fioritures que l'on s'attendrait à voir sur l'une de ces récentes maisons de luxe à Stonewood Heights, pas une modeste habitation de Mapleton.

— C'est mignon, murmura Meg.

— Ça pourrait être bien pire, acquiesça Laurie.

Elles l'aimèrent encore plus quand elles découvrirent l'intérieur. Le rez-de-chaussée était douillet, sans être surchargé, égayé par un tas de petites touches ravissantes – une cheminée à gaz dans le salon, des tapis aux audacieux motifs géométriques, de confortables meubles dépareillés. Le clou était la cuisine rénovée, espace ouvert et lumineux avec des appareils en acier inoxydable, une cuisinière digne d'un restaurant et une fenêtre au-dessus de l'évier qui donnait sur une vue apaisante du parc boisé, les branches dénudées des arbres recouvertes d'une mince couche de poudre blanche. Laurie pouvait facilement s'imaginer, un week-end – avant –, en train de couper des légumes sur le plan de travail en stéatite, pendant que la chaîne publique de la radio chuchotait en arrière-fond.

Leurs nouveaux colocataires leur faisaient la visite, deux hommes d'âge mûr, arborant sur leurs T-shirts des badges faits maison avec leurs noms. « Julian », grand et un peu voûté, portait des lunettes à monture ronde en métal et avait un petit nez pointu qui semblait renifler l'air de manière inquisitrice. Il était rasé de près, une anomalie chez les CS « Gus » était un gars râblé au teint rougeaud ; il avait une barbe soigneusement taillée et grisonnante.

Bienvenue, écrivit-il sur un bloc-notes de communication. **Nous vous attendions.**

Laurie se sentit mal à l'aise, mais s'évertua à ne pas y penser. Elle savait que les antennes pouvaient être mixtes, mais elle n'avait pas anticipé un arrangement aussi intime, deux hommes et deux femmes partageant une petite maison en bordure du bois. Mais si c'était leur mission, alors ainsi soit-il. Elle comprenait l'honneur qu'on lui avait fait en la sélectionnant pour participer au Programme de colonisation des quartiers qui était au cœur des projets d'extension au long cours des CS, et elle voulait se prouver digne de la confiance que la direction, qui faisait sans doute du mieux qu'elle pouvait avec les ressources à sa disposition, avait placée en elle.

En outre, Meg et elle occuperaient tout le second étage – deux petites chambres et une salle de bains commune –, si bien que leur intimité serait préservée. Meg choisit la chambre rose qui donnait sur la rue ; Laurie prit la jaune avec la vue sur le parc, qui avait dû appartenir à un adolescent. Le lit – sans doute acheté chez IKEA – était de style futon, un matelas fin posé dans un cadre en bois blond. Les murs étaient nus, mais les endroits où des affiches avaient été accrochées encore récemment étaient visibles, trois rectangles légèrement plus clairs que l'espace qui les entourait.

Elle n'avait apporté qu'une seule valise (qui contenait tout ce qu'elle possédait au monde) et eut fini de déballer en quelques minutes à peine. C'était décevant en un sens (en ce que cela ressemblait plus à l'arrivée dans un hôtel qu'à l'installation dans une nouvelle maison), au point, presque, de lui faire regretter les jours mouvementés de déménagement de sa vie antérieure : les semaines de préparation, les cartons, le scotch et les feutres, le gros camion s'arrêtant devant chez vous, l'anxiété de voir toute votre vie disparaître dans son antre. Et puis le péristaltisme inverse à l'autre bout, tous ces cartons ressortant, le bruit sourd quand ils atterrissaient sur le sol, le petit son aigu quand on les ouvrait. L'étrange insatisfaction que suscite un nouveau domicile, ce sentiment persistant d'être délogé qui semble ne jamais devoir vous quitter. Mais au moins vous saviez dans vos tripes que quelque chose de capital s'était passé, qu'un chapitre de votre vie s'était terminé et qu'un nouveau commençait.

Une année, avait-elle l'habitude de dire. *Cela prend une année pour vraiment se sentir chez soi. Et parfois plus longtemps.*

Après avoir placé ses vêtements dans la commode (également en bois blond, également IKEA), elle resta agenouillée longtemps, sans prier, se contentant de réfléchir, essayant de se faire à l'idée qu'elle allait vivre ici dorénavant et que cet endroit était son nouveau chez-elle. Savoir que Meg était à côté, juste à quelques pas, l'aidait. Pas tout à fait aussi près que dans la Maison Bleue, où elles avaient partagé une chambre, mais suffisamment près, plus près qu'elle n'aurait raisonnablement pu l'espérer.

En règle générale, les CS décourageaient la formation d'amitiés. La structure même de l'organisation empêchait les gens de passer trop de temps ensemble ou de compter trop sur des individus spécifiques pour satisfaire leurs besoins de relation sociale. Dans le Complexe de Gingko Street, les adeptes vivaient en larges groupes, souvent remaniés ; les emplois aussi tournaient régulièrement. Les équipes de Surveillants étaient tirées au sort et travaillaient rarement avec le même partenaire deux fois dans le mois. Le but était de consolider le lien entre la personne et le groupe dans sa totalité, pas entre deux personnes.

Laurie comprenait cette politique, du moins en théorie. Les gens étaient fragiles quand ils rejoignaient les CS. Après avoir dépensé tant d'énergie à s'extraire de leur ancienne vie, ils se retrouvaient hébétés, épuisés, et vulnérables. S'ils n'étaient pas correctement guidés, ils risquaient de retomber dans les schémas familiers, de recréer involontairement les relations et les types de comportement qu'ils avaient laissés derrière eux. Et si on les laissait le faire, ils rateraient l'objectif pour lequel ils étaient venus : tout recommencer, renoncer aux faux conforts de l'amitié et de l'amour et attendre la fin des temps, sans distractions ni illusions.

L'exception principale qui contrevenait à cette politique venait de la relation intime entre Entraîneur et Jeune Recrue que l'organisation avait tendance à considérer comme un mal nécessaire, stratégie efficace mais périlleuse, pour faciliter l'intégration des nouveaux membres. Le problème n'était pas tant la formation d'un lien intense et exclusif entre les deux individus concernés (c'était justement tout le but) que le traumatisme que constituait la dissolution de ce lien, de séparer deux personnes n'en faisant plus qu'une.

C'était le travail de l'Entraîneur de préparer la Jeune Recrue à cette inéluctable issue. Depuis le début, Laurie avait suivi le protocole, rappelant chaque jour à Meg que leur partenariat était temporaire, qu'il toucherait à sa fin le 15 janvier – le jour de la remise des diplômes – et qu'à ce moment-là Meg deviendrait un membre à part entière du chapitre de Mapleton des Coupables Survivants. Dès lors, Meg et elle seraient collègues, pas amies. Elles se traiteraient avec une mutuelle courtoisie – rien de plus, rien de moins – et adhéreraient strictement à leur vœu de silence en la présence l'une de l'autre.

Elle avait fait de son mieux, mais cela n'avait pas été très concluant. Alors que la fin de la période d'essai de Meg se rapprochait, elles devinrent de plus en plus agitées et déprimées. Plusieurs soirs, en pleurs, elles se lamentaient sur l'injustice de la situation, se demandant pourquoi elles ne pouvaient pas simplement continuer à vivre comme elles l'avaient fait, conservant cet arrangement qui leur convenait à toutes les deux. En un sens, c'était pire pour Laurie, parce qu'elle savait exactement ce qui l'attendait au retour – une chambre bondée dans la Maison Grise, ou peut-être la Verte, un sac de couchage sur le sol froid, de longues nuits sans ami à côté de vous pour aider à passer le temps, rien ni personne pour lui tenir compagnie à part la voix apeurée qui logeait dans sa tête.

Une semaine plus tôt, le matin de la remise de diplôme de Meg, elles se présentèrent le cœur gros à la Maison Principale. Avant de s'y rendre, elles s'étreignirent longuement et se rappelèrent qu'elles devaient être courageuses.

— Je ne t'oublierai pas, promit Meg, d'une voix douce, légèrement rauque.

— Ça va aller, murmura Laurie, sans arriver à se convaincre elle-même. Tout ira bien pour nous deux.

Patti Levin, la première et l'unique directrice du chapitre de Mapleton, attendait dans son bureau, assise, telle une principale de lycée, derrière un énorme bureau de couleur beige. C'était une petite femme aux cheveux gris et frisés, dont le visage sévère paraissait étonnamment jeune. Elle fit un geste avec sa cigarette, les invitant à s'asseoir.

— C'est le grand jour, dit-elle.

Laurie et Meg gardèrent le silence. Elles n'avaient le droit de parler qu'en réponse à une question directe. La Directrice les étudia, le visage alerte mais sans expression.

— Je vois que vous avez pleuré.

Cela n'avait pas de sens de le nier. Elles avaient à peine dormi et avaient passé une bonne partie de la nuit en larmes. Meg avait l'air d'une épave – les cheveux emmêlés, les yeux irrités et bouffis – et Laurie n'avait pas de raison de penser qu'elle avait l'air mieux.

— C'est dur ! s'exclama Meg comme une adolescente au cœur brisé. C'est vraiment dur !

Laurie grimaça en réaction au manquement au protocole, mais la directrice laissa passer. Pinçant sa cigarette entre son pouce et son index, elle la porta à sa bouche et aspira fort, comme si elle ne tirait pas bien, plissant les yeux d'un air sombre et déterminé.

— Je sais, dit-elle en exhalant la fumée. C'est la voie que nous avons choisie.

— C'est toujours aussi dur ?

Meg donnait l'impression qu'elle allait se remettre à pleurer.

— Parfois. (La directrice haussa les épaules.) Ça dépend des gens.

Maintenant que Meg avait rompu la glace, Laurie décida que ce n'était pas un problème de parler.

— C'est de ma faute, expliqua-t-elle. Je n'ai pas fait mon travail. Je me suis trop attachée à ma Jeune Recrue et j'ai laissé les choses m'échapper. J'ai vraiment tout fichu en l'air.

— Ce n'est pas vrai ! protesta Meg. Laurie est un extraordinaire mentor.

— C'est de notre faute aussi, admit la directrice. Nous avons vu ce qui se passait. Nous aurions dû vous séparer il y a deux mois.

— Je suis désolée.

Laurie se força à croiser le regard de la directrice.

— J'essaierai de faire mieux la prochaine fois.

Laurie n'argumenta pas. Elle savait qu'elle ne méritait pas une deuxième chance. Elle n'était même pas sûre d'en vouloir une, pas si cela devait être aussi pénible quand cela se terminait.

— S'il vous plaît, n'en voulez pas à Meg, dit-elle. Elle a travaillé vraiment dur ces derniers mois et a beaucoup progressé, malgré mes erreurs. J'admire vraiment sa force et sa détermination. Je suis certaine qu'elle sera un excellent atout pour le Chapitre.

— Laurie m'a tellement appris, répéta Meg. Elle est vraiment un formidable modèle, vous savez ?

Avec clémence, la directrice se tut. Dans le silence qui suivit, Laurie se retrouva à fixer l'affiche sur le mur derrière le bureau. Elle montrait une salle de classe pleine d'adultes et d'enfants, tous habillés en blanc et la main en l'air, comme de bons élèves avides de bien faire. Chaque main levée tenait une cigarette. QUI VEUT ÊTRE UN MARTYR ? demandait la légende.

— Je pense que vous avez remarqué comme c'est bondé par ici, leur dit la directrice. Nous ne cessons d'accepter de nouvelles recrues. Dans certaines maisons, nous avons des gens qui dorment dans les couloirs et les garages. C'est une situation intenable.

Pendant une misérable seconde ou deux, Laurie se demanda si elle allait se faire renvoyer des CS pour laisser la place à quelqu'un de plus méritant qu'elle. Mais la directrice jeta alors un œil à une feuille de papier posée sur son bureau.

— Vous êtes transférées à l'Antenne 17, dit-elle. Vous emménagez mardi prochain.

Laurie et Meg échangèrent un regard prudent.

— Toutes les deux ? demanda Meg.

La directrice opina.

— C'est ce que vous voulez, non ?

Elles lui assurèrent que c'était le cas.

— Bien.

Pour la première fois depuis qu'elles étaient arrivées, Patti Levin sourit.

— L'Antenne 17 est un endroit très spécial.

Si la vie avait appris une chose à Jill, c'était que les situations changent tout le temps – brusquement, sans prévenir, et souvent sans bonne raison. Mais le savoir ne servait pas à grand-chose, apparemment. Vous pouviez toujours vous retrouver prise de court par votre meilleure amie, en plein milieu d'un repas de coquillettes au fromage.

— M. Garvey, dit Aimee. Je crois qu'il est temps que je paie un loyer.

— Un *loyer* ?

Son père gloussa, comme s'il appréciait la blague. Il était plutôt de bonne humeur ces dernières semaines, depuis qu'il était rentré de Floride.

— C'est ridicule.

— Je ne rigole pas.

Aimee avait l'air tout à fait sérieuse.

— Vous avez été très généreux avec moi. Mais je commence à me sentir un peu pique-assiette, vous voyez ?

— Tu n'es pas une pique-assiette. Tu es une invitée.

— Je vis ici depuis trop longtemps.

Elle marqua une pause, le mettant au défi de la contredire.

— Je suis sûre que vous en avez tous les deux assez de moi.

— Ne sois pas bête. Nous apprécions ta compagnie.

Aimee fronça les sourcils, comme si la gentillesse de Kevin rendait la chose plus compliquée.

— Je ne fais pas que dormir ici, je mange, j'utilise votre machine à laver et votre séchoir, je regarde votre télé. Je suis sûre qu'il y a aussi d'autres choses.

Internet, pensa Jill. *Le chauffage et l'air conditionné, le maquillage, le shampoing et le démêlant, le dentifrice, mes sous-vêtements...*

— Ce n'est vraiment pas un problème.

Il jeta un œil à Jill, se demandant si elle désapprouvait.

— Si ?

— Absolument pas, dit Jill. C'est chouette.

Et elle le pensait, bien qu'elle se plaignît parfois du fait qu'Aimee vivait chez eux depuis longtemps et ne semblait pas vouloir partir. Bien sûr, il y avait eu des moments houleux à l'automne, mais cela allait mieux depuis un ou deux mois. Noël avait été vraiment plaisant, et elles avaient organisé une super fête du nouvel an pendant que son père était en vacances. Et puis au cours de ces dernières semaines, Jill avait veillé à affirmer son indépendance par rapport à Aimee, ne sortant plus tous les soirs, s'efforçant à se tenir à jour dans ses devoirs et à passer un peu plus de temps avec son père. Ils semblaient avoir trouvé un équilibre satisfaisant pour tous.

— Je n'ai jamais payé de loyer avant, dit Aimee, et je n'ai aucune idée des loyers actuels, surtout dans une maison aussi belle que celle-ci. Mais j'imagine que c'est le propriétaire qui décide, non ?

Son père grimaça au mot *propriétaire*.

— Ne sois pas ridicule, dit-il. Tu es lycéenne. Comment est-ce que tu vas payer un loyer ?

— C'est l'autre chose que je voulais vous dire.

Aimee sembla soudain perdre de son assurance.

— Je crois que je vais arrêter le lycée.

— Quoi ?

Jill fut interloquée de voir qu'Aimee rougissait, parce que cela ne lui arrivait jamais.

— Je quitte le lycée, déclara-t-elle.

— Pourquoi tu ferais ça ? demanda Kevin. Tu auras terminé dans quelques mois.

— Vous n'avez pas vu mes notes, lui dit Aimee. J'ai échoué dans toutes les matières le semestre dernier, même la gym. Si je veux avoir mon diplôme, je vais devoir refaire ma terminale l'année prochaine, et je préférerais me tirer une balle que de redoubler.

Elle se tourna vers Jill, en quête de son soutien.

— Vas-y, dis-lui à quel point je suis une ratée.

— C'est vrai, acquiesça Jill. Elle ne sait même plus comment ouvrir son casier.

— Tu es bien placée pour parler, rétorqua Kevin.

— Je vais faire mieux ce semestre, promit Jill, songeant combien il serait plus facile de s'atteler au travail sans Aimee dans les parages.

Elles n'iraient pas tous les matins à pied au lycée, s'arrêtant pour fumer un joint derrière le supermarché, ou bien filant en cachette pour des déjeuners de deux heures. *Je peux être de nouveau moi-même*, se dit-elle. *Me faire repousser les cheveux, commencer à revoir mes anciens amis...*

— En plus, ajouta Aimee. J'ai trouvé un travail. Tu te souviens de Derek, du magasin de glaces ? Il gère le nouvel Applebee à Stonewood Plaza. Il me prend comme serveuse. À plein-temps. Je commence la semaine prochaine. Les uniformes sont affreux, mais les pourboires devraient être assez bons.

— *Derek ?* (Jill ne cacha pas son dégoût.) Je croyais que tu le détestais.

Leur ancien patron était une ordure, un type marié, dans la trentaine (il possédait en guise de porte-clés un cube LCD qui projetait des photos de son bébé), qui aimait fournir de l'alcool à ses employées mineures et leur poser plein de questions sur leur vie sexuelle. *Tu as déjà utilisé un vibromasseur ?* avait-il demandé à Jill un soir, de manière totalement inopinée. *Je parie que tu aimerais.* Il lui avait même proposé de lui en acheter un, juste parce qu'elle avait l'air sympa.

— Je ne le déteste pas.

Aimee prit une gorgée d'eau, puis poussa un soupir exagéré de soulagement.

— Ah, j'ai hâte de quitter ce lycée. Ça me déprime à chaque fois que j'y suis. Tous ces cons qui paradent.

— Tu sais quoi ? dit son père. Ils viendront tous à Applebee et tu seras obligée d'être aimable avec eux.

— Et alors ? Au moins je serai payée pour ça. Et vous savez ce qu'il y a de mieux ?

Aimee marqua une pause, souriant avec fierté.

— Je peux dormir tous les jours aussi tard que je veux. Plus de réveil aux aurores avec la gueule de bois. Alors j'apprécierais vraiment si vous pouviez parler bas le matin.

— Ah ah, s'exclama Jill, essayant de repousser une vision soudaine et dérangeante de la maison après son départ pour le lycée, avec Aimee dans la cuisine vêtue d'un simple T-shirt et d'une culotte, son père l'observant pendant qu'elle sifflerait du jus d'orange directement à la bouteille, un désastre potentiel au quotidien.

Aussi Jill était-elle vraiment contente de savoir que son père avait une nouvelle petite amie, de son âge, même si celle-ci était un peu sinistre.

— Écoute.

Il avait l'air réellement préoccupé, comme si Aimee était sa propre fille.

— Je crois vraiment que tu devrais réfléchir. Tu es trop intelligente pour arrêter le lycée.

Aimee poussa un long soupir, comme pour montrer qu'elle commençait à perdre patience.

— M. Garvey, fit-elle, si cela vous gêne, j'imagine que je peux trouver un autre endroit pour vivre.

— Ça n'a rien à voir avec où tu vis. Je ne veux juste pas que tu te sous-estimes.

— Je comprends. Et j'apprécie. Mais vous ne me ferez pas changer d'avis.

— D'accord.

Il ferma les yeux et se massa le front à l'aide de trois doigts, comme quand il avait mal à la tête.

— Bien, qu'est-ce que tu penses de ça ? Dans un mois ou deux, quand tu auras déjà un peu travaillé, on pourra s'asseoir et discuter d'un loyer. En attendant, tu es notre invitée, et tout le monde est content, d'accord ?

— Ça me va.

Aimee sourit, comme si c'était exactement l'issue qu'elle avait escomptée.

— J'aime bien quand tout le monde est content.

Laurie ne pouvait pas dormir. C'était sa troisième nuit à l'Antenne, et la transition ne se passait pas aussi bien qu'elle l'avait espéré. C'était en partie dû à l'étrangeté, après vingt-trois ans de mariage et neuf mois de vie communautaire, d'avoir de nouveau une chambre pour elle. Elle n'était simplement plus habituée à la solitude, à la façon dont se retrouver seule allongée sur un matelas confortable pouvait donner l'impression de tomber sans fin dans l'espace.

Meg lui manquait aussi, ainsi que leurs conversations au lit, la camaraderie collégiale de l'Épanchement. Certaines nuits, elles étaient restées éveillées pendant des heures, deux voix douces se répondant en échos, se racontant leurs vies par tranches aléatoires. Au début, Laurie s'était appliquée en toute bonne foi à ce que que leurs discussions se concentrent sur l'entraînement de Meg, pour décourager le commérage futile et le bavardage nostalgique, mais la conversation semblait toujours avoir son mot à dire. Et, à la vérité, elle en appréciait presque autant que Meg la trajectoire sinueuse. Elle excusait sa faiblesse en se disant qu'il s'agissait d'une situation temporaire, que le jour de la remise des diplômes arriverait bientôt et qu'elle devrait, par nécessité, reprendre son régime de silence et d'autodiscipline.

Et elle y était maintenant, mais avec Meg dans la chambre d'à côté, si près que de ne pas pouvoir lui parler semblait absurde et presque cruel. Être seule dans n'importe quelles circonstances était difficile, mais encore plus quand on savait qu'il n'y avait aucune obligation, qu'il suffisait d'enlever ses couvertures et de traverser le couloir sur la pointe des pieds. Parce qu'elle n'avait aucun doute – pas le moindre – que Meg était complètement réveillée, qu'elle partageait les mêmes pensées qu'elle, tentant de résister précisément au même désir.

Bien se comporter au Complexe avait été assez simple, avec tant de gens autour, tant de regards observateurs. À l'Antenne, il n'y avait personne pour les empêcher de faire ce qu'elles voulaient, personne pour remarquer quoi que ce soit, à part Gus et Julian, et ils n'étaient pas en position de les critiquer. Ils partageaient la chambre de maître au rez-de-chaussée – dotée d'un grand lit double et d'une baignoire jacuzzi dans la salle de bains attenante –, et Laurie croyait parfois entendre des voix, tard le soir, frêles bulles de paroles se déplaçant à travers la maison silencieuse, qui éclataient juste avant d'atteindre ses oreilles.

De quoi parlent-ils ? se demandait-elle. *Est-ce qu'ils parlent de nous ?*

Elle ne leur en aurait pas voulu si c'était le cas. Si Meg et elle avaient été ensemble, elles auraient certainement discuté de Gus et de Julian. Pas pour se plaindre – il n'y avait pas vraiment de raison – mais simplement pour échanger des impressions, comme lorsque de nouvelles personnes entrent dans votre vie et que vous n'êtes pas sûre de savoir qu'en penser.

Ils avaient l'air de types sympathiques, pensait-elle, même s'ils paraissaient un peu égocentriques et sûrs d'eux. Ils pouvaient également se montrer autoritaires, mais Laurie soupçonnait que cette attitude relevait plus d'un hasard de circonstance que d'un défaut de caractère. Ils avaient occupé seuls l'Antenne 17 pendant près d'un mois avant que Laurie et Meg n'arrivent, aussi s'étaient-ils naturellement mis à considérer l'endroit comme le leur, de sorte que les nouvelles venues devaient respecter les règles qu'ils avaient établies. Par principe, Laurie ne trouvait pas cette situation juste – les CS se fondaient sur l'égalité, pas l'ancienneté – mais elle s'était dit qu'elle attendrait un peu avant de protester.

En outre, ce n'était pas comme si les règles de la maison coûtaient vraiment à Laurie. La seule qui lui causait une gêne personnelle consistait en l'interdiction de fumer à l'intérieur – elle aimait commencer la journée par une cigarette au lit – mais elle ne comptait pas essayer de la modifier. La politique avait été mise en place pour protéger Gus, qui souffrait d'un cas d'asthme sévère. Sa respiration était souvent laborieuse, et la veille, il avait souffert d'une attaque sérieuse au beau milieu du dîner, bondissant de son siège avec une expression de panique, haletant et sifflant comme si on venait de le repêcher au fond d'une piscine. Julian avait couru dans la chambre pour y chercher un inhalateur, puis avait frotté le dos de Gus pendant plusieurs minutes, jusqu'à ce que sa respiration redevienne à peu près normale. Cela avait été terrifiant à regarder, et si Laurie devait fumer sur la terrasse de derrière pour le soulager un peu, c'était un sacrifice qu'elle était plus que prête à accepter.

En fait, elle appréciait l'opportunité qui lui était donnée de pratiquer n'importe quelle forme d'abnégation, étant donné que l'Antenne en offrait si peu. La vie ici était tellement plus facile qu'au Complexe. La nourriture abondait, même si elle n'était pas très sophistiquée – principalement des pâtes, des haricots et des légumes en conserve – et le thermostat était maintenu à une température civilisée de 16 degrés. On pouvait aller se coucher quand on en avait envie, et dormir le matin aussi tard qu'on le voulait. Quant au travail, on décidait soi-même de ses horaires et on établissait ses propres rapports.

C'en était presque inquiétant de confort, et c'était l'une des raisons pour lesquelles elle se donnait tant de mal à maintenir ses distances par rapport à Meg pour ne pas retomber dans la routine complaisante de l'amitié. Cela suffisait déjà d'être au chaud, bien nourrie et libre de ses mouvements. Si, en plus, vous étiez heureux, si vous aviez une bonne copine pour vous tenir compagnie le soir, alors à quoi bon faire partie des CS ? Pourquoi ne pas juste retourner dans la grande maison de Lovell Terrace, rejoindre son mari et sa fille, porter à nouveau de beaux habits, renouveler son abonnement au club de fitness de Mapleton, voir les épisodes des séries télévisées qu'elle avait ratés, redécorer le salon, cuisiner des plats intéressants avec les produits de saison, faire comme si la vie était belle et que le monde n'était pas brisé ?

Après tout, il n'était pas trop tard.

— Vous êtes avec nous depuis un bon moment, lui avait dit Patti Levin à la fin de leur entretien la semaine passée. Je pense qu'il est temps de rendre la situation officielle, non ?

L'enveloppe qu'elle remit à Laurie contenait une seule feuille de papier, une Demande Conjointe de Divorce. Laurie avait rempli les blancs, coché les cases nécessaires et signé son nom dans l'espace réservé au Demandeur A. Tout ce qui lui restait à faire était d'apporter le formulaire à Kevin pour qu'il le signe en tant que Demandeur B. Elle n'avait aucune raison de croire qu'il s'y opposerait. Comment le pourrait-il ? Leur mariage était révolu – il avait souffert de ce que l'État appelait une « irréparable rupture » –, ils le savaient tous les deux. La requête n'était qu'une formalité légale.

Alors quel était le problème ? Pourquoi l'enveloppe reposait-elle toujours sur la commode, pesant si lourd sur sa conscience qu'elle aurait aussi bien pu briller dans le noir ?

Laurie n'était pas naïve. Elle comprenait que les CS avaient besoin d'argent pour survivre. On ne pouvait pas gérer une organisation d'une telle ampleur et d'une telle ambition sans encourir des dépenses importantes – tous ces gens qui exigeaient nourriture, logement et soins médicaux. Il fallait acquérir de nouvelles propriétés et maintenir en état les anciennes. Les cigarettes. Les véhicules. Les ordinateurs, les conseils légaux, la communication. Le savon, le papier toilette, et tout le reste. Cela s'ajoutait.

Naturellement, on attendait des membres qu'ils contribuent à hauteur de leurs moyens. Si tout ce que vous receviez était un chèque mensuel de retraite, c'était ce que vous donniez. Si la somme totale de vos possessions dans ce monde consistait en une Oldsmobile rouillée, avec un silencieux endommagé, les CS pouvaient aussi en avoir l'usage. Et si vous aviez la chance d'avoir épousé un homme d'affaires qui avait réussi, pourquoi ne devriez-vous pas dissoudre votre union et faire don à la cause de votre part d'indemnités ?

Eh bien, pourquoi pas ?

Elle ne savait pas vraiment de combien d'argent il s'agissait – les avocats devraient l'établir. La maison seule valait environ un million – ils l'avaient payée un million six, mais c'était cinq ans plus tôt, avant que le marché ne s'effondre – et les différents comptes de retraite et d'investissement devaient valoir au moins autant. Quel que soit le décompte final, cinquante pour cent de la somme constitueraient une dépense importante, assez importante pour que Kevin soit obligé de songer à vendre la maison afin de s'acquitter de ses obligations.

Laurie voulait contribuer à l'organisation, vraiment. Mais l'idée d'aller là-bas, de sonner à la porte et de réclamer à Kevin la moitié de ce à quoi elle avait tourné le dos la remplissait de honte. Elle avait rejoint les CS parce qu'elle n'avait pas le choix, parce que c'était la seule voie qui ait eu un sens à ses yeux. Ce faisant, elle avait perdu sa famille, ses amis et sa place dans la communauté, tout le confort et la sécurité que l'argent pouvait acheter. C'était sa décision, et elle ne la regrettait pas. Mais Kevin et Jill avaient aussi payé le prix fort, et ils n'avaient rien reçu en retour. Cela lui paraissait cupide – inconvenant – d'arriver soudain à leur porte, la main tendue, et d'exiger encore plus.

Elle avait dû s'assoupir, parce qu'elle se réveilla en sursaut, consciente d'une sorte de mouvement non loin.

— Laurie ? chuchota Meg.

Sa chemise de nuit émettait un rayonnement spectral sur le seuil de la porte.

— Tu es réveillée ?

— Quelque chose ne va pas ?

— Tu n'entends pas ?

Laurie tendit l'oreille. Elle crut percevoir un son étouffé, un tambourinement doux et rythmique.

— Qu'est-ce que c'est ?

— C'est plus fort dans ma chambre, expliqua Meg.

Laurie se leva du lit, saisie par le froid, et suivit Meg dans le petit couloir jusqu'à l'autre chambre. Il faisait plus clair de ce côté de la maison, la lueur des lampadaires filtrant de Parker Road. Meg s'accroupit devant un radiateur antique, gros appareil gris argent aux pieds en forme de pattes griffues comme ceux d'une baignoire d'époque, et fit signe à Laurie de la rejoindre.

— Je suis juste au-dessus d'eux, dit-elle.

Laurie inclina la tête, plaçant son oreille assez près du métal pour pouvoir sentir la faible chaleur résiduelle qui en émanait.

— Ça dure depuis un moment.

Le son étaient plus net maintenant, comme d'écouter la radio. Ce n'étaient plus des coups légers ou mystérieux. C'était carrément de la percussion, une tête de lit contre un mur, avec le son plus faible de ressorts qui gémissaient. Elle perçut aussi des voix, l'une bourrue et monotone – ne cessait de répéter le mot *putain* – l'autre plus aiguë, au vocabulaire plus varié – *Oh* et *Mon Dieu* et *Doux Jésus* et *S'il te plaît*. Laurie n'était pas sûre de distinguer celle qui appartenait à Julian et celle de Gus, mais heureusement ni l'un ni l'autre ne semblait avoir le souffle court.

— Comment je suis censée dormir ? demanda Meg.

Laurie n'osa pas parler. Elle savait que ce qu'elle entendait aurait dû la scandaliser, ou du moins la troubler – les CS interdisaient les relations sexuelles, gay ou hétéro – mais dans l'instant, elle n'éprouva rien, sinon un étonnement confus et un peu plus d'intérêt qu'elle n'aurait voulu l'admettre.

— Qu'est-ce qu'on va faire ? continua Meg. Est-ce qu'on doit les dénoncer ?

Laurie s'éloigna à contrecœur du radiateur. Elle se tourna vers Meg, leurs visages juste à quelques centimètres l'un de l'autre dans le noir.

— Ce n'est pas nos affaires, déclara-t-elle.

— Mais...

Laurie prit Meg par le poignet et l'aida à se relever.

— Attrape ton oreiller, dit-elle. Tu peux dormir dans ma chambre ce soir.

Va-nu-pieds et Enceinte

Tom enfila la veste de ski qu'il avait empruntée à Terrence Falk, veillant à ne pas coincer sa barbe dans la fermeture Éclair qu'il remonta jusqu'au menton. Il l'avait accrochée une ou deux fois, et la libérer avait été atrocement douloureux.

— Tu vas où ? lui demanda Christine du canapé.

— Harvard Square.

Il retira un bonnet en cachemire de sa poche de manteau et l'enfila.

— Tu veux venir ?

Elle jeta un œil à son pyjama (un pantalon à pois et un étroit haut gris, qui moulait le renflement fertile de son ventre), comme si cela constituait une réponse en soi.

— Tu peux te changer, lui dit-il. Je ne suis pas pressé.

Elle pinça les lèvres, tentée par la proposition. Ils étaient à Cambridge depuis un mois, et elle n'était presque pas sortie de la maison – une fois pour aller voir un médecin, et deux fois pour aller faire des courses avec Marcella Falk. Elle ne s'en plaignait jamais, mais Tom se disait que la réclusion devait la rendre un peu dingue.

— Je sais pas.

Elle lança un regard nerveux vers la cuisine, où Marcella préparait des biscuits.

— Je ne devrais probablement pas.

Les Falk n'avaient jamais dit de façon explicite qu'elle n'avait pas le droit de sortir toute seule – ils n'étaient pas si autoritaires que cela – mais ils l'en décourageaient quotidiennement. Cela ne valait pas le risque – elle pourrait glisser sur le verglas, attraper froid, ou attirer l'attention de la police –, surtout qu'elle se trouvait dans le troisième trimestre d'une grossesse dont on ne pouvait trop souligner l'importance pour le monde. Et il ne s'agissait pas que de leur opinion personnelle – ils étaient en contact direct avec M. Gilchrest, par l'intermédiaire de son avocat, et celui-ci voulait qu'elle sache combien il se préoccupait de sa sécurité, et de la santé et du bien-être de son enfant à naître.

Il veut que tu restes tranquille, lui disaient-ils. *Que tu manges bien et que tu te reposes.*

— C'est à dix minutes à pied, dit Tom. Tu peux t'emmitoufler.

Avant que Christine ne puisse répondre, Marcella Falk sortit en trombe de la cuisine, vêtue d'un tablier à rayures, une assiette de biscuits posée en équilibre sur la paume de sa main.

— Farine d'avoine et raisins secs ! chanta-t-elle en s'approchant du canapé. Les préférés de quelqu'un !

— Miam.

Christine attrapa un biscuit et mordit dedans.

— Mmm. Bien chaud.

Marcella posa l'assiette sur la table basse. En se relevant, elle jeta un œil à Tom d'un air de fausse surprise, comme si elle découvrait sa présence et n'avait pas tout du long écouté leur conversation de la cuisine.

— Oh...

Elle avait des cheveux courts foncés, un regard observateur et le physique filiforme d'une cinquantenaire férue de yoga.

— Tu sors ?

— Juste pour une petite promenade. Christine va peut-être m'accompagner.

Marcella fit son possible pour avoir l'air intéressé plutôt qu'inquiet.

— Tu as besoin de quelque chose ? demanda-t-elle à Christine avec une gentillesse un peu exagérée. Je suis certaine que Tom serait ravi d'aller te le chercher.

Christine secoua la tête.

— Je n'ai besoin de rien.

— Je pensais qu'elle pourrait prendre un peu l'air, suggéra Tom.

Marcella eut l'air perplexe, comme si le mot « air » était un concept étranger.

— Je suis sûre qu'on pourrait ouvrir une fenêtre, dit-elle.

— Ça va.

Christine fit mine de bâiller.

— Je suis un peu fatiguée. Je crois que je vais faire une sieste.

— Parfait ! (Le visage de Marcella se détendit.) Je te réveillerai vers deux heures et demie. Le coach vient à trois heures pour tes exercices.

— J'ai besoin d'un peu d'exercice, admit Christine. Je commence à ressembler à un gros ballon.

— C'est ridicule, lui dit Marcella. Tu es magnifique.

Marcella avait raison, pensa Tom. Maintenant qu'elle passait son temps à l'intérieur et mangeait correctement, Christine prenait du poids et embellissait un peu plus chaque jour. Son visage rayonnait, son corps s'épanouissant avec grâce. Ses seins n'étaient toujours pas très gros, mais ils étaient plus ronds et plus pleins, et Tom en restait parfois hypnotisé. Il devait aussi faire des efforts conscients pour ne pas étendre le bras et lui caresser le ventre dès qu'elle se trouvait à proximité, même si elle ne s'y serait pas opposée. Cela ne la dérangeait pas que Tom la touche. Parfois, elle lui attrapait même la main et plaçait sa paume juste au-dessus du bébé, pour qu'il puisse sentir le mouvement à l'intérieur, le petit être faisant des galipettes au ralenti, nageant aveuglément dans sa bulle. Mais la caresser sans sa permission, traiter son corps comme s'il s'agissait d'un bien public était différent. Les Falk le faisaient tout le temps, fermant les yeux et gazouillant, comme s'ils étaient les grands-parents, et Tom trouvait cela grossier.

Il se dirigea vers la porte, résistant à la tentation d'attraper un biscuit au passage.

— Tu es sûr que tu ne veux pas de bottes ? lui demanda Marcella. Je suis sûre que Terrence en a une paire supplémentaire.

— Ça ira. Je suis très bien comme ça.

— Amuse-toi bien, lui cria Christine. Passe le bonjour aux hippies de ma part.

C'était un après-midi gris et humide, pas très froid pour un mois de février. Tom se dirigea vers l'est dans Brattle, essayant de ne pas trop penser aux bottes de Terence Falk. Si elles étaient du même acabit que son manteau, ou ses gants super légers et pourtant si chauds, elles étaient probablement conçues pour supporter les rigueurs d'une expédition dans l'Antarctique. On ne devait probablement même pas avoir besoin de regarder où l'on mettait les pieds.

Mais non, se tortura-t-il, sautillant d'un pied sur l'autre pour franchir un archipel de flaques de neige fondue dans Appleton Street. *Je dois le faire à la dure.*

Au moins, il avait ses tongs. C'était ce que les va-nu-pieds de Nouvelle-Angleterre avaient le droit de porter quand il y avait de la neige par terre. Pas des bottes, ni des chaussures, ni des tennis, pas même des sandales – juste de simples tongs en caoutchouc, ce qui était à peine mieux. Il avait récemment vu un couple de ringards qui portaient des sacs en plastique par-dessus leurs tongs – maintenus en place par des élastiques autour de la cheville – mais cet aménagement ne suscitait que mépris autour de Harvard Square.

En Californie, on prétendait souvent que les pieds nus s'endurcissaient au bout d'un moment et qu'ils devenaient « aussi efficaces que des chaussures », mais personne n'y croyait à Boston, du moins pas au cœur de l'hiver. Le dessous de vos pieds devenait comme du cuir au bout de quelques mois, vrai, mais vos orteils ne s'habituaient jamais au froid. Et peu importait ce que vous portiez par ailleurs – si vos pieds étaient gelés, vous étiez misérable.

Mais ce n'était pas la peine de se plaindre, Tom s'infligeait une souffrance inutile. Il avait accompli sa mission, livré Christine sans embûche à son nouveau foyer confortable, au généreux couple qui avait promis de s'occuper d'elle jusqu'à ce que M. Gilchrest ait réglé ses difficultés juridiques. Rien n'empêchait Tom d'effacer sa cible, de mettre des chaussures et de continuer sa vie. Mais pour une raison ou une autre, il n'y parvenait pas.

Christine n'avait pas hésité. Le soir de leur arrivée chez les Falk, elle avait disparu dans la salle de bains juste après le dîner et pris une longue douche chaude. Quand elle en sortit, son front était propre, son visage rose avait l'air profondément soulagé, comme si le souvenir de la route n'était qu'un mauvais rêve dont elle était contente de s'être lavée. Depuis lors, elle traînait à la maison (une bâtisse victorienne de Fayerweather Street rénovée de manière spectaculaire), dans des vêtements de maternité en coton biologique. Essayant de réparer les dommages infligés par des mois d'exposition aux éléments, les Falk s'étaient arrangés pour faire venir à la maison un pédicure coréen, mais avaient exigé de Christine qu'elle porte un masque pour se protéger, et protéger le bébé, de vapeurs potentiellement dangereuses. Il y avait aussi eu les visites d'un masseur-thérapeute, d'un hygiéniste dentaire, d'une nutritionniste et de la sage-femme/infirmière qui aiderait à l'accouchement, dont tout le monde espérait qu'il aurait lieu à la maison.

Ces professionnels étaient tous dévoués à saint Wayne et traitaient Christine en personne royale, comme si lui polir les ongles des pieds ou retirer le tartre de ses dents était un rare privilège. Terrence et Marcella étaient les plus obséquieux ; ils s'étaient prostrés aux pieds de Christine lorsqu'elle avait franchi le seuil de leur maison, s'inclinant jusqu'à ce que leurs fronts touchent le sol. Christine était ravie de toute cette attention, heureuse de reprendre sa vie d'Épouse Numéro Quatre, la Spéciale, le Véhicule Élu de M. Gilchrest.

C'était différent pour Tom. Se retrouver avec tous ces vrais croyants rendait plus clair que jamais le fait qu'il n'en faisait plus partie, qu'il n'avait plus d'ancien moi à réclamer. La part de sa vie dévouée à saint Wayne était révolue, la phase suivante n'avait pas commencé, et il n'avait pas non plus la moindre idée de ce qu'elle serait. Peut-être était-ce la raison pour laquelle il se montrait si réticent à quitter son déguisement : être un faux Va-nu-pieds constituait la seule réelle identité qui lui restait.

Mais c'était plus que cela. Il avait été heureux sur la route, plus heureux qu'il n'en avait conscience à l'époque. Le voyage avait été long et parfois pénible – on les avait menacés d'un couteau à Chicago, et ils avaient failli mourir de froid dans une tempête de neige dans l'ouest de la Pennsylvanie – mais maintenant que c'était terminé, l'excitation et l'intimité qu'il avait partagées avec Christine lui manquaient. Ils avaient formé une bonne équipe, meilleurs amis et agents secrets, improvisant leur traversée du continent, tenant tête avec créativité à tous les obstacles qui surgissaient sur leur route.

Le déguisement qu'ils avaient choisi avait mieux fonctionné qu'ils n'auraient pu l'imaginer. Partout où ils allaient, ils rencontraient des Va-nu-pieds locaux qui les traitaient comme des membres de la famille, leur donnaient à manger et les conduisaient en voiture et, souvent, leur offraient le gîte. Christine était tombée malade à Harrisburg, et ils s'étaient retrouvés à passer trois semaines dans une maison communautaire en ruines près du Capitole, dormant ensemble sur le sol de la cuisine. Ils n'étaient pas devenus amants, mais de peu. Certains matins, ils s'étaient réveillés dans les bras l'un de l'autre et avaient eu besoin de quelques secondes pour se rappeler pourquoi ce n'était pas une bonne idée.

Sur la route, ils parlaient rarement de M. Gilchrest. Tandis que les semaines passaient, il devint une abstraction, une figure de plus en plus floue du passé. Certains jours, Tom l'oubliait complètement, ne pouvant s'empêcher de considérer Christine comme sa propre petite amie, et le bébé comme son propre enfant. Il se laissait aller à imaginer qu'ils formaient tous les trois une famille, qu'ils s'installeraient bientôt et construiraient une vie ensemble.

Ça ne tient qu'à moi, se disait-il. *Je dois m'occuper d'eux.*

Mais chez les Falk, ce fantasme fut étouffé dans l'œuf. M. Gilchrest était partout, impossible à ignorer, encore plus à oublier. Il y avait des portraits de lui dans chaque pièce, y compris une photographie géante accrochée au plafond de la chambre de maître, juste au-dessus du lit de Christine, si bien que son visage était la première chose qu'elle voyait quand elle ouvrait les yeux le matin. Partout où il allait, Tom sentait le grand homme lui sourire, se moquer de lui, lui rappeler qui était le vrai père. L'image qu'il détestait le plus était l'affiche encadrée au sous-sol, sur le mur à côté du canapé-lit sur lequel il dormait, un cliché de saint Wayne en pleine action, sur une scène à l'extérieur, le poing levé d'un air triomphant, le visage baigné de larmes.

Espèce de salaud, songeait Tom tous les soirs avant de s'endormir et tous les matins en se réveillant. *Tu ne la mérites pas.*

Il savait qu'il avait besoin de s'en aller et d'échapper à ce visage. Mais il n'arrivait pas à se décider à partir, à abandonner Christine aux Falk. Alors qu'ils avaient fait tant de chemin ensemble, alors que sa date d'accouchement n'était que dans dix semaines. Le minimum qu'il pouvait faire était de rester jusqu'à ce que le bébé arrive, de se rendre utile autant qu'il le pouvait.

Le Mandrake était un café en sous-sol dans Mount Auburn Street, l'un des lieux principaux où se réunissaient les Va-nu-pieds à Harvard Square. Comme Elmore dans le quartier de Haight, l'endroit appartenait à des gens du mouvement, qui le géraient ; il semblait bien marcher, non seulement grâce à la consommation de tisanes et de muffins aux céréales, mais aussi à la vente d'herbe, de champignons et d'acides, du moins si vous saviez à qui vous adresser et comment placer une commande.

Tom demanda un Chai Tea Latte au gamin béat derrière le bar – les employés portaient un T-shirt qui disait : SANS CHAUSSURES ? ON VOUS AIME ! – et puis regarda alentour dans la pièce bondée pour trouver une place où s'asseoir. La plupart des tables étaient occupées par des Va-nu-pieds, mais il y avait quelques citoyens ordinaires et universitaires sordides parmi eux, des étrangers qui soit étaient entrés par erreur, soit étaient en quête de contact nostalgique avec la musique des Grateful Dead, des visages peints et des corps en mal de propreté.

Eggy fit un signe de la main à Tom de sa table dans le coin au fond – on ne pouvait pas rater sa tête chauve dans cet océan d'êtres hirsutes –, où il se trouvait encore une fois engagé dans un marathon de parties de backgammon avec Kermit, le plus ancien mec va-nu-pieds que Tom ait jamais rencontré. Une jeune fille blonde que Tom ne connaissait pas et qui avait à peu près son âge était la seule spectatrice.

— Yo, North Face ! l'appela Eggy. Tu as descendu du caribou ?

Tom lui adressa son majeur tendu tout en rapprochant une chaise de leur table. Il se faisait pas mal chambrer au Mandrake à cause de la tenue d'hiver qu'il avait empruntée à Terrence Falk, qui dépassait de loin les pourritures d'occasion que la plupart des clients portaient.

Kermit observa Tom avec la fascination trouble du drogué permanent. Il avait de longs cheveux gras, gris jaunâtres, qu'il aimait peigner de ses doigts quand il était perdu dans ses pensées. La rumeur voulait qu'il fût un ancien professeur d'anglais de Boston University.

— Tu sais comment on devrait t'appeler ? fit-il. Jack London.

L'emploi de surnoms était une affaire sérieuse au Mandrake. Depuis les quelques semaines que Tom y allait, il avait déjà été surnommé Frisco, Votre Excellence, et, plus récemment, North Face. Tôt ou tard, pensait-il, une de ces appellations lui collerait à la peau.

— Jack London. (Eggy murmura le nom, le testant sur sa langue.) J'aime bien.

— J'ai lu une nouvelle de lui, dit la fille.

Elle avait l'air d'une temps-partiel, le visage rond et en bonne santé, avec la plus grosse cible sur le front que Tom ait jamais vue, une spirale verte et blanche de la taille d'un dessous de verre à bière.

— En cours d'anglais au lycée. Ce type au pôle nord essaie désespérément d'allumer un feu pour ne pas devenir hypothermique, mais le feu n'arrête pas de s'éteindre. Et puis ses doigts gèlent, et il est complètement foutu.

L'Homme contre la Nature.

Eggy opina avec sagesse.

— Le conflit éternel.

— Il existe en fait deux versions de cette nouvelle, fit remarquer Kermit. Dans la première, le type survit.

— Alors pourquoi il a écrit la seconde ? demanda la fille.

— Oui, pourquoi ?

Kermit ricana d'un air ténébreux.

— Parce que la première version était de la connerie, voilà pourquoi. Au fond de son cœur, Jack London savait qu'on ne peut jamais démarrer un feu. Pas quand on en a vraiment besoin.

— Tu sais ce qui est horrible ? demanda la jeune fille gaiement. Le type voulait tuer son chien, l'ouvrir et se réchauffer les mains dans ses entrailles. Mais quand il finit par essayer, il ne peut même pas tenir le couteau.

— S'il te plaît.

Eggy avait l'air un peu nauséeux.

— Est-ce qu'on ne peut pas parler d'autre chose ?

— Pourquoi ? demanda la jeune fille.

— C'est un amoureux des chiens, expliqua Kermit. Il ne t'a pas parlé de Quincy ?

— Je viens de la rencontrer hier soir, répliqua Eggy sur un ton indigné. Qu'est-ce que tu crois, je rencontre quelqu'un, et immédiatement je me mets à blablater à propos de mon chien ?

Kermit tourna un regard amusé vers Tom, qui ne savait que trop bien avec quelle fréquence Eggy parlait de Quincy, mastiff de 100 kg qui s'était enfui après la Soudaine Disparition et que l'on n'avait jamais revu depuis. À la place d'un portefeuille, Eggy avait sur lui un petit album contenant une douzaine de photographies du gros chien, souvent en compagnie d'une grande femme, cheveux tirés en arrière, qui ne souriait jamais. Il s'agissait d'Emily, la fiancée disparue d'Eggy, ancienne étudiante de troisième cycle de l'école Kennedy de Sciences politiques. Eggy ne parlait pas souvent d'elle.

Kermit attrapa les dés.

— C'est mon tour, non ?

— Ouais. (Eggy montra du doigt un pion blanc sur la barre du milieu.) Je viens de le prendre comme prisonnier.

— Encore ? dit Kermit, l'air furieux. Tu pourrais faire preuve d'un peu de clémence, tu sais ?

— De quoi tu parles ? Pourquoi est-ce que je devrais faire preuve de clémence ? C'est comme de dire à un joueur de football américain de ne pas tacler un joueur de l'équipe adverse, juste parce qu'il a le ballon.

— Aucune loi ne dit que tu dois tacler quelqu'un.

— Non, mais tu serais un joueur de merde si tu le faisais pas.

— Ça va.

Kermit secoua les dés.

— Mais il ne faut pas retirer le libre arbitre de l'équation.

Tom leva les yeux au ciel. Les Va-nu-pieds qu'il connaissait jouaient à différents jeux selon les villes – au Monopoly à San Francisco, au crib à Harrisburg, au backgammon à Boston – mais peu importait le jeu, les parties se déroulaient toujours à une lenteur incroyable, interrompues à chaque tour par des discussions vaines et d'obscures digressions philosophiques. Le plus souvent, les parties se terminaient avant la fin, ajournées pour cause d'ennui.

— Je suis Lucy, au fait, dit la jeune fille à Tom. Mais ces gars m'appellent Aïe.

— *Aïe* ? questionna Tom. D'où ça vient ?

Eggy leva les yeux du jeu. Il portait des lunettes rondes à monture métallique qui, avec son crâne rasé, lui donnaient un peu l'air d'un moine.

— C'était une des premières flagellatrices de Harvard. Tu sais de quoi il s'agit ?

Tom opina. Il avait vu une vidéo sur Internet quelque temps plus tôt montrant une procession de jeunes étudiants qui défilaient sur le campus de Harvard en maillots de bain, se mortifiant les chairs à l'aide de fouets et de martinets artisanaux, certains agrémentés de clous et de punaises fixés sur les lanières. Ensuite, les jeunes s'asseyaient sur l'herbe et se frottaient le dos avec de la pommade. Ils prétendaient se sentir purifiés par la douleur, temporairement lavés de leurs péchés.

— Waouh.

Tom regarda Aïe d'un peu plus près. Elle portait un pull en coton bleu pâle qui avait l'air tout propre. Elle avait le teint clair, ses cheveux étaient lisses et doux, comme si elle bénéficiait encore de douches et de repas fixes.

— Impressionnant.

— Tu devrais voir ses cicatrices, dit Eggy avec admiration. Son dos ressemble à une carte topographique.

— J'ai vu ce genre d'idiots une fois, lui dit Kermit. J'étais assis dehors au Bon Pain, un magnifique jour de printemps, et qu'est-ce que je vois tout à coup, une douzaine de gamins alignés sur le trottoir comme un groupe de chanteurs *a cappella*, hurlant leurs scores de tests de niveau et se flagellant comme des cinglés. *Sept cent vingt, Lecture Commentée ! Paf ! Sept cent quatre-vingt, maths ! Paf ! Six cent quatre-vingt-dix, Écriture ! Paf !*

Aïe rougissait.

— On faisait ça au début. Mais ensuite on a commencé à personnaliser la chose. Quelqu'un criait : *Rôle principal dans Godspell !* et le suivant : *Page au*

Congrès ! ou *Employé du Lampoon !* Le mien était vraiment long : *Chercheuse-Athlète de deux équipes universitaires !*

Le souvenir lui tira un rire.

— Il y avait ce type qui est venu deux ou trois fois et qui criait qu'il était un tombeur et super fier de la taille de son pénis. *Vingt centimètres ! Je l'ai mesuré ! J'ai même posté des photos sur Craigslist !*

— Putain d'étudiants de Harvard, commenta Eggy. Toujours en train de se vanter de quelque chose.

— C'est vrai, admit Aïe. Toute l'idée était qu'on devait se repentir de nos péchés d'orgueil et d'égocentrisme démesurés, mais même pour ça on était dans la compétition. Ce gars que je connaissais, tout ce qu'il criait toujours, c'était : *Je suis le plus gros con que la Terre ait jamais porté !*

— Il faut toujours se surpasser, dit Kermit. Surtout à Harvard.

— Tu as fait ça pendant combien de temps ? demanda Tom.

— Quelques mois, dit-elle. Mais où ça peut mener un truc pareil ? Ça ne va absolument nulle part, tu vois ? Au bout d'un moment, même la douleur devient ennuyeuse.

— Et qu'est-ce qui s'est passé après ? Tu as jeté ton fouet et t'es retournée à la fac ?

— Ils ont exigé que je prenne un an de congé.

Elle haussa vaguement les épaules, comme si cela ne valait pas la peine d'en parler.

— J'ai fait beaucoup de snowboard.

— Mais maintenant tu es de retour ?

— Officiellement. Mais je ne vais pas vraiment en cours.

Elle toucha sa cible.

— C'est plus ça qui m'intéresse maintenant. J'ai l'impression que ça me correspond vraiment bien, tu sais ? Beaucoup plus de stimulation sociale et intellectuelle. Je crois que c'est ce dont j'ai besoin.

— Plus de sexe et de drogues aussi, ajouta Eggy avec un petit sourire narquois.

— Certainement plus.

Aïe eut l'air un peu gênée.

— Mes parents n'aiment pas trop ça. Surtout le sexe.

— Les parents ne sont jamais très contents, lui dit Kermit. Mais ça fait partie du truc. Il faut se libérer de ces conventions bourgeoises. Trouver sa propre voie.

— C'est dur, dit-elle. On est vraiment une famille très liée.

— C'est pas de la blague, les informa Eggy. Ils ont appelé hier soir pendant qu'on baisait et elle a décroché.

— Hein ? demanda Kermit. T'as jamais entendu parler du répondeur ?

— C'est notre contrat, expliqua Aïe. Je peux faire ce que je veux tant que je réponds au téléphone. Ils veulent juste s'assurer que je suis en vie. Je considère que je leur dois bien ça.

— Ça va bien plus loin.

Eggy avait l'air sincèrement exaspérée.

— Ils parlent pendant genre une demi-heure, ils ont cette longue discussion alambiquée au sujet de moralité, de responsabilité et d'amour-propre.

Kermit eut l'air intrigué.

— Pendant que vous baisiez ?

— Ouais, ronchonna Eggy. Super excitant.

— Ils m'ont mis dans une colère.

Aïe rougit de nouveau.

— Ils refusaient d'admettre que faire l'amour était plus sain que de me flageller. Ils essayaient à tout prix d'établir une équivalence morale entre les deux, ce qui est parfaitement ridicule.

— Et puis, attends, elle me les passe.

Eggy fit mine de se tirer une balle dans la tête.

— Elle me passe ses parents. Je suis tout nu avec une putain d'érection. Incroyable.

— Ils voulaient te parler.

— Mais moi, je voulais pas leur parler. Comment tu crois que je me sentais, me faire interroger par ces gens que j'ai jamais rencontrés – quel est mon vrai nom, quel âge j'ai, est-ce que je me protège quand je fais l'amour avec leur petite fille ? J'ai fini par leur dire : « Écoutez, votre petite fille est une adulte consentante », et ils me répondent genre : « Nous savons ça, mais c'est toujours notre fille, et elle compte plus pour nous que n'importe quoi au monde. » Putain, qu'est-ce que je suis censé répondre à ça ?

— C'est à cause de ma sœur, lui dit Aïe. Ils ne s'en sont toujours pas remis. Aucun de nous ne s'en est remis.

— En tout cas, dit Eggy d'un ton las, le temps qu'elle ait terminé de leur parler, j'avais même plus envie de baiser. Et il en faut beaucoup pour que j'ai pas envie.

Aïe lui décocha un regard.

— Ça ne t'a pas pris longtemps.

— Tu étais très persuasive.

— Ah, dit Kermit. Alors il y a eu une fin heureuse, finalement.

— Deux, en fait.

Eggy prit un air suffisant.

— C'est une vraie Chercheuse-Athlète.

La chose ne surprit pas Tom (les mecs va-nu-pieds se vantaient tout le temps de leurs exploits sexuels), mais il ne pouvait s'empêcher de se sentir offensé pour Aïe. Dans un monde qui aurait du sens, elle ne parlerait même pas à Eggy, sans mentionner le fait de coucher avec lui. Elle avait dû sentir son empathie, parce qu'elle se tourna vers lui avec une curieuse expression.

— Et toi ? demanda-t-elle. Tu es en contact avec ta famille ?

— Pas vraiment. Pas depuis un certain temps.

— Vous vous êtes disputés ?

— On s'est juste éloignés.

— Tes parents savent que tu es en vie et que tu es en bonne santé ?

Tom ne savait pas très bien comment répondre à la question.

— Je devrais probablement leur envoyer un e-mail, marmonna-t-il.

— C'est à qui le tour ? demanda Eggy à Kermit.

Aïe sortit son téléphone et le fit glisser sur la table.

— Tu devrais les appeler, dit-elle. Je suis sûre qu'ils aimeraient bien avoir de tes nouvelles.

Au Pamplemousse

Nora acheta une nouvelle robe pour la Saint-Valentin et le regretta aussitôt. Non qu'elle ne fût seyante ; ce n'était pas du tout le problème. La robe était ravissante (mélange de soie et de rayonne bleu gris, sans manche, avec un col en V et une taille Empire) et elle lui allait parfaitement, comme si elle avait été coupée pour elle. Même sous la lumière déprimante dans la cabine d'essayage, Nora vit à quel point elle la flattait, la manière dont elle soulignait l'élégance de ses épaules et la longueur de ses jambes, le tissu pâle et mat attirant l'attention sur ses cheveux et ses yeux foncés, ses pommettes enviables, son menton gracieusement sculpté.

Ma bouche, se dit-elle. *J'ai une jolie bouche.* Sa fille avait exactement la même, mais elle préférait ne pas y penser.

Il lui était aisé d'imaginer les regards qu'on lui lancerait dans cette robe, les têtes qui se tourneraient quand elle entrerait dans le restaurant, le plaisir dans les yeux de Kevin tandis qu'il l'admirerait de l'autre côté de la table. C'était cela, le problème, la facilité avec laquelle elle s'était laissée emporter par l'excitation de la fête. Parce qu'elle savait déjà que cela ne marcherait pas, qu'elle avait commis une erreur en s'engageant dans une relation avec lui, et que leurs jours étaient comptés – pas à cause de quelque chose qu'il aurait fait ou n'aurait pas fait, mais à cause d'elle, à cause de ce qu'elle était et de tout ce dont elle n'était plus capable. Alors quel était le sens d'avoir l'air si belle – plus belle qu'elle n'en avait le droit, en vérité –, de manger un bon repas dans un restaurant chic, de boire du vin cher et de partager un dessert décadent, de commencer quelque chose qui finirait probablement au lit, et ensuite dans les larmes ? Pourquoi leur imposer cela, à l'un ou à l'autre ?

Mais Kevin ne lui avait donné aucun avertissement préalable. Il lui avait lancé l'invitation quelques jours plus tôt, au moment de partir.

Jeudi à huit heures, avait-il dit, comme si l'événement était déjà gravé dans le marbre. *Marque-le dans ton agenda.*

Marquer quoi ?

La Saint-Valentin. J'ai réservé pour deux personnes au Pamplemousse*. Je viendrai te chercher à sept heures et demie.*

Cela s'était passé si vite et lui avait paru si naturel qu'il ne lui était pas venu à l'esprit de refuser. Comment l'aurait-elle pu ? Il était son petit ami, du moins pour le moment, et on était à la mi-février. Évidemment qu'il l'emmenait dîner.

Porte une jolie tenue, avait-il ajouté.

Toute sa vie, elle avait été une gogo de la Saint-Valentin, même au cours de ses premières années d'université, quand de nombreuses personnes que Nora respectait traitaient la fête comme, au mieux, une blague sexiste, un conte de fées éculé et commercial, comme dans la série *Leave It to Beaver* lorsque

* En français dans le texte (*N.d.T.*).

330

Ward offre à June une boîte de chocolats en forme de cœur.

Attends que je comprenne bien, lui dit Brian pour se moquer d'elle. *Je t'offre des fleurs, et tu écartes les jambes ?*

C'est ça, lui répondit-elle. *C'est exactement comme ça que ça se passe.*

Et il avait bien reçu le message. Même M. Post-Structuraliste lui avait apporté une douzaine de roses et l'avait emmenée dîner dans un restaurant trop cher pour ses finances. Et quand ils étaient rentrés, elle avait respecté sa part du contrat, avec un peu plus d'enthousiasme et d'inventivité que d'habitude.

Tu vois ? lui dit-elle. *C'était pas si terrible, si ?*

C'était pas mal, concéda-t-il. *J'imagine qu'une fois par an ne me tuera pas.*

Avec l'âge, elle prit conscience qu'il n'y avait aucune raison de s'excuser. C'était qui elle était. Elle aimait qu'on la sorte dîner et qu'on lui offre du bon vin, qu'on la fasse se sentir spéciale, elle aimait quand le livreur apparaissait au bureau avec un grand bouquet et un gentil petit mot, et que ses collègues femmes lui disaient qu'elle avait bien de la chance d'avoir un petit ami aussi romantique, un fiancé si prévenant, un mari si attentionné. Elle avait toujours apprécié ça chez Doug : il ne l'avait jamais déçue pour la Saint-Valentin, il n'oubliait jamais les fleurs et paraissait toujours sincère. Il aimait la surprendre, lui offrir un bijou une année, un week-end dans un hôtel de luxe la suivante. Champagne et fraises au lit, un sonnet en son honneur, un repas de gourmet à la maison. Elle comprenait maintenant que ce n'était qu'une façade, qu'il se glissait probablement hors du lit dès qu'elle était endormie pour écrire des e-mails torrides à Kylie ou à une autre femme, mais elle ne le savait pas à ce moment-là. À l'époque, chaque cadeau lui avait fait l'effet d'un geste tendre supplémentaire, dans une série qui devait durer éternellement, hommage qu'elle méritait, de la part de l'homme adorable qui l'aimait.

Une bougie était placée au centre de la table, à la lueur vacillante de laquelle le visage de Nora paraissait plus jeune que d'habitude, comme si les rides aux coins de ses yeux et de sa bouche avaient été effacées. Il espérait que la lumière douce lui rendait à lui aussi le même service, offrant à Nora un aperçu du bel homme qu'il avait été, celui qu'elle n'avait jamais eu l'occasion de rencontrer.

— C'est un restaurant agréable, dit-il. Très simple.

Elle inspecta la salle du regard comme si elle la découvrait à l'instant, embrassant le décor rustique d'un air d'approbation mitigée – le haut plafond aux poutres apparentes, les luminaires en forme de cloche suspendus au-dessus de tables taillées dans la pierre, le plancher de bois et les murs de briques.

— Pourquoi est-ce qu'il l'appelle le « pample-mousse » ? demanda-t-elle.

— « Pamplemousse » ?

— Oui. Ça veut dire *grapefruit* en anglais.

— Vraiment ?

Elle lui tendit le menu, montrant du doigt un gros rond jaune sur la couverture.

Il scruta l'image.

— Je pensais que c'était le soleil.

— C'est un pamplemousse.

— Oups.

Le regard de Nora se tourna vers le bar, où s'agglu-tinaient un groupe de gens festifs, attendant que des tables se libèrent. Kevin ne comprenait pas pourquoi ils avaient tous l'air si joyeux. Pour sa part, il détestait devoir tuer le temps sur un estomac vide, sans savoir quand l'hôtesse allait vous appeler.

— Obtenir une réservation n'a pas dû être facile, dit-elle. Huit heures, en plus.

— J'ai appelé au bon moment.

Kevin haussa les épaules, comme si ce n'était pas grand-chose.

— Quelqu'un venait d'annuler sa réservation quand j'ai téléphoné.

Ce n'était pas tout à fait vrai. (Il avait dû demander au fournisseur de vin du restaurant, qui avait débuté comme vendeur à Patriot Liquors, de lui rendre ce service, mais il décida de ne pas dévoiler cette information.) Beaucoup de femmes auraient été impressionnées par ses capacités à bénéficier ainsi de piston, mais Kevin ne pensait pas que Nora fût de celles-là.

— J'imagine que tu es chanceux, alors, lui dit-elle.

— C'est vrai.

Il inclina son verre en direction de Nora, manière pas trop appuyée de lui suggérer de trinquer.

— Joyeuse Saint-Valentin.

Elle imita son geste.

— À toi aussi.

— Tu es très belle, dit-il, pas pour la première fois ce soir-là.

Nora sourit sans conviction et ouvrit son menu. Il voyait que cela lui coûtait d'être ici, exposée de la sorte, révélant à toute la ville leur petit secret. Mais elle était là – elle était venue, rien que pour lui – et c'était ce qui importait.

C'était grâce à Aimee. Sans ses encouragements, il n'aurait jamais forcé la décision, n'aurait pas eu le courage d'extraire Nora de sa zone de confort.

— Je ne veux pas la pousser, avait-il dit. C'est une personne assez fragile.

— C'est une survivante, lui avait rappelé Aimee. Je parie qu'elle est bien plus forte que vous le pensez.

Kevin savait que c'était une allégation douteuse, recevoir les conseils d'une adolescente sur sa relation (une élève qui avait arrêté le lycée, en plus), mais il connaissait mieux Aimee depuis deux semaines et s'était mis à la considérer plus comme une amie et une égale que comme la copine de classe de sa fille. Pour quelqu'un qui avait fait d'assez mauvais choix dans sa propre vie, elle montrait en réalité beaucoup de discernement vis-à-vis des autres et de ce qui les animait.

C'était étrange au début, tous les deux seuls dans la maison après le départ de Jill pour le lycée, mais ils avaient surmonté la chose assez vite. Aimee se conduisait très correctement, elle descendait le matin bien réveillée et complètement habillée, plus de Lolita somnolente en débardeur. Elle était polie, amicale et étonnamment avenante. Elle lui parla de son nouveau travail – apparemment, servir dans un restaurant était beaucoup plus dur qu'elle ne l'avait imaginé – et posa beaucoup de questions à Kevin sur le sien. Ils discutaient des événements récents, de musique et de sport – elle était une assez grande fan de basket-ball – et regardaient des vidéos amusantes sur YouTube. Elle se montrait également curieuse de la vie personnelle de Kevin.

— Comment va votre petite amie ? lui demandait-elle presque tous les matins. Ça devient sérieux entre vous ?

Pendant un temps, Kevin répondit simplement : *Elle va bien*, et passait à autre chose, essayant de lui faire comprendre que cela ne la regardait pas, mais Aimee fit comme si elle ne saisissait pas. Et puis un matin de la semaine dernière, sans en décider consciemment, il laissa échapper une réponse honnête.

— Il y a quelque chose qui cloche, dit-il. Je l'aime beaucoup, mais je crois que la relation s'essouffle.

Il lui raconta toute l'histoire, excepté les maigres détails sexuels – le défilé, la soirée dansante, le voyage impulsif en Floride, l'ornière dans laquelle ils étaient

334

tombés en rentrant, son sentiment qu'elle le repoussait, qu'il n'était pas vraiment le bienvenu dans sa vie.

— J'essaie de mieux la connaître, mais elle refuse de me parler. C'est frustrant.

— Mais vous voulez rester avec elle ?

— Pas si ça doit être comme ça.

— Comment vous voulez que ce soit ?

— Une relation normale, tu vois ? Aussi normale que possible pour elle à l'heure actuelle. Sortir de temps en temps, aller au cinéma, ou autre chose. Peut-être avec des amis, pour que ce ne soit pas que nous deux. Et j'aimerais pouvoir avoir une vraie conversation, pas avoir à m'inquiéter en permanence de ce que je dis.

— Elle sait ça ?

— Je crois. Je ne vois pas comment elle pourrait ne pas le savoir.

Aimee l'étudia pendant quelques secondes, tout en faisant tourner sa langue dans sa bouche.

— Vous êtes trop poli, dit-elle. Il faut que vous lui disiez ce que vous désirez.

— J'essaie. Mais quand je lui propose de sortir, elle refuse et répond qu'elle préférerait rester à la maison.

— Ne lui laissez pas le choix. Dites-lui simplement : « Hé, je t'emmène dîner. J'ai déjà réservé. »

— Ça me paraît un peu directif.

— Vous avez une autre option ?

Kevin haussa les épaules, comme si la réponse était évidente.

— Essayez, dit-elle. Qu'est-ce que vous avez à perdre ?

Nick et Zoe s'en donnaient à cœur joie. Ils étaient à genoux sur la moquette, à portée de main de Jill, Zoe ronronnant de plaisir tandis que Nick la léchait dans le cou et y frottait son nez, dans ce qui semblait être une représentation de préliminaires façon vampire.

— Ça chauffe, les gars.

Jason parlait dans un microphone imaginaire, imitant une voix de journaliste de sport qui n'était pas aussi drôle qu'il avait l'air de le penser.

— Lazarro est parfaitement concentré, descendant méthodiquement le terrain...

Si Aimee avait été là, elle aurait fait une remarque habile et condescendante pour entamer la concentration de Nick et lui rappeler de ne pas se laisser emporter. Mais Aimee ne jouait pas – elle avait abandonné le jeu un mois plus tôt quand elle avait commencé à travailler à Applebee –, donc si quelqu'un devait intervenir, ce devait être Jill.

Mais Jill garda le silence tandis que le couple s'écroulait au sol, Nick sur le dessus, la jambe de Zoe enveloppée d'un bas résille s'enroulant autour de ses genoux. Jill était surprise de la profondeur de son indifférence à ce spectacle. S'il s'était agi d'Aimee sous Nick, elle en aurait été malade de jalousie. Mais ce n'était que Zoe, et Zoe n'avait aucune importance. Si Nick la voulait, il n'avait qu'à l'avoir.

Vas-y, pensa-t-elle.

C'était presque embarrassant de se rappeler tout le temps et l'énergie sentimentale qu'elle avait gaspillés avec Nick à l'automne, se languissant pour le seul garçon qu'elle ne pouvait pas avoir, le prix qu'Aimee avait revendiqué pour elle-même. Il était toujours beau, avec sa mâchoire carrée et ses cils ravissants, et alors ? L'été dernier, quand elle avait commencé à le connaître, il s'était également révélé adorable et drôle, attentif et enjoué (elle se souvenait de leurs fous rires plus que de leur relation sexuelle), mais ces derniers temps, il ressemblait à un zombie, totalement sinistre, un de ces crétins avec une érection. Et ce n'était pas que de sa faute à lui – Jill se sentait maladroite et mutique en sa présence, incapable de trouver la moindre chose à dire pour le dérider, pour lui rappeler qu'ils avaient été amis, qu'elle était plus qu'une bouche serviable ou une main pleine de lubrifiant.

Mais le vrai problème n'était pas Nick, ni Jill ou Zoe, ni aucun des autres joueurs. C'était Aimee. Jill ne s'était rendu compte de l'importance de son rôle que lorsqu'elle avait cessé de venir chez Dmitri, non seulement pour le jeu, mais pour le groupe dans sa totalité. Elle était la personne essentielle, le soleil de leur petit système solaire, la force magnétique qui les faisait tous tenir ensemble.

C'est notre Wardell Brown, songea Jill.

Wardell Brown avait été le centre de l'équipe de basket de son frère au lycée, une superstar de deux mètres qui marquait régulièrement plus de points que le reste de ses coéquipiers réunis. C'était presque comique de les regarder jouer ensemble, quatre garçons blancs de taille moyenne, parfaitement compétents, se démenant pour rester à la hauteur d'un géant noir et gracieux, qui jouait à un niveau totalement différent. Pendant l'année de terminale de Tom, Wardell conduisit les Pirates jusqu'à la finale du tournoi d'État, pour finalement ne pas participer au match pour le titre de champion, à cause d'une entorse à la cheville. Privé de ses services, l'équipe s'effondra et prit une dérouillée humiliante.

— Wardell est notre colle, avait dit l'entraîneur après coup. Sans lui, les roues se détachent.

C'était ce que Jill ressentait : jouer à Prenez une Chambre sans Aimee paraissait inepte, disjoint, disloqué. Comme une petite planète dérivant dans l'espace, détachée de son orbite.

Les plats mettaient du temps à arriver. Ou peut-être n'était-ce qu'une impression. Nora n'avait plus l'habitude de manger au restaurant, du moins dans les restaurants de Mapleton, où les gens ne pouvaient s'empêcher de la dévisager, lançant à la dérobée des regards de côté, la scrutant par-dessus leurs menus, dirigeant leurs faisceaux de pitié vers elle, à moins que ce fût seulement son imagination. Peut-être aussi s'imaginer être le centre de l'attention l'arrangeait-elle, fournissant un fondement au sentiment qu'elle avait que tout le monde la remarquait, comme si elle se trouvait sur scène, un projecteur ardent braqué sur le visage, prise au piège dans l'un de ces cauchemars où vous jouiez le rôle principal dans une pièce d'école, mais aviez négligé de mémoriser vos répliques.

— Tu étais comment, enfant ? demanda-t-il.

— Je ne sais pas. Comme tout le monde, j'imagine.

— Personne n'est pareil.

— Les gens ne sont pas aussi différents qu'ils le pensent.

— Tu étais coquette ? insista-t-il. Tu portais des robes roses et ce genre de choses ?

Elle sentit des regards scrutateurs en provenance d'une table derrière elle, légèrement à droite, où une femme qu'elle avait reconnue, mais dont le nom lui échappait, était assise avec son mari et un autre couple. La fille de cette femme, Taylor, avait été l'une de ses élèves à Little Sprouts Academy. La petite fille avait une voix menue à peine audible (Nora lui demandait toujours de répéter) et elle parlait sans cesse de son meilleur ami, Neil, et comme ils s'amusaient bien ensemble. Nora connaissait Taylor depuis six mois peut-être lorsqu'elle comprit finalement que Neil n'était pas un voisin, mais un Boston Terrier.

— Je portais parfois des robes. Mais je n'étais pas une petite princesse, ou quoi que ce soit du genre.

— Tu étais une enfant heureuse ?

— Oui, assez, j'imagine. J'ai eu quelques années difficiles au collège.

— Pourquoi ?

— Tu sais. Les bagues, de l'acné. Les choses habituelles.

— Tu avais des copines ?

— Bien sûr. Je veux dire, je n'étais pas la fille la plus populaire du monde, mais j'avais des copines.

— Elles s'appelaient comment ?

Mon Dieu, pensa Nora. *Il est acharné.* Il l'interrogeait de la sorte depuis le moment où ils s'étaient assis à table, comme s'il était un journaliste qui devait écrire un article pour le journal local – « Mon Dîner avec Nora : La saga poignante d'une femme pathétique ». Les questions étaient assez anodines – *Qu'est-ce que tu as fait aujourd'hui ? Tu as déjà joué au hockey ? Tu as déjà eu des fractures ?* – mais elles exaspéraient quand même Nora. Elle pouvait voir qu'il s'agissait juste d'un échauffement, de questions de rechange pour celles qu'il aurait réellement voulu lui poser : *Que s'est-il passé ce soir-là ? Comment as-tu continué à vivre ? Comment c'est d'être toi ?*

— C'était il y a longtemps, Kevin.

— Pas si longtemps.

Elle aperçut le serveur se diriger vers eux, un petit homme au teint olivâtre et au visage de star du muet, une assiette dans chaque main. *Enfin*, pensa-t-elle, mais il passa sans s'arrêter devant eux, en chemin vers une autre table.

— Tu ne te souviens vraiment pas de leurs noms ?

— Si, je me souviens de leurs noms, dit-elle, parlant d'un ton plus brusque qu'elle n'en avait eu l'intention. Je ne suis pas atteinte de lésion cérébrale.

— Pardon, répliqua-t-il. J'essayais juste de faire la conversation.

— Je sais.

Nora se sentit comme une idiote de l'avoir agressé.

— Ce n'est pas de ta faute.

Il jeta un regard inquiet vers la cuisine.

— Je me demande ce qui prend autant de temps.

— Il y a beaucoup de monde, dit-elle. Elles s'appelaient Liz, Lizzie et Alexa.

Max commença à se déshabiller dès que Jill referma la porte, comme si elle était un médecin qui n'aimait pas qu'on le fasse attendre. Il portait un pull en laine au-dessus de son T-shirt, mais il retira les deux d'un seul geste rapide, l'électricité statique faisant crépiter ses cheveux fins qui formèrent comme un halo enfantin autour de sa tête. Il avait un torse étroit comparé à celui de Nick, lisse et dépourvu de muscle, le ventre plat mais qui n'évoquait pas celui de mannequins sexy pour sous-vêtements.

— Ça fait longtemps, dit-il en détachant son pantalon, puis le laissant glisser le long de ses cuisses maigres.

— Pas si longtemps. Une semaine à peu près.

— Bien plus longtemps que ça, dit-il en sortant les pieds de son jean et l'envoyant d'un coup de pied contre le mur, par-dessus son T-shirt et son pull. Douze jours.

— Mais on s'en fout, hein ?

— Ouais, répondit-il d'une voix plate et amère. On s'en fout.

Il était toujours fâché contre elle, outré par son avidité à sauter sur Nick dès qu'il avait été libre. Mais c'était le jeu. Vous deviez prendre des décisions, exprimer des préférences, causer de la souffrance et en subir. Parfois, si vous étiez chanceux comme Nick et Aimee l'avaient été, votre premier choix vous choisissait aussi. Mais la plupart du temps, c'était beaucoup moins net.

— Bon, eh ben, je suis là maintenant, lui dit-elle.

— En effet.

Il s'assit sur le bord du lit, retirant ses chaussettes et les lançant sur la pile de vêtements dont il s'était défait.

— Tu obtiens le prix de consolation.

Il aurait été assez facile de le contredire, de lui rappeler qu'elle venait volontairement de renoncer au soi-disant premier prix (le jour de la Saint-Valentin, en plus, même s'ils s'en fichaient tous), mais pour une raison ou une autre, elle se retint. Elle savait que ce n'était pas juste. Dans un monde plus logique, sa déception par rapport à Nick aurait dû la rendre plus appréciative de Max et non pas moins, mais cela n'avait pas fonctionné de cette manière. La comparaison n'avait fait qu'accentuer les défauts de l'un comme de l'autre, le fait que le sexy n'était pas sympathique et que le sympathique n'était pas sexy.

— Qu'est-ce qu'il y a ? demanda-t-il.

— Rien. Pourquoi ?

— Parce que tu restes debout. Pourquoi tu ne viens pas au lit ?

— Je sais pas.

Jill essaya de sourire, mais n'y parvint pas vraiment.

— Je me sens juste un peu timide ce soir.

— Timide ? (Il ne put s'empêcher de rire.) C'est un peu tard pour la timidité.

Elle dessina du bras un vague arc de cercle, destiné à englober le jeu, la pièce et leurs vies.

— T'en as jamais marre de tout ça ?

— Parfois, répondit-il. Pas ce soir.

Elle ne bougea pas. Au bout de quelques secondes, il s'étendit sur le lit, chevilles croisées, mains entrelacées derrière la tête. Il portait un nouveau boxer marron avec un liseré orange, inhabituellement stylé.

— Joli caleçon, remarqua-t-elle.

— Ma mère l'a acheté à Cotsco. Un paquet de huit, tous de couleur différente.

— Ma mère m'achetait aussi mes sous-vêtements, expliqua-t-elle. Mais je lui ai dit que je trouvais ça bizarre, alors elle a arrêté.

Max s'allongea sur le côté, s'accoudant et soutenant son menton d'une main, puis observa Jill d'un air pensif. Maintenant, il semblait réellement poser, s'il y avait eu un monde où les mannequins pour sous-vêtements avaient été recrutés pour leurs jambes poilues en cure-pipe et leur absence de muscle.

— J'ai oublié de te dire, fit-il. J'ai vu ta mère l'autre jour. Elle m'a suivi jusqu'à chez moi quand je rentrais de mon cours de guitare. Elle et cette autre femme.

— C'est vrai ?

Jill essaya d'avoir l'air détachée. C'était gênant, la manière dont son cœur bondissait à chaque fois que quelqu'un mentionnait sa mère.

— Comment elle va ?

— Difficile à dire. Elles se sont juste plantées, tu sais, quand elles se tiennent tout près et te dévisagent.

— Je déteste ça.

— C'est glaçant, acquiesça-t-il. Mais je n'ai rien dit de méchant. Je les ai juste laissées m'accompagner jusqu'à la maison.

Jill eut un haut-le-cœur de nostalgie. Elle n'avait pas aperçu sa mère depuis des mois, ne la rencontrait jamais dans les rues de Mapleton, alors qu'elle semblait être une figure familière en ville. Les autres la voyaient tout le temps.

— Elle fumait ?

— Ouais.

— Tu l'as vu allumer une cigarette ?

— Je crois. Pourquoi ?

— Je lui ai offert un briquet pour Noël. Je me demandais si elle l'utilisait.

— J'en sais rien.

Son visage se crispa tandis qu'il essayait de réfléchir.

— Non, attends. Elles avaient des allumettes.

— T'es sûr ?

— Ouais.

Le doute avait quitté sa voix.

— C'était vendredi dernier. Tu te rappelles comme il faisait froid avec ce vent ? Sa main tremblait et elle avait vraiment du mal à allumer l'allumette. Je lui ai proposé de l'aider, mais elle ne m'a pas laissé. Ça lui a pris trois ou quatre fois avant d'y arriver.

Salope, pensa Jill. *Bien fait pour elle.*

— Allez, viens. (Max tapota le lit.) Détends-toi. T'es pas obligée d'enlever tes vêtements si tu veux pas.

Jill considéra la proposition. Elle aimait bien, avant, se reposer avec Max dans le noir, deux corps chauds sous les couvertures, parlant de ce qui leur passait par la tête.

— Je ne te toucherai pas, promit-il. Je ne vais même pas me masturber.

— C'est gentil, dit-elle. Mais je crois que je vais rentrer.

Ils furent tous les deux soulagés quand leurs plats arrivèrent, en partie parce qu'ils avaient faim, mais surtout parce que cela leur donnait un prétexte pour suspendre la conversation un instant, reprendre leur souffle, et peut-être repartir sur une note plus légère. Kevin savait qu'il avait fait une erreur de l'assaillir de tant de questions, transformant la conversation en interrogatoire.

Sois patient, se dit-il. *C'est censé être une soirée agréable.*

Après quelques bouchées en silence, Nora releva les yeux de ses raviolis aux champignons.

— Délicieux, dit-elle. La sauce à la crème.

— Mon plat aussi.

Il exhiba un morceau d'agneau pour qu'elle puisse l'examiner, voir comme il était grillé à la perfection, marron à l'extérieur, rose au milieu.

— Ça fond dans la bouche.

Elle sourit d'un air un peu écœuré, et il se rappela, trop tard, qu'elle ne mangeait pas de viande. Cela la dégoûtait-elle, se demanda-t-il, qu'on lui demande d'admirer un morceau de chair cuite embrochée au bout d'une fourchette ? Il comprenait très bien comment on pouvait se convaincre de devenir végétarien, s'enseigner à penser « animal mort » plutôt que « tendre et succulent ». Il l'avait lui-même fait en de nombreuses occasions, en général après la lecture d'articles sur les fermes industrielles et l'abattage, mais ces scrupules disparaissaient toujours dès qu'il lisait un menu.

— Alors, comment était ta journée ? demanda-t-elle. Des événements intéressants ?

Kevin n'hésita qu'une seconde. Il avait prévu la question et décidé de ne pas prendre de risque, préparant une réponse banale et inoffensive – *Pas vraiment, je suis juste allé travailler, et puis je suis rentré –*, conservant la vérité pour plus tard, pour un moment ultérieur indéterminé, quand il la connaîtrait un peu mieux et que leur relation se serait un peu affermie. Mais quand cela arriverait-il ? Comment pouvait-on connaître quelqu'un un peu mieux si on ne pouvait pas donner une réponse honnête à une simple question, surtout quand il s'agissait d'un sujet aussi important ?

— Mon fils a appelé cet après-midi, lui dit-il. Je n'avais pas eu de ses nouvelles depuis l'été. J'étais vraiment inquiet.

— Waouh, s'exclama-t-elle après un bref silence qui n'eut pas le temps de devenir trop pesant. Il va bien ?

— Je crois.

Kevin voulut sourire, mais s'efforça de résister à son impulsion.

— Il avait l'air.

— Il est où ?

— Il ne m'a pas dit. Le portable qu'il a utilisé avait un indicatif du Vermont, mais ce n'était pas le sien. J'étais tellement soulagé d'entendre le son de sa voix.

— C'est bien, dit-elle avec une certaine froideur, tentant de prendre un air réjoui et sincère.

— Ça va ? demanda-t-il. On peut parler d'autre chose si tu...

— Ça va, l'assura-t-elle. Je suis contente pour toi.

Kevin décida de ne pas pousser sa chance.

— Et toi ? Tu as fait quelque chose d'intéressant cet après-midi ?

— Pas vraiment, dit-elle. Je me suis fait épiler les sourcils.

— Ils sont beaux. Bien dessinés.

— Merci.

Elle se toucha le front, suivant du bout du doigt son sourcil droit, qui paraissait en effet un peu plus nettement tracé que d'habitude.

— Ton fils fait toujours partie de ce culte ? Ce truc de saint Wayne ?

— Il dit que c'est terminé.

Kevin baissa les yeux et fixa la grosse bougie dans son petit pot de verre, la flamme tremblante flottant au milieu d'une flaque de cire fondue. Il eut l'envie soudaine de plonger le doigt dans le liquide chaud, puis de le laisser durcir à l'air, comme une seconde peau.

— Il pense peut-être rentrer à la maison, reprendre ses études.

— Vraiment ?

— C'est ce qu'il m'a dit. J'espère que c'est vrai.

Nora prit son couteau et sa fourchette et coupa un ravioli. Il était gros et rebondi, avec des bords en dentelle.

— Vous étiez proches ? demanda-t-elle, la tête toujours baissée, coupant les moitiés en quarts. Toi et ton fils ?

— Je pensais qu'on l'était.

Kevin fut surpris par le tremblement de sa voix.

— C'était mon petit garçon. J'ai toujours été tellement fier de lui.

Nora leva les yeux, une étrange expression sur le visage. Kevin sentit sa bouche se distendre et la compression de ses globes oculaires s'intensifier.

— Pardon, dit-il, avant de se plaquer la main sur la bouche, essayant d'étouffer le bruit de ses pleurs. Je reviens dans une seconde.

Il faisait peut-être moins dix dehors, mais l'air du soir lui paraissait pur et revivifiant. Jill se tint sur le trottoir et regarda longuement la maison de Dmitri, son deuxième chez-elle depuis six mois. C'était une petite maison miteuse, une boîte ordinaire de banlieue, avec un perron en béton et un bow-window à gauche de la porte d'entrée. Le jour, l'extérieur était d'une teinte beige sale, mais à cet instant il n'était d'aucune couleur, simple forme sombre contre un fond encore plus sombre. Une étrange sensation de mélancolie l'envahit – le même sentiment qu'elle avait quand elle passait devant son ancienne école de danse, ou les terrains de football à Greenway Park – comme si le monde était un musée de souvenirs.

De bons moments, pensa-t-elle, mais uniquement comme une sorte de test, pour voir si elle y croyait. Puis elle se retourna et prit la direction de chez elle, la rue si calme et l'air si léger que ses pas résonnaient comme un battement de cœur sur le revêtement, assez fort pour réveiller le voisinage.

Il n'était pas si tard, mais Mapletown ressemblait à une ville fantôme, pas un piéton ni un chien errant en vue. Elle tourna dans Windsor Road, se rappelant d'avoir l'air alerte et décidé. Elle avait suivi un cours de self-défense quelques années plus tôt, et l'enseignant avait dit que la Règle Numéro Un était de ne pas avoir l'air d'une victime. *Gardez la tête haute et les yeux grands ouverts. Donnez l'impression de savoir exactement où vous allez, même quand ce n'est pas le cas.*

Au coin de North Avenue, elle s'arrêta pour réfléchir. C'était une marche de quinze minutes d'ici à Lovell Terrace, mais seulement la moitié si elle coupait par la voie de chemin de fer. Si Aimee avait été là, elle n'aurait pas hésité – elles prenaient toujours le raccourci – mais Jill ne l'avait jamais fait toute seule. Pour rejoindre le passage, il fallait marcher sur un bout de route désolé, passer devant des ateliers de réparation, le Département des Travaux Publiques et de mystérieuses usines portant des noms comme Systèmes Syn-Gen et Usine Tétons Standard, puis se glisser à travers un trou dans le grillage derrière le parking des bus de ramassage scolaire. Une fois qu'on avait traversé les rails et contourné Walgreens par-derrière, on se retrouvait dans une zone bien plus attrayante, quartier résidentiel parsemé de lampadaires et d'arbres.

Elle n'entendit pas la voiture. Elle s'approcha en silence par-derrière, une présence soudaine et inquiétante au bord de sa vision. Jill haleta, puis se retourna brusquement, adoptant une position curieuse de karaté tandis que la vitre du côté passager s'abaissait.

— Holà.

Un visage béat et familier l'observait, encadré de dreadlocks blondes rassurantes.

— Ça va ?

— Ça allait. (Jill prit un air exaspéré tandis qu'elle redescendait les bras.) Jusqu'à ce que vous me foutiez la trouille de ma vie.

— Désolé.

Scott Frost, le jumeau sans piercing, occupait le siège passager.

— Tu fais du karaté ?

— Ouais, Jackie Chan est mon oncle.

Il sourit en signe d'approbation.

— Elle est bonne.

— Où est Aimee ? demanda Adam Frost de la place du conducteur. On l'a pas vue depuis un moment.

— Elle travaille, expliqua Jill. Elle a un boulot à Applebee.

Scott la scruta de ses yeux gonflés et mélancoliques.

— T'as besoin qu'on te ramène quelque part ?

— Ça va, lui dit-elle. J'habite juste de l'autre côté de la voie ferrée.

— T'es sûre ? Ça gèle dehors.

Jill haussa les épaules d'un air stoïque.

— Ça me dérange pas de marcher.

— Hé.

Adam se pencha et apparut dans l'encadrement de la vitre.

— Si tu vois Aimee, dis-lui bonjour de ma part.

— On pourrait peut-être faire la fête un de ces jours, suggéra Scott. Tous les quatre.

— Ouais, dit Jill, et la Toyota Prius s'éloigna, aussi silencieusement qu'elle s'était approchée.

Dans les toilettes pour hommes, Kevin se passa de l'eau froide sur le visage et s'essuya avec une serviette en papier. Il se sentait comme un imbécile, à s'être effondré de la sorte devant Nora. Il vit combien cela la mettait mal à l'aise, la manière qu'elle avait eue de se figer, comme si elle n'avait jamais vu un homme pleurer et ne savait même pas que c'était possible.

Il avait été lui aussi pris par surprise. Il était tellement inquiet de la réaction de Nora à ce qu'il disait, qu'il ne pensait même pas à sa propre réaction. Mais quelque chose en lui avait rompu, un élastique qui avait été si tendu pendant si longtemps qu'il en avait oublié jusqu'à l'existence. C'était l'expression *petit garçon* qui avait été le déclencheur, le souvenir soudain d'un poids léger sur ses épaules, Tom perché là comme un roi sur son trône, regardant le monde de haut, une main délicate posée sur le sommet du crâne de son père, les talons de ses tennis à Velcro cognant doucement contre la poitrine de Kevin tandis qu'ils marchaient.

Malgré ce qui s'était passé, il était content d'avoir partagé cette bonne nouvelle avec Nora, content d'avoir résisté à la tentation de l'épargner. *Pour quoi ?* Pour qu'ils puissent continuer à se cacher l'un de l'autre, manger leur repas dans un silence inconfortable, se demandant pourquoi ils n'avaient rien à se dire ? C'était plus rude ainsi, mais cela lui semblait constituer une percée, un premier pas nécessaire sur un chemin qui pourrait peut-être vraiment mener quelque part de valable.

Je ne sais pas pour toi, pensa-t-il lui dire quand il retournerait à la table, *mais un bon dîner me fait toujours pleurer.*

Ce serait la manière de gérer la situation – pas d'excuse, juste une petite blague pour aplanir les choses. Il froissa la serviette et la jeta à la poubelle, se regardant une dernière fois dans le miroir avant de sortir.

Une pointe d'inquiétude germa dans sa poitrine tandis qu'il traversait la salle et vit que leur table était vide. Il se dit de ne pas s'inquiéter, qu'elle avait dû profiter de son absence pour aller elle-même aux toilettes. Il se versa un peu de vin et mangea une fourchetée de sa salade de betteraves rôties, essayant de ne pas fixer des yeux la serviette en boule posée à côté de l'assiette de Nora.

Deux ou trois minutes s'écoulèrent. Kevin songea à frapper à la porte des toilettes pour dames, peut-être passer la tête pour voir si elle allait bien, mais le beau serveur s'arrêta près de la table avant qu'il n'en ait eu l'occasion. L'homme regarda Kevin d'un air où tristesse et amusement compatissant semblaient se mêler à parts égales. Il avait un léger accent espagnol.

— Voulez-vous que j'enlève l'assiette de madame, monsieur ? Ou est-ce que vous préféreriez juste l'addition ?

Kevin voulut protester, expliquer que madame allait revenir tout de suite, mais il savait que c'était vain.

— Est-ce qu'elle... ?

— Elle m'a demandé de vous transmettre ses excuses.

— Mais je suis venu en voiture, dit Kevin. Elle est à pied.

Le serveur baissa les yeux, désignant du menton la nourriture dans l'assiette de Kevin.

— Vous voulez l'emporter ?

Jill traversa la rue puis, le menton fier et les épaules en arrière, passa rapidement devant Junior's Auto Body, un garage empli de voitures aux pare-brise éclatés et aux portières froissées, véhicules aux pare-chocs pendouillant et à l'avant enfoncé. Parmi les plus endommagés, certains avaient leurs airbags dégonflés, et il n'était pas inhabituel d'y apercevoir des taches de sang. Elle savait qu'il valait mieux ne pas regarder de trop près, ou penser aux gens qui se trouvaient à l'intérieur.

Elle se sentait idiote d'avoir décliné l'offre des jumeaux de la raccompagner. Simplement parce qu'elle était blessée dans son amour-propre, en colère contre eux pour s'être furtivement approchés d'elle, même s'ils ne l'avaient pas fait exprès. Il y entrait aussi une part de prudence de jeune fille bien éduquée, la petite voix dans sa tête qui lui rappelait qu'on ne montait pas en voiture avec des étrangers. Cela allait un peu à l'encontre du but recherché dans ce cas, puisque l'autre option paraissait encore plus risquée.

En plus, les jumeaux n'étaient pas vraiment des étrangers, et Jill n'avait pas peur d'eux. Aimee lui avait dit qu'ils s'étaient comportés en parfaits gentlemen le jour où elle avait séché le lycée et était allée chez eux. Tout ce qui les intéressait était d'être *stone* et de jouer au ping-pong, durant des heures et des heures. Apparemment, ils étaient vraiment bons, même quand ils étaient cassés. Si jamais il avait existé des jeux Olympiques pour Camés, Aimee pensait que les jumeaux Frost remporteraient probablement les médailles d'or et d'argent en tennis de table, dominant la compétition comme Venus et Serena Williams.

Au cours de cette même conversation, Aimee laissa entendre à Jill qu'elle soupçonnait Scott Frost d'avoir le béguin pour elle, possibilité que Jill avait refusé de prendre au sérieux à l'époque. Pourquoi Scott aurait-il le béguin pour quelqu'un comme elle ? Il ne la connaissait même pas, et elle n'était pas le genre de fille dont les garçons tombaient amoureux de loin.

Il y a une première fois pour tout, lui avait dit Aimee.

Sauf quand il n'y en a pas, avait répliqué Jill.

Mais maintenant elle se posait la question, songeant à la manière dont Scott l'avait observée, la déception dans son regard quand elle lui avait dit qu'elle avait envie de marcher, et même la façon dont il avait ri à sa blague stupide sur Jackie Chan, ce qui voulait dire qu'il était soit très cassé, soit très bien disposé à son égard, ou bien les deux.

On pourrait peut-être faire la fête ensemble, avait-il dit. *Tous les quatre.*

On pourrait, pensa-t-elle.

Jill entendit le sifflement d'un train qui approchait au moment où elle entra sur le parking de Stellar Transport, domicile d'un large troupeau de bus jaunes, plus qu'il n'en fallait pour évacuer la ville entière. Ils avaient l'air surnaturels la nuit, innombrables rangées de créatures fixant la pénombre, régiment de visages stupides et tous identiques. Elle traversa le parking en vitesse, lançant des regards inquiets à droite et à gauche, vérifiant les allées sombres qui les séparaient les uns des autres.

Le sifflement résonna de nouveau, suivi par le fracas de sonnettes d'alarme et un souffle soudain et violent tandis qu'un train de banlieue à deux étages passait en trombe sur la voie en direction de l'est, un mur d'acier terne et de verre lumineux ultrarapide. Pendant quelques assourdissantes secondes, il n'y avait rien d'autre au monde, puis il fut loin, la terre tremblant dans son sillage.

Continuant son chemin, elle fit le tour du pare-chocs du dernier bus et prit à gauche. Elle ne vit l'homme barbu que lorsqu'ils se retrouvèrent nez à nez, coincés entre le bus sur la gauche de Jill et le grillage de deux mètres cinquante de haut à sa droite. Elle ouvrit la bouche pour hurler, mais se rendit aussitôt compte que ce n'était pas nécessaire.

— Vous m'avez fait peur, dit-elle.

L'homme à la barbe la dévisagea. C'était un Surveillant, petit et trapu, vêtu d'une blouse blanche et d'un pantalon de peintre, et qui semblait avoir besoin d'une aide médicale urgente.

— Ça va ? demanda-t-elle.

L'homme ne répondit pas. Il était plié en deux, les mains sur les cuisses, hoquetant comme un poisson hors de l'eau, émettant un son étranglé à chaque fois qu'il ouvrait la bouche.

— Vous voulez que j'appelle les secours ?

Le Surveillant secoua la tête et se redressa. Il retira un inhalateur de sa poche de pantalon et le porta à sa bouche, appuyant sur le bouton et aspirant fort. Il attendit quelques secondes avant d'exhaler, puis répéta l'opération.

Le médicament eut un effet rapide. Lorsqu'il remit l'inhalateur dans sa poche, il respirait déjà mieux, haletant encore un peu, mais ne faisant plus cet horrible bruit. Il épousseta son pantalon et fit un petit pas en direction de Jill. Jill recula pour lui laisser de la place, s'aplatissant contre le grillage pour qu'il puisse se faufiler.

— Bonsoir, lui dit-elle, juste pour être aimable, parce que tant de gens ne l'étaient pas.

Kevin quitta le restaurant démoralisé, le sac de restes rebondissant doucement contre sa jambe. Il n'avait pas voulu le prendre, mais le serveur avait insisté, lui disant que ce serait dommage de gâcher tant de bonne nourriture.

Nora habitait à plus d'un kilomètre, aussi était-il impossible qu'elle soit déjà arrivée chez elle. S'il voulait la trouver, il pourrait simplement rouler au pas le long de Washington Boulevard et chercher à repérer un piéton solitaire. La partie difficile viendrait après, quand il s'arrêterait à côté d'elle et baisserait la vitre du côté passager.

Monte, dirait-il. *Laisse-moi te ramener. Je peux au moins faire ça.*

Mais pourquoi mériterait-elle cette courtoisie ? Elle était partie de son plein gré, sans un mot d'explication. Si elle voulait rentrer à pied dans le froid, c'était son droit. Et si elle voulait l'appeler plus tard et s'excuser – eh bien, la balle était également dans son camp.

Et si elle n'appelait pas ? Et s'il attendait pendant des heures et que le téléphone ne sonnait pas ? À quel moment perdrait-il patience et l'appellerait-il lui-même, voire se rendrait-il chez elle pour sonner à la porte jusqu'à ce qu'elle lui ouvre ? Deux heures du matin ? Quatre heures ? À l'aube ? Il savait avec certitude qu'il ne pourrait pas dormir jusqu'à ce qu'il lui ait au moins parlé et qu'il ait obtenu une explication à propos de ce qui venait de se passer. Alors peut-être la chose la plus intelligente à faire était-elle d'aller la chercher tout de suite, de lui demander de s'expliquer aussi tôt que possible, pour ne pas passer le reste de la nuit à se poser des questions.

Il était si absorbé par ce dilemme qu'il remarqua à peine les deux Surveillantes debout près de sa voiture, ne se rendit même pas compte de qui il s'agissait avant d'avoir déjà déverrouillé les portières à l'aide de sa clé automatique.

— Hé, dit-il, éprouvant un sentiment momentané de soulagement lié à l'absence de Nora, au fait qu'ils n'aient pas à subir ce drame particulier maintenant, la nouvelle petite amie rencontrant l'ex-épouse.

— Ça va toutes les deux ?

Elles ne répondirent pas, mais ce n'était pas nécessaire, pas avec ce froid dehors. La partenaire de Laurie paraissait en hypothermie – elle s'étreignait et se balançait de droite à gauche, une cigarette coincée au coin de la bouche comme si elle avait été collée là –, mais Laurie le scrutait d'un regard tendre et déterminé, de celui que les gens posent sur vous dans une maison funéraire quand le mort est un membre de votre famille et qu'ils veulent vous signifier qu'ils comprennent votre douleur.

— Qu'est-ce qu'il y a ? demanda-t-il.

Laurie avait une enveloppe kraft à la main. Elle la tendit et la tapota contre sa poitrine comme pour lui indiquer qu'il devait la prendre.

— Qu'est-ce que c'est ?

Elle lui lança un regard qui disait : *Tu sais ce que c'est.*

— Oh, non, marmonna-t-il. Tu te fiches de moi ?

Laurie resta de marbre. Elle se contenta de lui tendre l'enveloppe jusqu'à ce qu'il la prenne.

— Je suis désolée, dit-elle, rompant son vœu de silence.

Le son de sa voix le bouleversa, si étrange et familière à la fois, comme la voix d'un mort dans un rêve.

— Je regrette qu'il n'y ait pas d'autre moyen.

Jill se faufila par le trou dans le grillage et monta péniblement le remblai de gravier, s'arrêtant en haut pour voir si des trains arrivaient. C'était grisant de se retrouver là, toute seule dans cet espace béant, comme si le monde entier lui appartenait. La voie ferrée s'étendait à perte de vue de chaque côté d'elle comme un fleuve, les rails réfléchissant la lumière de la lune aux trois quarts pleine, deux rayons parallèles disparaissant dans l'obscurité.

Elle marcha sur l'un d'eux comme un équilibriste, avançant sur la pointe des pieds les bras étendus, essayant d'imaginer ce qui se serait passé si le Surveillant qu'elle avait rencontré là-bas avait été sa mère. Auraient-elles ri et se seraient-elles embrassées, étonnées de se retrouver seules dans un lieu si improbable ? Ou bien sa mère aurait-elle été fâchée de la trouver là, déçue par son haleine aux relents d'alcool, son déplorable manque de jugement ?

Ouais, à qui la faute ? pensa Jill, sautant du rail par terre. *Personne ne prend soin de moi.*

Elle se dirigea vers le remblai du côté opposé, descendant vers la voie de service qui passait derrière Walgreens, ses tennis glissant sur le gravier meuble. Puis elle s'immobilisa.

Un son resta bloqué au fond de sa gorge.

Elle savait que les Surveillants se déplaçaient toujours par deux, mais la rencontre avec l'homme barbu avait été si brève et étrange qu'elle ne s'était pas arrêtée pour se demander où se trouvait son partenaire.

Eh bien, maintenant elle le savait.

Elle avança à contrecœur de quelques pas, s'approchant de la silhouette en blanc sur le sol. Il était allongé face contre terre près d'une grosse poubelle qui disait GALLUCI BROS., les bras écartés comme s'il essayait d'enlacer la planète. Il y avait une petite flaque près de sa tête, un liquide brillant dont elle voulait à toute force croire qu'il s'agissait d'eau.

CINQUIÈME PARTIE

L'Enfant miraculeux

Cela ne devrait plus tarder maintenant

Il faisait bien trop froid pour être assis sur la terrasse avec son café du matin, mais Kevin ne pouvait pas résister. Après avoir été enfermé tout l'hiver, il voulait profiter de chaque minute de soleil et d'air frais que le monde voulait bien consentir, même s'il devait porter un pull, une veste et un bonnet en laine pour cela.

Le printemps était arrivé de façon soudaine ces dernières semaines – perce-neige et hyacinthes, éclats de jaune au milieu de buissons tout à coup renaissant, et puis une explosion exubérante de chants d'oiseau et de cornouillers en fleur, de la verdure partout où vous posiez les yeux. L'hiver n'avait pas été très rigoureux selon les normes historiques, mais il avait semblé long et entêté, presque sans fin. Le mois de mars avait été tout particulièrement sinistre – froid et humide, le ciel gris et pesant – le temps maussade réverbérant et intensifiant l'humeur de sombre prémonition qui avait affligé Mapleton depuis le meurtre du deuxième Surveillant le jour de la Saint-Valentin. En l'absence de toute preuve du contraire, les gens s'étaient convaincus qu'un tueur en série rôdait, un fou solitaire qui en voulait aux

CS et projetait d'éliminer l'organisation, un adepte après l'autre.

Cela aurait été suffisamment problématique si Kevin avait juste eu à gérer la crise en tant qu'élu, mais il était aussi impliqué en tant que père et mari, inquiet du bien-être psychologique de sa fille et de la sécurité physique de sa future ex-épouse. Il n'avait toujours pas signé les papiers de divorce que Laurie lui avait donnés, mais non parce qu'il pensait que leur mariage pouvait être sauvé. Il retardait la chose à cause de Jill, ne voulant pas l'accabler de mauvaises nouvelles supplémentaires en ce moment, alors qu'elle essayait encore de se remettre du choc d'avoir découvert le corps.

Cela avait été une horrible expérience, mais Kevin était fier de la manière dont elle avait réagi, appelant les secours de son téléphone portable, attendant seule dans le noir avec l'homme mort que la police arrive. Depuis lors, elle avait fait tout son possible pour faciliter l'enquête, se soumettant à de multiples entretiens avec des détectives, aidant un artiste à élaborer un croquis du Surveillant barbu qu'elle avait vu dans le parking de Stellar Transport, se rendant même au complexe de Gingko Street pour voir si elle pouvait repérer l'homme au cours d'une série de séances d'identification censées inclure tous les résidents de plus de trente ans.

Celles-ci se révélèrent un échec, mais le croquis porta ses fruits : on identifia l'homme barbu : Gus Jenkins, ancien fleuriste de quarante-six ans originaire de Gifford Township qui vivait dans une « antenne » des CS dans Parker Road – la maison communautaire, comme l'apprit Kevin à son grand étonnement, dans laquelle Laurie avait récemment emménagé. La victime, Julian Adams, vivait là aussi et on l'avait aperçue avec Jenkins le soir du meurtre.

Après de multiples dénégations, la direction des CS admit finalement que Jenkins était membre du chapitre de Mapleton, mais insista – de façon peu convaincante, d'après les enquêteurs – sur le fait que l'organisation n'avait aucune idée d'où il pouvait se trouver à l'heure actuelle. Ce refus de coopérer exaspéra la police, qui avait clairement dit qu'elle recherchait Jenkins comme témoin, non comme suspect potentiel. Quelques détectives se demandèrent même à voix haute si les CS ne souhaitaient pas en fait que le tueur reste en cavale, s'ils ne se réjouissaient pas d'avoir un meurtrier fou qui transformait leurs adeptes en martyrs.

Deux mois s'étaient écoulés sans que l'affaire n'avance, mais sans troisième meurtre non plus. Les gens commencèrent à se lasser un peu de l'histoire et à se demander s'ils n'avaient pas réagi de façon excessive. Avec le changement de temps, Kevin sentit une transformation dans l'humeur collective, comme si la ville tout entière avait soudain décidé de se distraire et de cesser de se laisser obnubiler par les Surveillants morts et les tueurs en série. Il avait déjà remarqué ce phénomène par le passé : peu importait ce qui arrivait dans le monde – guerres génocidaires, catastrophes naturelles, crimes épouvantables, disparitions en masse, ou autre – les gens finissaient par se fatiguer de se morfondre. Le temps passait, les saisons changeaient, les individus se retiraient dans leurs vies privées, se tournaient vers le soleil. *L'un dans l'autre*, pensait-il, *c'était sans doute une bonne chose.*

— Vous voilà.

Aimee sortit par la porte coulissante qui reliait la cuisine à la terrasse, puis se retourna pour fermer la porte à l'aide de son coude. Elle tenait une tasse à la main, le pot de café dans l'autre.

— Vous en revoulez ?

— Tu as lu dans mes pensées.

Aimee versa le café, puis rapprocha une chaise sans coussin, frissonnant exagérément lorsque ses fesses touchèrent le siège. Elle portait une veste Carhartt par-dessus une chemise de nuit qu'elle avait empruntée à Jill, mais ses pieds étaient nus sur le bois brut.

— Il est neuf heures moins le quart, dit-elle en bâillant. Je pensais que vous étiez parti travailler.

— Bientôt, dit Kevin. Rien ne presse.

Elle hocha vaguement la tête, sans se donner la peine de faire remarquer qu'il n'était jamais à la maison après neuf heures du matin, ou suggérer qu'il avait peut-être retardé son départ pour elle, parce qu'il appréciait leurs conversations matinales et ne voulait pas partir alors qu'elle dormait encore. Mais il n'avait pas besoin de le dire ; c'était dans l'air, évident pour tous les deux.

— À quelle heure tu es rentrée hier soir ?

— Tard, répondit-elle. On est allés au bar.

— Derek aussi ?

Elle fit une moue coupable. Elle savait qu'il désapprouvait sa relation avec son patron marié, même si elle lui avait expliqué de nombreuses fois que ce n'était pas vraiment une relation – juste une mauvaise habitude, en fait, une sorte de passe-temps.

— Il t'a ramenée en voiture ?

— C'est sur le chemin.

Kevin ravala son discours habituel. Il n'était pas son père ; elle avait le droit de commettre ses propres erreurs, comme tout un chacun.

— Je te l'ai dit. Tu peux utiliser la Civic quand tu veux. Elle est dans le garage.

— Je sais. Mais même si j'avais eu une voiture hier, je n'étais pas en état de conduire.

Il l'observa avec un peu plus d'attention tandis qu'elle buvait son café, les deux mains entourant la tasse pour se réchauffer. Elle avait l'air alerte et de bonne humeur, sans trace visible de gueule de bois. À cet âge, se souvint-il, on se requinquait très vite.

— Quoi ? demanda-t-elle, mal à l'aise face au regard insistant de Kevin.

— Rien.

Elle posa la tasse et glissa les mains dans les poches de sa veste.

— Il va faire froid ce soir pour du base-ball, dit-elle.

Kevin haussa les épaules.

— Le temps fait partie du jeu, tu sais ? On est dehors sous le ciel. Froid au printemps, chaud l'été. C'est pour ça que je n'ai jamais aimé ces stades avec un dôme. On perd tout ça.

— J'ai jamais pu m'intéresser au base-ball.

Elle tourna la tête, distraite par le passage rapide d'un geai bleu.

— J'ai joué une saison quand j'étais gamine, et j'ai trouvé ça atrocement ennuyeux. Ils avaient l'habitude de me coller dans le champ extérieur, à un million de kilomètres du marbre. Tout ce que j'avais envie de faire, c'était de m'allonger sur l'herbe, de me mettre mon gant sur la tête et de piquer un roupillon.

Elle sourit, amusée par le souvenir.

— Et je l'ai fait une ou deux fois. Je n'ai manqué à personne.

— Dommage, dit-il. J'imagine que je ne vais pas essayer de te recruter pour la saison prochaine, alors.

— Me recruter pour quoi ?

— Mon équipe. On songe à devenir mixte. On a besoin de plus de joueurs.

Elle se mordit la lèvre inférieure, l'air pensif.

— Je pourrais essayer, fit-elle.

— Mais tu viens de me dire...

— J'ai mûri. Je tolère beaucoup mieux l'ennui.

Kevin retira une fleur de pêcher de la surface de son café et la jeta d'une pichenette par-dessus la balustrade. Il perçut l'intonation taquine dans la voix d'Aimee, mais aussi la vérité sous-jacente. Elle avait réellement mûri. D'une certaine manière, au cours des deux mois passés, il avait cessé de la considérer comme une lycéenne, ou comme la jolie copine de sa fille qui sortait trop tard le soir. Elle était son amie à lui maintenant, sa copine de café, celle qui l'écoutait avec sympathie et l'avait aidé au moment de sa rupture avec Nora, une jeune femme qui égayait sa journée à chaque fois qu'il la voyait.

— Je te promets que je ne te placerai pas dans le champ extérieur, dit-il.

— Cool.

Elle rassembla ses longs cheveux des deux mains comme si elle se faisait une queue-de-cheval, mais elle changea d'avis, les laissant retomber sur ses épaules, beaux et doux contre le sergé rêche de sa veste.

— On pourrait peut-être s'entraîner tous les deux un jour. Quand il fera plus chaud. Voir si je me souviens même de comment on lance.

Kevin détourna les yeux, soudain gêné. Au fond du jardin, deux écureuils faisaient la course le long d'un tronc d'arbre, leurs petites pattes grattant l'écorce avec frénésie. Il n'aurait su dire s'ils s'amusaient ou s'ils essayaient de s'étriper.

— Bon, dit-il, tapant sur le dessus de la table comme sur un bongo. J'imagine qu'il faut que j'aille travailler.

Tom était le réveil de Christine. Il avait pour tâche de la sortir du lit à neuf heures du matin. Si elle dormait plus tard, cela la mettait de mauvaise humeur et bousculait tout son rythme circadien. Il avait néanmoins horreur de la déranger : elle avait l'air si heureuse allongée sur le dos, sa respiration lente et paisible, un bras derrière la tête, l'autre le long du corps. Son visage était détendu et serein, son ventre énorme sous la couverture fine, véritable igloo humain. Elle devait accoucher dans une semaine.

— Hé, marmotte.

Il lui prit la main, tirant avec douceur sur son index, puis son majeur, avançant méthodiquement en direction de l'auriculaire.

— C'est l'heure de se lever.

— Va-t'en, marmonna-t-elle. Je suis fatiguée.

— Je sais. Mais il faut que tu te lèves.

— Laisse-moi tranquille.

Cela dura une ou deux minutes, Tom l'amadouant, Christine résistant, handicapée par le fait qu'elle ne pouvait plus se mettre sur le côté sans un effort énorme de volonté et de calcul logistique. Sa manœuvre évasive préférée – se retourner sur le ventre et s'enfoncer le visage dans l'oreiller – était impossible.

— Allez, ma belle. On va descendre prendre le petit déjeuner.

Elle devait avoir faim, parce qu'elle daigna finalement ouvrir les yeux, clignant des paupières contre la faible lumière, scrutant Tom comme s'il était une lointaine connaissance dont elle avait le nom sur le bout de la langue.

— Il est quelle heure ?

— L'heure de se lever.

— Pas encore.

Elle tapota le matelas, l'invitant à la rejoindre.

— Encore quelques minutes.

Cela faisait aussi partie du rituel, la meilleure phase, la récompense de Tom pour s'acquitter d'une tâche autrement ingrate. Il s'étendit à côté d'elle sur le lit, s'installant sur son côté pour voir le visage de Christine, la seule partie de son corps qui n'avait pas dramatiquement changé au cours des derniers mois. Un visage fin de gamine, comme s'il n'avait pas encore reçu la nouvelle de la grossesse.

— Oh !

Grimaçant de surprise, elle lui prit la main et la plaça sur son ventre, juste au-dessus de son nombril ressorti.

— Il s'affaire là-dedans.

Tom sentit un remous sous sa paume, un objet dur appuyant contre la paroi abdominale – une main ou un pied, peut-être un coude. Il n'était pas facile de dire à quelle extrémité du fœtus on avait affaire.

— Quelqu'un veut sortir, dit-il.

À la différence de Christine et des Falk, Tom refusait de désigner le fœtus par un « il ». Il n'y avait pas eu d'échographie, si bien que personne ne pouvait affirmer qu'il s'agissait d'une fille ou d'un garçon. Le fait de parler de bébé mâle était fondé sur la certitude de M. Gilchrest que l'enfant miraculeux allait remplacer le fils qu'il avait perdu. Tom espérait qu'il avait raison, parce qu'il était triste d'imaginer l'autre possibilité, un nouveau-né fille accueillie dans le monde par des gémissements de choc et de consternation.

— Ils sont là ? demanda Christine.

— Ouais. Ils t'attendent.

— Bon dieu, soupira-t-elle. Ils peuvent pas partir en week-end, non ?

Ils vivaient avec les Falk depuis trois mois et demi et même Christine, maintenant, en avait assez. Elle ne détestait pas Terrence et Marcella comme Tom, ne pouvait pas se permettre de ne pas apprécier leur générosité, ou de rire de leur dévotion aveugle à M. Gilchrest. Elle se sentait simplement suffoquée par leur attention constante. Toute la journée ils rôdaient, essayant d'anticiper ses besoins, de satisfaire le moindre de ses désirs, tant que cela n'impliquait pas de sortir. Tom savait que c'était l'unique raison pour laquelle il était toujours là – parce que Christine avait besoin de lui, parce qu'elle serait devenue folle, coincée depuis tant de temps avec les Falk pour seule compagnie. Si cela n'avait tenu qu'à ses hôtes, il aurait été fichu à la porte depuis longtemps.

— Tu plaisantes ? dit-il. Ils ne vont nulle part, pas si près du grand jour. Ils ne voudraient pas rater la fête.

— Ouais, acquiesça-t-elle sans enthousiasme. Ça va être super. J'ai hâte d'y être.

— J'ai entendu dire que c'était de la bombe.

— C'est ce que tout le monde me dit. Surtout quand ça dure vraiment longtemps et que tu n'as aucun antalgique. Cette partie a l'air géniale.

— Je sais, acquiesça Tom. Je suis totalement jaloux.

Elle se tapota le ventre.

— J'espère que le bébé sera bien gros. Avec une de ces gigantesques têtes en forme de melon. Ça sera encore mieux.

Ils plaisantaient de la sorte tout le temps. C'était la manière de Christine de se calmer et de se préparer à l'épreuve d'un accouchement naturel. C'était ce que voulait M. Gilchrest – pas de médecins, pas d'hôpital, pas de médicaments. Juste une sage-femme et quelques glaçons, un peu de musique soul sur l'iPod, Terrence sur le pied de guerre avec une caméra vidéo, prêt à filmer le grand événement pour la postérité.

— Je ne devrais pas me plaindre, dit-elle. Ils sont très gentils avec moi. J'ai simplement besoin d'une pause, tu comprends ?

Elle était agitée ces derniers temps, lasse d'être enceinte et clouée à la maison, surtout maintenant qu'il faisait beau. La semaine passée, elle avait persuadé les Falk de l'emmener faire un tour à la campagne, mais ils étaient si nerveux de l'avoir dans la voiture (incapables de parler d'autre chose que d'un accident possible) que personne n'avait pu apprécier la balade.

— T'en fais pas.

Il lui prit la main, la serrant pour la rassurer.

— Tu y es presque. Plus que quelques jours.

— Tu crois que Wayne sera sorti d'ici là ?

— Je ne sais pas, dit-il. Je ne comprends pas bien le système juridique.

Depuis quelques semaines, les Falk prétendaient que les avocats de M. Gilchrest avaient marqué de réels progrès dans son affaire. Selon ce qu'ils avaient entendu dire, un accord était en voie, qui devrait lui permettre de plaider coupable de quelques charges

mineures et s'en tirer sans peine de prison supplémentaire. *Cela ne devrait plus tarder maintenant,*
répétaient-ils sans cesse. *On devrait avoir de bonnes
nouvelles d'ici peu.* Tom était sceptique, mais les Falk
semblaient réellement excités, et leur optimisme avait
déteint sur Christine.

— Tu devrais revenir au Ranch avec nous, lui dit-
elle. Tu pourrais habiter dans une des dépendances.

Tom apprécia la proposition. Il était de plus en
plus attaché à Christine et au bébé – du moins à l'*idée*
du bébé – et aurait aimé rester proche d'eux. Mais pas
de cette façon, pas si cela signifiait vivre dans l'ombre de
M. Gilchrest.

— Tu serais le bienvenu, promit-elle. Je dirai à
Wayne que tu as été un véritable ami. Il te sera très
reconnaissant.

Elle attendit une réponse qui ne vint pas.

— C'est pas comme si tu avais ailleurs où aller.

Ce n'était pas tout à fait exact. Après la naissance du
bébé, quand Christine n'aurait plus besoin de lui, Tom
comptait retourner à Mapleton passer quelques jours
avec son père et sa sœur – il pensait beaucoup à eux
depuis quelques mois, même s'il ne leur avait pas téléphoné ni envoyé d'e-mails –, peut-être aller voir sa
mère s'il pouvait la trouver. Après quoi, cependant,
Christine avait raison, sa vie était une page blanche.

— Wayne est un homme bon, dit-elle en levant les
yeux sur le poster au plafond, celui que Tom n'aimait
pas regarder. Bientôt le monde entier le saura.

Laurie et Meg arrivèrent tôt pour leur rendez-vous
de neuf heures, mais elles ne furent conviées dans le
bureau de la Directrice que vers midi. Patti Levin
semblait sincèrement gênée du retard.

— Je ne vous ai pas oubliées, leur assura-t-elle.
C'est très mouvementé ce matin. Mon assistante a la

grippe, et toute l'opération s'effondre sans elle. Je vous promets que cela n'arrivera plus.

Laurie s'étonna de ces excuses semblant présumer qu'elle et Meg étaient des gens occupés qui n'aimaient pas qu'on les fasse attendre. Dans sa vie passée, Laurie avait en effet été ce type de personne, une maman de banlieue surchargée, jonglant entre les courses et les enfants, courant sans cesse d'une obligation à l'autre. À l'époque, quand tout le monde pensait que le monde durerait éternellement, personne n'avait de temps pour rien. Peu importait son activité – préparer des biscuits, se promener autour du lac par une belle journée, faire l'amour avec son mari –, elle se sentait pressée et tendue, comme si les derniers grains de sable étaient, au moment même, en train de s'écouler à travers l'étroit goulot d'un sablier. Tout imprévu – des travaux sur la route, une caissière inexpérimentée, un trousseau de clés manquant – pouvait la plonger dans le désespoir ou l'hystérie et lui gâcher la journée entière. Mais c'était son ancien moi. Son nouveau moi n'avait rien d'autre à faire que de fumer et d'attendre, et elle n'était pas particulièrement difficile quant au lieu. Le couloir à l'extérieur du bureau de la Directrice était un endroit aussi approprié que n'importe quel autre.

— Alors, comment allez-vous ? demanda Patti Levin en souriant. Comment ça se passe à l'Antenne 17 ?

Laurie et Meg échangèrent un regard, agréablement surprises par le ton amical de la Directrice. La sommation qu'elles avaient reçue était laconique et un peu inquiétante – *Présentez-vous au QG, 9 h demain matin* – et elles avaient passé une bonne partie de la soirée précédente à essayer de se figurer si elles pouvaient être dans le pétrin. Laurie pensa qu'elle allait peut-être se faire tancer pour n'avoir pas encore rapporté sa demande de divorce. Meg caressa l'idée que leur maison était sur écoute, que la direction non seulement savait qu'elles violaient régulièrement leur

Vœu de Silence, mais aussi ce qu'elles se disaient. *Tu es paranoïaque*, lui avait rétorqué Laurie, mais elle ne pouvait s'empêcher de se demander si cela pouvait être vrai, se creusant la tête pour retrouver si elle n'avait pas dit quelque chose d'incriminant au cours des deux mois passés.

— On est contentes, dit Meg. C'est un endroit vraiment agréable.

— Le jardin est formidable, ajouta Laurie.

— N'est-ce pas ? acquiesça la Directrice, approchant la flamme d'une allumette du bout de sa cigarette. Ça doit être charmant à cette époque de l'année.

Meg opina.

— C'est tellement luxuriant. Et il y a un petit arbre avec des fleurs roses absolument ravissantes. Je ne sais pas si c'est un cerisier ou...

— On m'a dit que c'était un arbre de Judée, l'interrompit la Directrice. Plutôt inhabituel dans nos régions.

— Le seul problème, ce sont les oiseaux, fit remarquer Laurie. Vous ne pouvez pas imaginer comme ils sont bruyants le matin. C'est comme s'ils étaient dans la chambre. Des centaines, qui gazouillent entre eux.

— On pense que ce pourrait être bien d'avoir un potager, dit Meg. De faire pousser des haricots verts, des courgettes, des tomates, des choses comme ça. Totalement biologique.

— Il s'autofinancerait, ajouta Laurie. On a juste besoin d'un petit investissement de départ.

Elles étaient vraiment excitées à l'idée du jardin – elles avaient beaucoup de temps sur les bras et voulaient s'investir dans une tâche constructive – mais la Directrice changea brusquement de sujet, comme si elle ne les avait même pas entendues.

— Où dormez-vous ? demanda-t-elle. Vous vous êtes installées dans la chambre de maître ?

Laurie secoua la tête.

— On est toujours en haut.

— Dans des chambres séparées, ajouta rapidement Meg, ce qui était théoriquement vrai, mais un peu trompeur, dans la mesure où son matelas avait élu domicile de façon permanente sur le sol de la chambre de Laurie. Elles se sentaient toutes les deux bien mieux ainsi, suffisamment près pour chuchoter, surtout maintenant qu'elles vivaient seules à l'antenne.

Patti Levin plissa les yeux en signe de désapprobation, soufflant un jet de fumée du coin de la bouche.

— La chambre de maître est bien plus agréable. Il n'y a pas un jacuzzi en bas ?

Meg rougit. Elle utilisait le jacuzzi presque tous les soirs. Laurie l'appréciait, mais la nouveauté s'était assez vite estompée.

— La seule raison pour laquelle je soulève la question, continua la Directrice, c'est que vos nouveaux colocataires arrivent la semaine prochaine. Si vous voulez changer, ce serait le moment.

— Des colocataires ? dit Meg sans grand enthousiasme.

— Al et Josh, dit la Directrice. Deux personnes très spéciales. Je pense que vous les aimerez bien.

Cette nouvelle n'était pas inattendue – c'était l'une des premières possibilités dont elles avaient discuté la veille au soir – mais Laurie fut étonnée de l'ampleur de sa déception. Elle et Meg étaient heureuses, seules. Elles étaient comme des sœurs ou des copines de chambrée d'université, totalement détendues et sans gêne, connaissant les travers et les humeurs de chacune. L'intrusion de nouveaux venus, l'étrangeté de partager de nouveau la maison avec des inconnus ne l'enthousiasmait pas. Tous les rapports domestiques allaient changer, surtout si l'un d'eux tombait amoureux de Meg, ou l'inverse. Laurie ne voulait même pas y songer, toute cette tension sexuelle, ce drame de la vingtaine, sans plus de tranquillité pour personne.

— Vous avez une magnifique tradition à l'Antenne 17, leur dit la Directrice. J'espère que vous saurez la perpétuer.

— Nous ferons de notre mieux, promit Laurie, même si elle ne savait pas très bien de quelle tradition il s'agissait, ou comment Meg et elle pourraient s'y prendre pour la préserver.

Patti Levin sembla capter son incertitude.

— Gus et Julian sont des héros, proclama-t-elle d'une voix ferme et calme. Nous devons honorer leur sacrifice.

— Gus ? dit Meg. Est-ce qu'il s'est fait assassiner lui aussi ?

— Gus va bien, dit la Directrice. C'est un homme très courageux. Nous prenons soin de lui.

— Qu'est-ce qu'il a fait ? demanda Meg, exprimant la confusion que Laurie ressentait.

Tout ce qu'elles savaient était que Gus n'était pas rentré le soir où Julian s'était fait tuer, et que la police le cherchait toujours.

— Quel sacrifice ?

— Il aimait Julian, dit la Directrice. Vous imaginez le courage qu'il lui a fallu ?

— Qu'est-ce qu'il a fait ? demanda de nouveau Meg.

— Ce que nous lui avons demandé.

Laurie se sentit tout à coup prise de vertige, comme si elle allait s'évanouir. Elle se rappela la façon dont elle s'était accroupie à côté du radiateur toutes ces nuits froides d'hiver, écoutant les bruits éhontés et presque désespérés que Gus et Julian faisaient dans la chambre de maître, comme si plus rien désormais n'avait d'importance.

Patti Levin tira sur sa cigarette, dévisageant longuement Meg, puis tournant son regard vers Laurie, emplissant l'espace entre les deux d'un nuage de fumée grisâtre.

— Le monde s'est rendormi, dit-elle. Il est de notre devoir de le réveiller.

Kevin savait que c'était excessif, de lire le journal avec la télé allumée et son ordinateur portable ouvert pendant qu'il mangeait un sandwich d'avant match, mais ce n'était pas si terrible que cela en avait l'air. Il n'utilisait pas vraiment l'ordinateur (il aimait juste le garder à portée de main au cas où il aurait eu envie de jeter un œil à ses e-mails) et ne lisait pas vraiment le journal. Il se contentait de le parcourir, d'exercer ses yeux, les laissant passer en revue les gros titres de la section Affaires, sans absorber aucune information. Quant à la télé, c'était juste un bruit de fond, une illusion de compagnie dans la maison vide. Tout ce à quoi il pensait était son sandwich, dinde et fromage sur pain complet, un peu de moutarde et de salade, rien de sophistiqué, mais néanmoins parfaitement adéquat.

Il avait presque terminé lorsque Jill entra par la porte de derrière, s'arrêtant dans le débarras et laissant tomber son gros sac à dos par terre. Elle devait venir de la bibliothèque, songea-t-il. C'était ce qu'elle faisait ces derniers temps, s'assurant de ne pas rentrer de l'école avant qu'Aimee soit partie au travail. C'était parfaitement calculé, en tout cas les jours de semaine, où elles minutaient leurs arrivées et leurs départs de façon à ne jamais se retrouver ensemble à la maison – à moins que l'une d'entre elles ne dorme –, même si elles insistaient toutes les deux pour dire qu'elles s'entendaient parfaitement.

Il sourit d'un air penaud lorsqu'elle entra dans la cuisine, s'attendant à ce qu'elle se moque de lui à propos de son repas multimédia, mais elle ne remarqua même pas. Elle était trop occupée à scruter son téléphone, l'air surpris et impressionné à la fois.

— Hé, dit-elle. Tu as entendu à propos de saint Wayne ?

— Qu'est-ce qui se passe ?

— Il a plaidé coupable.

— De quelles charges ?

— Un tas, dit-elle. On dirait qu'il va être hors du circuit pendant longtemps.

Kevin saisit son ordinateur et vérifia les nouvelles. L'histoire se trouvait tout en haut de la liste. SAINT WAYNE AVOUE : EXTRAORDINAIRE MEA CULPA DU MENEUR DE CULTE DISGRACIÉ. Il cliqua sur le lien et se mit à lire :

Accord surprise... les procureurs recommandent une peine de vingt ans... éligible pour la liberté conditionnelle dans douze... « Après la disparition de mon fils, j'ai perdu les pédales... Tout ce que je voulais, c'était aider les gens qui souffraient, mais le pouvoir m'est monté à la tête... J'ai profité de tant d'enfants vulnérables... trahi ma femme et le souvenir de mon fils, sans parler de la confiance de jeunes gens qui comptaient sur moi pour les guider spirituellement vers la guérison... Surtout les filles... Elles n'étaient pas mes épouses, juste mes victimes... Je voulais être un saint homme, mais je me suis transformé en monstre. »

Kevin essaya de se concentrer sur les mots, mais ses yeux ne cessaient de revenir à la photo qui accompagnait l'histoire, le cliché bien trop familier pris par la police d'un homme renfrogné et mal rasé, en haut de pyjama. Il fut surpris de se rendre compte qu'il ne ressentait aucune satisfaction, aucun plaisir vengeur à la pensée que saint Wayne allait pourrir en prison. Tout ce qu'il éprouvait était une vague compassion, sentiment gênant d'affinité avec l'homme qui avait brisé le cœur de son fils.

Il t'aimait, pensa Kevin, fixant le portrait comme s'il s'attendait à ce qu'il lui réponde. *Et tu l'as laissé tomber, lui aussi.*

Tant de choses auxquelles il faut renoncer

Avant de commencer sérieusement à chercher un nouveau nom, Nora changea la couleur de ses cheveux. C'était le bon ordre, le seul qui ait du sens. Car comment pouvait-on savoir qui l'on était avant de voir à quoi l'on ressemblait ? Elle n'avait jamais compris les parents qui choisissaient le nom de leur bébé des mois, voire des années, avant la naissance, comme s'ils accolaient une étiquette à une idée abstraite, plutôt qu'à une personne en chair et en os. Cela paraissait si présomptueux, si dédaigneux de l'enfant réel.

Elle aurait préféré se teindre les cheveux chez elle, en secret, mais elle savait que ce serait une opération trop délicate et risquée à entreprendre seule. Ses cheveux étaient d'un châtain très foncé, et tous les sites Web qu'elle avait consultés lui déconseillaient de tenter de devenir blonde sans assistance professionnelle. C'était un processus compliqué, qui prenait du temps et requérait des produits chimiques corrosifs, et aboutissait souvent à ce que les experts aimaient appeler des « résultats malheureux ». Les commentaires qui suivaient les articles regorgeaient de réflexions après coup de la part de brunettes chagrines qui regrettaient de ne pas avoir plus aimé leur couleur naturelle. *J'avais de beaux cheveux bruns avant,* écrivait une femme. *Mais j'ai mordu à la pub et je les ai teints en blond. La couleur a bien marché, mais maintenant mes cheveux sont si ternes et sans vie que mon petit ami se plaint de l'herbe artificielle qui me pousse sur le crâne !*

Nora lut ses témoignages avec une certaine appréhension, mais pas suffisamment pour changer d'avis. Elle ne se teignait pas les cheveux pour des raisons cosmétiques, ou parce qu'elle voulait s'amuser. Ce qu'elle voulait, c'était une rupture nette avec le passé, un changement complet d'apparence, et la manière la plus rapide et la plus sûre pour cela était de devenir une fausse blonde. Si ses beaux cheveux châtains se transformaient en herbe artificielle, c'étaient des dommages collatéraux qu'elle pouvait endurer.

De toute sa vie, elle ne s'était jamais teint les cheveux, ni ne s'était fait faire la moindre mèche, ou même retoucher la poignée de cheveux blancs apparus ces dernières années, malgré l'insistance de son styliste, Grigori, Bulgare sévère et enclin à la critique. *Laissez-moi vous débarrasser de ça,* lui disait-il à chaque rendez-vous, de son accent slave menaçant. *Vous faire ressembler de nouveau à une adolescente.* Mais ressembler à une adolescente n'intéressait pas du tout Nora ; si elle regrettait quelque chose, c'était plutôt de ne pas avoir plus de cheveux blancs, de ne pas être l'une de ces personnes encore jeunes dont les cheveux étaient devenus blancs comme neige à la suite du choc qu'ils avaient subi le 14 Octobre. Cela lui aurait facilité la vie, pensait-elle, si les étrangers, d'un seul regard, avaient pu comprendre qu'elle faisait partie des affligés.

Grigori était un coloriste extrêmement respecté à la clientèle haut de gamme, mais Nora ne voulait pas l'impliquer dans sa transformation, avoir à écouter ses objections ou expliquer les raisons qui la poussaient à entreprendre un changement si drastique et malavisé. Qu'était-elle censée dire ? *Je ne suis plus Nora. Nora, c'est du passé.* Ce n'était pas le genre de conversation qu'elle souhaitait avoir dans un salon de coiffure avec un homme qui parlait comme un vampire de cinéma.

Elle prit un rendez-vous à Hair Traffic Control, chaîne qui s'adressait à des clients plus jeunes et plus soucieux de leur budget, censée traiter nombre de demandes curieuses sans ciller. Malgré tout, la styliste aux airs punk et aux cheveux roses parut dubitative lorsque Nora lui dit ce qu'elle voulait.

— Vous êtes sûre ? demanda-t-elle, effleurant la joue de Nora du dos de la main. Parce que votre teint ne va pas vraiment...

— Vous savez ce que je pense ? dit Nora, la coupant au milieu de sa phrase. Je pense que cela ira beaucoup plus vite si on se dispense du bavardage.

Jill n'avançait pas beaucoup dans *La Lettre écarlate*. C'était en partie de la faute de Tom, pensait-elle ; à l'époque où il était au lycée, il s'était plaint si amèrement du livre que cela avait dû empoisonner l'esprit de Jill. En réalité, il ne s'était pas seulement plaint ; un jour, à son retour de l'école, elle avait trouvé Tom en train de poignarder son édition de poche avec un couteau à viande, le bout de la lame pénétrant dans la couverture et s'enfonçant si profondément dans les premiers chapitres qu'il avait parfois du mal à l'en retirer. Quand elle lui demanda ce qu'il faisait, il lui expliqua d'une voix calme et sérieuse qu'il essayait de tuer le livre avant que celui-ci ne le tue.

Alors peut-être n'approchait-elle pas le texte avec le respect qu'il méritait en tant qu'éternel classique américain. Mais elle faisait au moins un effort sincère. Elle avait ouvert le livre trois fois la semaine passée, et n'avait toujours pas fini de lire l'introduction de Hawthorne, qui, d'après Mr Destry, était une part importante du roman dont on ne pouvait pas se passer. C'était comme si Jill était allergique à la prose : elle lui donnait l'impression d'être lente et stupide, de ne pas parler couramment anglais : *Ces barbons – préposés comme saint Matthieu à la perception des douanes, mais non pas susceptibles d'être chargés comme lui de tâches apostoliques – sont les employés du Bureau des Douanes**. Plus elle regardait une phrase de ce type, moins elle lui paraissait avoir de sens, comme si les mots se dissolvaient sur la page.

Mais le vrai problème n'était pas le livre, ni la lassitude printanière, ou le fait que la remise des diplômes soit presque en vue. Le problème, c'étaient Mme Maffey et le chat qu'elles avaient entamé quelques jours plus tôt. Celui-ci turlupinait Jill et l'entraînait dans une direction qu'elle ne désirait pas suivre. Pourtant, il lui semblait impossible de s'arrêter ou de trouver une bonne raison de se désengager et de rompre un lien qui s'était renouvelé de façon si inattendue, après tant d'années.

Mme Maffey, *Holly* – Jill avait encore du mal à l'appeler par son prénom – avait été sa maîtresse de CM1 à l'école élémentaire Bailey, et sa préférée de tous les temps, même si cela avait démarré différemment. Holly avait repris la classe en janvier, quand Mme Frederickson était partie en congé de maternité. Tous les enfants la méprisèrent au début et la traitèrent comme l'intruse qu'elle était. Mais au bout d'une semaine ou deux, ils commencèrent à se rendre compte de leur chance : Mme Maffey était jeune et pleine de vie, bien plus drôle que Mme Frederickson, vieille et guindée (même si aucun d'eux ne considérait Mme Frederickson comme guindée ou vieille avant que Holly n'arrive). Presque une décennie plus tard, Jill ne se rappelait pas grand-chose du CM1, ni de ce qui avait rendu ce printemps

---

* Trad. Charles Cestre, 1955, Les Belles Lettres (*N.d.T.*).

si spécial. Tout ce dont elle se souvenait, c'était le poisson rouge que Mme Maffey avait, tatoué au-dessus de la cheville, et le sentiment d'être un peu amoureuse de sa maîtresse, espérant chaque jour que l'été n'arriverait jamais.

Mme Maffey n'enseigna à Mapleton que quelques mois. Le mois de septembre suivant, Mme Frederickson revint de congé, et Holly trouva un emploi dans une école de Stonewood Heights, où elle était restée jusqu'à l'année dernière. Elle avait été mariée brièvement à un homme qui s'appelait Jamie et avait disparu dans ce qu'elle nommait naturellement le Ravissement. Ils n'avaient pas eu le temps d'avoir d'enfant, chose à propos de laquelle Holly se sentait partagée. Elle avait toujours voulu être mère, et était convaincue que Jamie et elle auraient fait de magnifiques bébés, mais elle savait que l'époque n'était pas propice à se reproduire, à donner naissance à de nouveaux êtres dans un monde sans avenir.

J'imagine que c'est une bénédiction, écrivit-elle à Jill dans l'un de leurs premiers échanges. *De ne pas avoir à s'inquiéter de petits.*

Elles s'étaient rencontrées deux mois plus tôt, au plus fort de l'enquête sur le meurtre. Jill s'était rendue à Gingko Street avec le détective Ferguson, qui avait organisé ce qu'il appelait un « concours de beauté » dans l'espoir qu'elle pourrait repérer le Surveillant asthmatique qu'il tenait tant à questionner. Cela s'était avéré être une perte de temps, bien sûr, et d'une étrange sorte en plus – cinquante hommes adultes, tous vêtus de blanc, paradant devant elle comme des concurrents dans une version religieuse et sordide de la série *The Bachelorette* – mais cet échec avait été racheté à la toute fin par les retrouvailles avec son ancienne institutrice qu'elle croisa en sortant du bâtiment principal. Elles se reconnurent aussitôt, Jill criant de plaisir, Mme Maffey ouvrant les bras pour enlacer son ancienne élève dans une longue étreinte sincère. Ce ne fut qu'une fois rentrée chez elle et après avoir trouvé, glissé dans sa poche de manteau, le mot écrit à la main – *S'il te plaît, envoie-moi un e-mail si tu veux parler de quoi que ce soit !* – que Jill se rendit compte que cette rencontre n'était pas du tout due au hasard.

Jill n'était pas idiote ; elle comprit qu'ils essayaient de la recruter – probablement avec la bénédiction de sa mère – et détestait le fait que la tâche en ait été confiée à une personne si importante pour elle. Mme Maffey avait même décoré le mot d'un smiley, la même petite fioriture qu'elle avait l'habitude d'inscrire en haut des devoirs de CM1. Jill prit le mot et l'enfouit dans sa boîte à bijoux, se promettant qu'elle ne la contacterait pas, ne permettrait pas qu'on la manipule de la sorte.

Il aurait été plus facile de se tenir à cette résolution si elle avait été plus occupée ce printemps-là, si elle avait trouvé de nouveaux amis pour remplacer Aimee et la bande, mais cela n'avait pas été le cas. La plupart des soirs, elle était coincée à la maison, sans personne à qui parler hormis son père qui semblait un peu plus distrait que d'habitude et déprimé à propos de Nora, se consolant par des rêves de gloire au base-ball. Max avait envoyé de nombreux textos à Jill, l'encourageant à retourner chez Dmitri, ou lui suggérant juste de venir le voir un de ces jours, mais elle n'avait jamais répondu. Elle en avait terminé avec tout cela – le sexe et la fête continue – et elle n'envisageait pas de retour en arrière.

Au bout d'un moment, la reprise de contact se mit à lui paraître inévitable, presque logique – Jill essayait de remplir le vide de sa vie, et Holly était la seule candidate plausible. Cela avait été un tel choc de la voir ce jour-là, l'air si épuisée et chimérique dans ces vêtements blancs, si différente de la femme enjouée que Jill se rappelait. *S'il te plaît, envoie-moi un e-mail si tu veux parler de quoi que ce soit !* Eh bien, il y avait de nombreux sujets dont Jill souhaitait parler, des questions qu'elle voulait poser à Mme Maffey sur son voyage spirituel et sa vie au complexe. Elle pensa que cela pourrait l'aider à comprendre un peu mieux sa mère, lui donner une meilleure idée de ce qu'étaient les CS. Car si une personne comme Holly pouvait être heureuse là-bas, peut-être y avait-il quelque chose qui échappait à Jill et qu'il lui fallait découvrir.

Tu te plais là-bas ? lui avait-elle demandé quand elle eut finalement le courage de la contacter. *Ça n'a pas l'air très drôle.*

J'y suis bien, avait répondu Mme Maffey. *C'est une vie simple.*

Mais comment vous pouvez vivre sans parler ?

Il y a tant de choses auxquelles il faut renoncer, Jill, tant d'habitudes, de béquilles et d'attentes. Mais il faut y renoncer. C'est le seul moyen.

Le lendemain du jour où elle était devenue blonde, Nora s'installa pour rédiger ses lettres d'adieux. Cette tâche s'avéra redoutable, d'autant qu'elle semblait ne pas pouvoir rester en place. Elle ne cessait de se lever de la table de la cuisine et de monter pour admirer dans le miroir en pied de la chambre à coucher, cette étrangère blonde au visage familier.

La teinture était un succès total. Non seulement elle n'avait pas de plaques chauves ou de nuances vertes, mais ses cheveux décolorés étaient aussi doux et lisses que d'habitude, miraculeusement résistants aux produits chimiques nocifs dans lesquels ils avaient trempé. La grande surprise n'était pas qu'aucun malheur ne se soit produit, mais à quel point elle était belle en blonde, bien plus belle qu'avec sa couleur naturelle.

La styliste avait raison, bien sûr : le contraste entre la carnation méditerranéenne de Nora et ces cheveux pâles à la suédoise avait un aspect dissonant, mais c'était une discordance fascinante, le genre d'erreur qui vous donnait envie de la dévisager et d'essayer de comprendre pourquoi un contraste qui aurait dû avoir l'air de si mauvais goût la rendait en fait plutôt étonnante. Toute sa vie elle avait été jolie, mais d'une beauté peu remarquable, vaguement rassurante, le type de beauté ordinaire sur laquelle les gens ne se retournaient pas. Maintenant, pour la première fois, elle se trouvait exotique, voire un peu inquiétante, et elle aimait cette sensation, comme si son corps et son âme s'accordaient un peu mieux.

Son côté égoïste lui donna envie d'appeler Kevin et de l'inviter pour un verre d'adieu – elle aurait aimé qu'il la voie dans sa nouvelle incarnation, lui dise combien elle était belle, et la supplie de ne pas partir – mais son côté plus raisonnable savait que c'était une mauvaise idée. Le laisser espérer une dernière fois avant de l'anéantir pour toujours serait cruel. C'était un homme bon, et elle l'avait déjà assez fait souffrir.

C'était le point principal qu'elle espérait exprimer dans sa lettre – la culpabilité qu'elle éprouvait pour la manière dont elle s'était comportée à la Saint-Valentin, partant sans un mot, puis ignorant ses appels et ses e-mails dans les semaines qui avaient suivi, assise calmement dans la pénombre de son salon jusqu'à ce qu'il se fatigue de sonner et glisse un de ses mots plaintifs sous la porte.

Qu'ai-je fait de mal ? écrivait-il. *Dis-moi juste ce que c'est pour que je puisse m'excuser.*

Rien, aurait-elle voulu lui dire, mais elle ne le fit jamais. *Tout est de ma faute.*

Kevin avait été sa dernière chance. Dès le début – le soir où ils avaient parlé et dansé à la soirée – elle avait eu le sentiment qu'il pourrait peut-être la sauver, lui montrer comment préserver une part digne et fonctionnelle des ruines de son ancienne vie. Et pendant un court moment, elle crut que cela avait vraiment commencé à se passer, que sa blessure chronique se mettait lentement à guérir.

Mais elle se berçait d'illusions, prenant son souhait pour un changement. Elle s'en doutait depuis un certain temps, mais elle ne le comprit clairement que ce soir-là au *Pamplemousse*, quand il avait essayé de lui parler de son fils, et tout ce qu'elle avait ressenti était de l'amertume et une jalousie si forte qu'elle en ressemblait à de la haine, un vide brûlant et lancinant au milieu de sa poitrine.

Allez vous faire foutre, ne cessait-elle de penser. *Allez vous faire foutre, toi et ton précieux fils.*

Et le plus terrible était qu'il n'avait même pas remarqué. Il avait continué de parler comme s'il s'adressait à une personne normale, avec un cœur en état de marche, quelqu'un qui pouvait comprendre le bonheur d'un père et partagerait la joie d'un ami. Mais elle avait dû souffrir en silence, sachant que quelque chose dysfonctionnait chez elle, qui ne pourrait jamais être réparé.

S'il te plaît, aurait-elle voulu lui dire. *Cesse de gâcher ton souffle.*

Elles dormaient ensemble maintenant, dans le grand lit double que Gus et Julian occupaient avant. C'était un peu bizarre au début, mais elles avaient surmonté l'étrangeté de la chose. Le lit était immense et confortable (il était équipé d'une sorte de matelas scandinave ultramoderne qui retenait la forme de votre corps) et la fenêtre du côté de Laurie donnait sur le jardin qui regorgeait de vitalité printanière, l'odeur des lilas pénétrant dans la chambre avec la brise du matin.

Elles n'étaient pas devenues amantes – pas de la manière dont les gars l'avaient été en tout cas –, mais elles n'étaient plus de simples amies non plus. Elles avaient développé un sentiment puissant d'intimité au cours des dernières semaines, un lien de confiance totale qui dépassait tout ce que Laurie avait pu partager avec son mari. Elles étaient partenaires maintenant, liées pour l'éternité.

Pour le moment, on n'exigeait rien d'elles. Leurs nouveaux colocataires allaient bientôt arriver, et leur petite idylle serait terminée, mais pour l'instant cela ressemblait à d'agréables vacances, pouvoir rester au lit jusque tard le matin à se câliner, boire du thé et parler à voix basse. Parfois elles pleuraient, mais moins souvent qu'elles ne riaient. Lorsque le temps était doux, elles se promenaient ensemble l'après-midi dans le parc.

Elles ne parlaient pas trop de ce qui allait arriver. Il n'y avait pas grand-chose à en dire, en réalité ; elles avaient un travail à accomplir, et elles le feraient, exactement comme Gus et Julian l'avaient fait, et les deux avant eux. En parler n'aidait pas ; cela ébranlait juste la bulle paisible dans laquelle elles vivaient. Il valait mieux se concentrer sur le moment présent, les heures et les jours précieux qui restaient, ou bien laisser son esprit vagabonder vers le passé. Meg parlait souvent de son mariage, le jour spécial qui n'avait jamais eu lieu.

— Je voulais un mariage traditionnel, tu vois ? Classique. La robe, le voile et la traîne, l'orgue qui joue, mon père me conduisant vers l'autel, Gary debout, versant une larme. Je voulais juste ce rêve, ces quelques minutes où tous les gens qui comptent me regarderaient et diraient : *Comme elle est belle ! N'est-ce pas le type le plus chanceux du monde ?* Est-ce que c'était comme ça pour toi ?

— C'était il y a longtemps, répondit Laurie. Tout ce dont je me souviens, c'est d'avoir été terriblement stressée. Tu prépares pendant tellement longtemps, et l'événement réel n'est jamais à la hauteur de ce que tu imaginais.

— Peut-être que c'est mieux comme ça, spécula Meg. La réalité n'a jamais gâché mon mariage.

— C'est une bonne manière de voir les choses.

— Gary et moi nous sommes disputés à propos de son enterrement de vie de garçon. Son témoin voulait payer une stripteaseuse et moi, je trouvais ça de mauvais goût.

Laurie opina et fit de son mieux pour avoir l'air intéressé, même si elle avait déjà entendu cette histoire plusieurs fois. Meg ne semblait pas se rendre compte qu'elle se répétait, et Laurie ne prit pas la peine de le lui faire remarquer : c'était l'espace mental que son amie avait choisi d'habiter. Laurie, elle, était plus centrée sur les années où ses enfants étaient petits, quand elle s'était sentie si nécessaire et résolue, une pile pleine d'amour. Tous les jours elle l'usait entièrement, et toutes les nuits elle se rechargeait comme par miracle. Rien ne lui avait jamais paru aussi extraordinaire.

— Je détestais simplement l'idée, continua Meg. Un groupe de types soûls acclamant cette fille pathétique qui était probablement une droguée et avait subi des violences familiales. Et après, quoi ? Est-ce qu'elle se les… faisait vraiment pendant que les autres regardaient ?

— Je ne sais pas, dit Laurie. J'imagine que ça arrive parfois. Ça dépend sans doute des gens.

— T'imagines ?

Meg plissa les yeux, comme si elle essayait de visualiser la scène.

— Tu es à l'église, le jour le plus important de ta vie, et la mariée s'approche, descendant l'allée centrale comme une princesse habillée de blanc, et tes parents sont juste là au premier rang, peut-être même tes grands-parents, et tout ce à quoi tu peux penser c'est à l'ordure qui s'est frottée contre toi la veille au soir. Pourquoi se faire ça ? Pourquoi gâcher un moment magnifique ?

— Les gens faisaient tout un tas de choses folles à l'époque, dit Laurie, comme si elle se référait à de l'histoire antique, une époque révolue à peine perceptible à travers la nuit des temps. Ils n'avaient pas idée.

Cher Kevin,
Quand tu liras cette lettre, Nora n'existera plus.
Pardon – cela doit paraître plus inquiétant que je ne le voulais. Je veux juste dire que je vais quitter Mapleton, m'installer ailleurs et commencer une nouvelle vie sous une autre identité. Tu ne me reverras pas.
J'espère que tu ne trouves pas grossier que je te le dise par écrit, plutôt que de vive voix. Mais c'est déjà difficile pour moi ainsi. Ce que j'aimerais vraiment faire, ce serait de me volatiliser comme le reste de ma famille, mais tu mérites mieux (non que les gens aient toujours ce qu'ils méritent).
Ce que je veux te dire est la chose suivante : Merci. Je suis consciente de tous les efforts que tu as déployés pour que cela marche entre nous – combien tu as été indulgent avec moi, et comme tu as peu reçu en retour. Ce n'est pas que je ne voulais pas être à la hauteur – j'aurais donné beaucoup pour me montrer digne de l'occasion. Mais je n'ai pas trouvé la force, ou peut-être, simplement, le mécanisme. Chaque minute que nous passions ensemble, j'avais l'impression d'errer dans une étrange maison, cherchant à tâtons un interrupteur Et, quand j'en trouvais un et l'allumais, l'ampoule était morte.
Je sais que tu aurais aimé me connaître, et tu avais tous les droits d'essayer. C'est pour cette raison qu'on s'investit dans une relation, non ? Pas seulement pour le corps de l'autre, mais pour tout le reste aussi – ses rêves, ses cicatrices et ses histoires. À chaque fois qu'on était ensemble, je sentais que tu te retenais, marchant sur la pointe des pieds autour de ma vie privée, m'offrant de l'espace pour garder mes secrets. J'imagine que je devrais

t'en remercier. Te remercier de ta discrétion et de ta com-
passion – d'avoir été un gentleman.

Mais le problème, c'est que je savais ce que tu aurais
voulu savoir, et je te détestais précisément pour cette
raison. C'est pas mal, comme quadrature du cercle, non ?
J'étais en colère contre toi pour les questions que tu ne
posais pas, celles que tu ne posais pas parce que tu pensais
qu'elles me feraient de la peine. Mais tu attendais le bon
moment, tu attendais et espérais, non ?

Alors, laisse-moi au moins essayer de te répondre. Il me
semble que je te le dois.

On mangeait en famille.

Cela paraît si pittoresque dit comme ça, non ? On ima-
gine tout le monde ensemble, parlant, riant et prenant
plaisir au repas. Mais ce n'était pas comme ça. C'était
tendu entre moi et Doug. Je comprends maintenant pour-
quoi, mais à l'époque j'avais juste l'impression qu'il était
distrait par le travail, pas complètement présent dans notre
vie. Il vérifiait tout le temps ce fichu BlackBerry, l'attra-
pant à chaque fois qu'il vibrait comme s'il pouvait
contenir un message de Dieu. Bien sûr, ce n'était pas
Dieu, c'était juste sa jolie petite amie mais, en tout cas,
cela l'intéressait plus que sa propre famille. Je lui en veux
toujours un peu pour ça.

Les enfants n'étaient pas heureux non plus. Ils
l'étaient rarement le soir. Les matins pouvaient être
amusants chez nous, et les couchers étaient généralement
tendres, mais le dîner était souvent une épreuve. Jeremy
était de mauvaise humeur parce que... pourquoi ? J'aime-
rais pouvoir te le dire. Peut-être parce que c'est dur
d'avoir six ans, ou peut-être parce que c'était dur d'être
lui. Il pleurait à propos de n'importe quoi, et cela irritait
son père, qui lui parlait parfois d'un ton brusque, ce qui
contrariait encore plus Jeremy. Erin n'avait que quatre
ans, mais elle avait le don d'énerver son frère, faisant
remarquer d'un ton détaché que Jeremy pleurait de nou-
veau, qu'il se comportait comme un bébé, ce qui le met-
tait en rage.

Je les aimais tous, tu comprends ? Mon mari qui me trompait, mon garçon fragile, ma petite fille sournoise. Mais je n'aimais pas ma vie, pas ce soir-là. J'avais travaillé vraiment dur pour préparer le repas – une recette de poulet à la marocaine que j'avais trouvée dans un magazine – et tout le monde s'en fichait. Doug trouvait les blancs un peu secs, Jeremy n'avait pas faim, bla bla bla. C'était juste une soirée pourrie, c'est tout.

Et puis Erin a renversé son jus de pomme. Rien de bien grave, sauf qu'elle avait fait toute une histoire pour boire dans un verre sans couvercle, même si je lui avais dit que ce n'était pas une bonne idée. Et alors, hein ? Ça arrive. Je n'étais pas ce genre de mère qui s'énerve à propos d'une chose pareille. Mais ce soir-là, si. « C'est pas vrai, Erin, qu'est-ce que je t'avais dit ! » Et puis elle s'est mise à pleurer.

J'ai regardé Doug, m'attendant à ce qu'il se lève et aille chercher du Sopalin, mais il n'a pas bougé. Il s'est contenté de me sourire, comme si tout cela n'avait rien à voir avec lui, comme s'il flottait au-dessus de tout ça, à un niveau supérieur de l'existence. Alors, bien sûr, j'ai dû m'en occuper. Je me suis levée et je suis allée à la cuisine.

Combien de temps j'y ai passé ? Trente secondes, peut-être ? J'ai attrapé une poignée de serviettes, les déroulant et me demandant si j'en avais pris assez, ou peut-être trop, parce que je ne voulais pas avoir à retourner en chercher, mais je ne voulais pas gâcher non plus. Je me rappelle avoir été consciente du chaos que j'avais laissé derrière et de me sentir soulagée d'en être partie, mais aussi aigrie, accablée et sous-estimée. Je crois que j'ai peut-être fermé les yeux, laissé mon esprit se vider pendant une seconde ou deux. C'est à ce moment-là que ça a dû arriver. Je me souviens d'avoir remarqué que les pleurs avaient cessé, que la maison paraissait soudain paisible.

Alors, qu'est-ce que tu penses que j'ai fait quand je suis retournée dans la salle à manger et que je ne les ai pas vus ? Tu crois que j'ai crié, pleuré ou que je me suis éva-nouie ? Ou est-ce que tu crois que j'ai essuyé le jus de pomme, parce que la flaque s'étendait sur la table et qu'elle commencerait bientôt à couler sur le sol ?

Tu sais ce que j'ai fait, Kevin.

J'ai essuyé le putain de jus de pomme et puis je suis retournée à la cuisine, j'ai jeté les serviettes trempées à la poubelle et je me suis rincée les mains sous l'eau. Après les avoir séchées, je suis retournée à la salle à manger et j'ai regardé de nouveau la table vide, les assiettes, les verres et le repas qui n'avait pas été mangé. Les chaises vides. Je ne sais vraiment pas ce qui s'est passé après. C'est comme si ma mémoire s'arrêtait là et reprenait quelques semaines plus tard.

Est-ce que cela aurait aidé si je t'avais raconté cette his-toire en Floride ? Ou peut-être le soir de la Saint-Valentin ? Est-ce que tu aurais eu le sentiment de mieux me connaître ? Tu aurais pu me dire ce que je crois que je sais déjà – que les pleurs et le jus de pomme renversé ne sont pas vraiment si importants, que tous les parents sont stressés par moments, et en colère, et qu'ils aspirent à un peu de paix et de calme. Ce n'est pas la même chose que de souhaiter que les gens qu'on aime disparaissent pour toujours.

Mais, et si c'était la même chose ? Alors quoi ?

Je te souhaite tout le bonheur possible. Tu as été bon avec moi, mais j'étais irréparable. J'ai réellement aimé quand on a dansé ensemble.

Tendres baisers,

N

GRgrl405 (22:15:42) : cmt tu vas ?
Jillpill123 (22:15:50) : jme detends. Toi ?
GRgrl405 (22:15:57) : jpense a toi :)
Jillpill123 (22:16:04) : moi aussi :)
GRgrl405 (22:16:11) : tu devrais passer

Jillpill123 (22:16:23) : jsais pas...
GRgrl405 (22:16:31) : tu devrais bien aimer
Jillpill123 (22:16:47) : kc quon frait ?
GRgrl405 (22:16:56) : viens dormir :)
Jillpill123 (22:17:07) : ??? !
GRgrl405 (22:17:16) : juste 1 ou 2 nuits – tu verras ck ten penses
Jillpill123 (22:17:29) : jdirai koi a mon père ?
GRgrl405 (22:17:36) : a toi dvoir
Jillpill123 (22:17:55) : jvais reflechir
GRgrl405 (22:18:08) : pas dpression qd tes prete
Jillpill123 (22:18:22) : g peur
GRgrl405 (22:18:29) : c nrml davoir peur
Jillpill123 (22:18:52) : ptet la smaine prochaine ?
GRgrl405 (22:18:58) : ce srait parfait :)

Je suis content que tu sois là

Tom parlait de Mapleton à Christine tout en conduisant, essayant de lui vendre l'idée d'un séjour prolongé chez sa famille, plutôt qu'un arrêt d'une seule nuit sur leur trajet en direction de l'Ohio.

— C'est une grande maison, dit-il. On pourrait dormir dans mon ancienne chambre aussi longtemps qu'on veut. Je suis sûr que mon père et ma sœur seraient ravis d'aider avec le bébé.

C'était un peu présomptueux, dans la mesure où ni son père ni sa sœur ne savaient qu'il était en route, encore moins qu'il était accompagné. Il avait eu l'intention de les prévenir, mais les choses avaient été assez chaotiques ces derniers jours ; il s'était dit que cela avait plus de sens d'aviser, de conserver ses options jusqu'à ce qu'ils ne se trouvent plus trop loin. Il ne voulait surtout pas donner d'espoir à son père et finalement le décevoir, comme si souvent par le passé.

— C'est vraiment sympa là-bas l'été. Il y a un grand parc à deux pâtés de maison, et un lac où on peut se baigner. J'ai un copain qui a un jacuzzi de jardin. Et il y a un bon restaurant indien dans le centre-ville.

Il s'était mis à improviser, ne sachant pas si elle l'écoutait. Ce détour à Mapleton était une tentative de la dernière chance de sa part, façon de gagner encore un peu de temps avec Christine et le bébé, avant qu'ils ne disparaissent de sa vie.

— Je regrette que ma mère ne soit plus là. C'est la seule qui vraiment...

Le bébé émit un son plaintif depuis son baquet sur le siège arrière. C'était un être minuscule, à peine âgé d'une semaine, et sans grande capacité pulmonaire. Elle ne pouvait produire qu'un petit miaulement forcé, mais Tom était stupéfiait de la capacité de ce bruit à l'affecter autant, faisant vibrer ses terminaisons nerveuses et l'emplissant d'un sentiment d'urgence, sinon de panique totale. Il ne put que jeter un œil dans le rétroviseur au visage chiffonné et en colère du bébé et le supplier d'une voix sirupeuse, qui commençait déjà à lui apparaître comme un second langage.

— C'est rien, bébé. T'inquiète pas. Un peu de patience, ma chatte. Tout va bien. Rendors-toi, maintenant, OK ?

Il appuya sur la pédale de l'accélérateur et fut surpris de la réaction enthousiaste du moteur, du bond prodigue de l'aiguille du compteur de vitesse. La voiture serait volontiers allée encore plus vite, mais il relâcha sa pression, sachant qu'il ne pouvait pas se permettre de se faire arrêter dans une BMW empruntée ou volée, selon la manière dont les Falk décideraient de voir la chose.

— Je crois qu'il y a encore quinze kilomètres avant la prochaine aire de repos, dit-il. Tu as vu le panneau un peu plus tôt ?

Christine ne répondit pas. Elle paraissait quasiment catatonique dans le siège passager, regardant droit devant elle avec une placidité déconcertante. Elle se comportait ainsi depuis le départ, comme si le nouveau-né sur le siège arrière était un auto-stoppeur que Tom aurait ramassé, invité malvenu qui ne méritait aucunement son attention.

— Ne pleure pas, mon chou, lança-t-il par-dessus son épaule. Je sais que tu as faim. On va te donner un bibi, OK ?

Étonnamment, le bébé parut comprendre. Il émit encore quelques sanglots (de légers hoquets qui ressemblaient plus à des tressaillements qu'à de réelles protestations) puis se rendormit. Tom jeta un regard à Christine, espérant un sourire, ou ne serait-ce qu'un petit signe de soulagement, mais elle semblait aussi indifférente au silence qu'elle l'avait été au bruit.

— Un bon gros bibi, murmura-t-il, plus à lui-même qu'à ses passagers.

L'incapacité de Christine à créer des liens avec le bébé commençait à inquiéter Tom. Elle n'avait toujours pas donné de nom à l'enfant, lui parlait rarement, ne la touchait jamais et évitait autant que possible de la regarder. Avant de quitter l'hôpital, elle avait reçu une piqûre pour stopper la lactation et, depuis lors, elle était parfaitement heureuse de laisser Tom se charger de toutes les tâches – repas, changements de couche et bains.

Il ne pouvait pas lui reprocher de se sentir en état de choc ; lui-même l'était encore un peu. Tout s'était effondré si vite après que M. Gilchrest eut plaidé coupable et livré sa confession humiliante, dans laquelle il avait publiquement reconnu être un violeur d'adolescentes en série et supplié sa « véritable épouse » de lui pardonner, la seule femme, avait-il prétendu, qu'il ait jamais aimée. Furieuse de sa trahison, Christine avait commencé à avoir des contractions dès le lendemain, hurlant de douleur dès la première et exigeant qu'on l'emmène à l'hôpital et qu'on lui donne les médicaments les plus puissants qui existaient. Les Falk étaient trop démoralisés pour s'y opposer ; même eux semblaient comprendre qu'ils avaient atteint le bout de la route, que les prophéties qui les avaient nourris n'étaient rien que des rêves creux.

Tom resta avec Christine pendant les neuf heures de travail, lui tenant la main tandis qu'elle divaguait à intervalles sous l'effet du médicament, maudissant le père de l'enfant si amèrement que même les infirmières de la salle d'accouchement en furent impressionnées. Il regarda le bébé avec stupéfaction lorsqu'il jaillit au monde, les poings serrés, les yeux fermés et bouffis, ses cheveux d'un noir de jais collés et maculés de sang et d'autres fluides troubles. Le médecin laissa Tom couper le cordon, puis plaça l'enfant dans ses bras, comme s'il lui appartenait.

— C'est ta fille, dit-il à Christine, présentant la petite boule nue qui se tortillait telle une offrande. Dis bonjour à ta petite fille.

— Va-t'en, lui répondit-elle, détournant la tête pour ne pas avoir à regarder l'Enfant miraculeux, qui n'avait plus tellement l'air d'un miracle. Enlève-la d'ici.

Ils retournèrent chez les Falk le lendemain après-midi, pour trouver Terrence et Marcella partis. Il y avait un mot sur la table de la cuisine (*On espère que tout s'est bien passé. On sera de retour lundi. S'il vous plaît, soyez partis d'ici là !*), accompagné d'une enveloppe contenant mille dollars en espèces.

— Qu'est-ce qu'on va faire ? demanda-t-il.

Christine n'eut pas à réfléchir longtemps.

— Je devrais rentrer chez moi, dit-elle. Dans l'Ohio.

— Vraiment ?

— Où tu veux que j'aille ?

— On trouvera une solution.

— Non, dit-elle. Il faut que je rentre.

Ils restèrent chez les Falk encore quatre jours, pendant lesquels Christine ne fit pratiquement que dormir. Pendant tout ce temps, tandis qu'il changeait les couches, préparait les biberons et trébuchait dans la maison obscure au milieu de la nuit, Tom ne cessa d'attendre qu'elle se réveille et lui dise ce dont il était déjà persuadé, que tout allait bien, que tout s'était terminé pour le mieux. Ils formaient une petite famille maintenant, libres de s'aimer et d'agir à leur guise. Ils pouvaient partir ensemble comme des Va-nu-pieds, bande de nomades heureux, voguant au gré du vent. Mais la chose ne s'était pas encore produite, et il restait peu de kilomètres d'ici à l'Ohio.

Tom se rendait compte qu'il était confus, trop fatigué pour réfléchir sereinement, trop concentré sur les besoins sans limites du bébé et sa crainte de perdre Christine. Mais il savait qu'il devait se pré-parer à l'épreuve du retour à la maison, les questions qui jailliraient quand il se garerait devant chez son père dans une berline allemande de luxe qui n'était pas à lui, une cible sur le front, accompagné d'une jeune fille sérieusement déprimée dont il n'avait jamais parlé et un bébé qui n'était pas le sien. Il fau-drait fournir beaucoup d'explications.

— Écoute, dit-il, en ralentissant à l'approche de l'entrée de l'aire de repos. Je déteste avoir à t'embêter tout le temps avec ça, mais tu dois vraiment donner un nom au bébé.

Elle opina vaguement, pas en véritable signe d'acquiescement, mais pour lui montrer simplement qu'elle écoutait. Ils suivirent la rampe d'accès jusqu'au parking principal.

— C'est bizarre, tu sais ? Elle a presque une semaine. Qu'est-ce que je suis censé dire à mon père ? *C'est mon amie, Christine, et ça, c'est son bébé sans nom ?*

La circulation avait été fluide sur l'autoroute, mais l'aire de repos était bondée, comme si le monde entier avait décidé de faire pipi au même moment. Ils se retrouvèrent coincés dans une longue file roulant au pas, aucune voiture ne pouvant se garer à moins qu'une ne libère sa place.

— C'est pas si compliqué que ça, continua-t-il. Pense à une fleur, ou à un oiseau, ou à un mois. Appelle-la Rose ou Merle, ou bien Iris ou Avril, ce que tu veux. N'importe quoi serait mieux que rien.

Il attendit qu'une Toyota Camry recule, puis se faufila dans l'espace qu'elle avait libéré. Il mit la voiture en position stationnement mais ne coupa pas le moteur. Christine se tourna pour le regarder. Elle avait une cible marron et or sur le front que Tom avait peinte le matin (assortie à la sienne et à celle du bébé), juste avant leur départ de Cambridge. C'était comme l'insigne d'une équipe, songeat-il, une marque d'appartenance tribale. Dessous, le visage de Christine apparaissait pâle et dénué d'expression, mais il semblait émettre un rayonnement douloureux, renvoyant à Tom l'amour qu'il projetait en direction de Christine, l'amour qu'elle refusait d'absorber.

— Pourquoi tu ne choisis pas, toi ? lui demandat-elle. Ça m'est complètement égal.

Kevin consulta son téléphone. Il était 5:08 ; il avait besoin de manger quelque chose, passer son uniforme et se rendre au terrain de base-ball pour six heures. C'était jouable, mais seulement si Aimee partait au travail dans les prochaines minutes.

Le soleil était bas et chaud, brillant à travers le sommet des arbres. Kevin était stationné au bout de l'impasse, quatre portes plus loin que celle de sa maison, face à la lumière éblouissante. Pas idéal, mais le mieux qu'il pût faire étant donné les circonstances, le seul endroit dans Lovell Terrace qui lui permettait de surveiller sa porte d'entrée sans se faire immédiatement repérer par quelqu'un qui entrerait dans la maison ou en sortirait.

Il n'avait aucune idée de ce qui prenait si longtemps à Aimee. Elle était en général partie à quatre heures, pour servir les premiers clients à Applebee. Il se demandait si elle ne se sentait pas bien, ou si peut-être elle ne travaillait pas ce soir-là et avait omis de le lui dire. Si c'était le cas, alors il devrait revoir ses options.

C'était d'autant plus ridicule qu'il venait de lui parler au téléphone quelques minutes plus tôt. Il avait appelé Jill, comme souvent en fin d'après-midi pour vérifier s'ils avaient besoin de quelque chose de l'épicerie, mais c'était Aimee qui avait décroché.

Hé, avait-elle dit, d'un ton plus grave que d'habitude. *Comment s'est passée ta journée ?*

Bien. Il hésita. *Un peu bizarre, en fait.*

Raconte-moi.

Il ignora l'invitation.

Jill est là ?

Non, je suis toute seule.

Cela aurait été l'occasion de lui demander pourquoi elle n'était pas au travail, mais il était trop troublé pour lui poser la question, trop distrait à la pensée qu'Aimee se trouvait seule à la maison.

Pas de problème, avait-il répliqué. *Dis-lui juste que j'ai appelé, d'accord ?*

Il s'affaissa sur le siège conducteur, espérant ne pas se faire remarquer par Eileen Carnahan, qui se dirigeait vers lui sur le trottoir, de sortie avec son vieux cocker pour sa promenade d'avant le dîner. Eileen tendit le cou (elle portait un chapeau d'été mou de couleur fauve) et le scruta d'un air perplexe, essayant de savoir si tout allait bien. Appuyant son téléphone contre l'oreille, Kevin la repoussa avec un sourire d'excuse et un geste de la main censé signifier *je-ne-peux-pas-parler-maintenant,* faisant son possible pour avoir l'air d'un homme occupé en charge d'importantes affaires, et non d'un pauvre type en train d'épier sa propre maison.

Kevin se rassura, sachant qu'il n'avait franchi aucune limite irrévocable, du moins pas encore. Mais il y avait pensé toute la journée, et préférait ne pas se retrouver seul avec Aimee, pas après ce qui s'était passé ce matin. Il valait mieux garder ses distances pendant un temps, rétablir les limites convenables, celles qui semblaient s'être dissoutes ces dernières semaines. Comme le fait qu'elle ne l'appelait plus M. Garvey, ni même Kevin.

Salut, Kev, avait-elle dit, en entrant dans la cuisine, les yeux ensommeillés.

Bonjour, avait-il répondu, en se dirigeant vers le placard, une pile de petites assiettes en équilibre sur la paume de la main, encore chaudes du lave-vaisselle.

Il ne perçut aucune séduction dans sa voix ou son attitude. Elle portait un pantalon de yoga et un T-shirt, tenue plutôt modeste par rapport à ses habitudes. Il ne remarqua rien d'autre que le sentiment quotidien de bonheur qu'il éprouvait à la voir, reconnaissant de la décharge d'énergie positive qu'elle lui procurait toujours. Au lieu d'aller vers la machine à café, elle se dirigea vers le réfrigérateur, ouvrit la porte et regarda à l'intérieur. Elle se tint là pendant un moment, comme perdue dans ses pensées.

Tu cherches quelque chose ? demanda-t-il.

Elle ne répondit pas. S'éloignant du placard – juste pour essayer d'aider – il s'approcha d'elle par-derrière, examinant par-dessus la tête d'Aimee le fouillis familier de briques en carton, de bocaux et de Tupperware, la viande et les légumes dans leurs tiroirs en plastique transparent.

Un yaourt, dit-elle en tournant la tête et lui souriant, son visage si proche qu'il sentit le relent subtil de son haleine matinale, un peu rance mais pas désagréable – pas désagréable du tout. *Je commence un régime.*

Il rit, comme s'il s'agissait d'un projet ridicule – ce qui était le cas – mais elle insista et dit qu'elle était sérieuse. L'un d'entre eux avait dû bouger (ou bien il s'était penché en avant, ou elle en arrière, ou peut-être les deux choses arrivèrent simultanément) parce que soudain elle se retrouva appuyée contre lui, la chaleur de son corps passant à travers deux couches de tissu, si bien qu'il sembla à Kevin qu'ils étaient peau contre peau. Sans réfléchir, il plaça une main sur la taille d'Aimee, juste au-dessus du léger renflement de sa hanche. Pratiquement en même temps, elle inclina la tête en arrière, la laissant reposer contre la poitrine de Kevin. Cela paraissait complètement naturel de se tenir de la sorte, et également terrifiant, comme s'ils étaient perchés au bord d'un précipice. Il était intensément conscient de l'élastique autour de la taille de son pantalon, tension fascinante sous sa paume.

Dans la porte, dit-il après une hésitation bien plus longue que nécessaire.

Ah oui, fit-elle, rompant brusquement le lien en se retournant. *Pourquoi j'y ai pas pensé ?*

Elle attrapa le yaourt et se dirigea vers la table, lui lançant un sourire de côté tout en s'asseyant. Il termina de vider le lave-vaisselle, l'esprit ailleurs, la sensation physique du corps d'Aimee imprimée au creux de sa chair, comme s'il était fait d'une argile très tendre. Toute une journée s'était écoulée et l'empreinte demeurait, à l'endroit précis où elle l'avait laissée.

— Merde, dit-il en fermant les yeux et secouant la tête, ne sachant pas vraiment s'il regrettait l'incident ou s'il essayait de s'en souvenir un peu plus clairement.

Laurie ne pouvait en vouloir au livreur de pizza d'avoir l'air surpris alors qu'elle se tenait sur le seuil de la porte d'entrée dans ses habits blancs, brandissant un panneau écrit à la main qui disait : COMBIEN ?

— Heu, vingt-deux, marmonna-t-il, tentant de répondre sur un ton dégagé tandis qu'il retirait deux boîtes d'une sacoche d'isolation thermique.

C'était un gamin, du même âge environ que son fils, aux épaules larges et à la séduisante allure dépenaillée, dans un short cargo et des tongs, comme s'il s'était arrêté sur Parker Road en chemin vers la plage.

Ils procédèrent à l'étrange échange, Laurie prenant possession des pizzas, le gamin la soulageant de deux billets de dix et d'un de cinq, énorme dépense pour leurs maigres économies. Elle recula, secouant la tête pour lui faire comprendre qu'il pouvait garder la monnaie.

— Merci.

Il empocha les billets et pencha la tête pour essayer d'entrevoir ce qui pouvait se trouver dans la maison, puis perdit intérêt lorsqu'il se rendit compte qu'il n'y avait qu'un couloir vide derrière elle.

— Bonsoir.

Elle apporta les boîtes chaudes et légères dans la salle à manger et les posa sur la table, remarquant les regards inquiets mais clairement excités sur le visage des deux nouveaux, Al et Josh. Après des mois de maigres rations au complexe de Gingko Street, de la pizza de chez Tonetti devait leur paraître un luxe impossible et indécent, comme s'ils étaient morts et se retrouvaient tout à coup dans un paradis de débauche.

Ils avaient emménagé trois jours plus tôt et s'étaient rapidement révélés être des colocataires idéaux – propres, silencieux et serviables. Al avait à peu près l'âge de Laurie, petit gars taquin à la barbe parsemée de gris, ancien consultant pour l'environnement auprès d'un cabinet d'architectes. Josh avait la petite trentaine, ancien vendeur de logiciels, assez bel homme dégingandé à l'air sombre, avec une tendance à fixer les objets quotidiens – fourchettes, éponges et crayons – comme s'il les découvrait pour la première fois.

Il n'y avait pas si longtemps, songea Laurie, elle et Meg auraient été intriguées par l'arrivée dans leur vie de deux hommes d'âge approprié et raisonnablement séduisants. Elles seraient restées éveillées tard le soir, chuchotant dans le noir à propos des nouveaux venus, commentant le sourire d'Al, se demandant si Josh était l'un de ces gars émotionnellement attardé qui ne valait pas la peine que vous vous seriez donné à le faire sortir de sa coquille. Mais il était trop tard pour ce genre de divertissement. Elles avaient coupé les ponts ; Al et Josh appartenaient à un monde qu'elles avaient déjà laissé derrière elles.

Devinant juste, Laurie ouvrit la boîte qui contenait la pizza aux champignons et olives noires (il y en avait aussi une à la saucisse et aux oignons pour les carnivores) que Meg avait spécifiquement demandée. L'arôme qui l'enveloppa était riche et complexe, aussi pleine de souvenirs qu'une vieille chanson passant à la radio dans une voiture. Laurie ne s'attendait pas à l'épaisseur du fromage fondu quand elle souleva la première tranche, ni au poids improbable dans sa main quand celle-ci finit par se détacher. Se mouvant lentement, essayant de conférer à l'acte la solennité qu'il méritait, elle posa la tranche sur une assiette et l'offrit à Meg.

Je t'aime, dit-elle des yeux. *Tu es si courageuse.*

Je t'aime aussi, répondit Meg sans un mot. *Tu es une sœur.*

Ils mangèrent en silence. Al et Josh essayèrent de ne pas se montrer trop goulus sans y parvenir, se resservant tranche après tranche et finissant par avaler bien plus que leur part. Laurie s'en moquait. Elle n'avait pas très faim et Meg n'avait pris qu'une seule bouchée de la nourriture dont elle prétendait rêver depuis des mois. Ils étaient innocents, tout comme elle et Meg lorsqu'elles étaient arrivées à l'Antenne 17, merveilleusement ignorantes de la belle tradition qu'elles devaient maintenir.

Ce n'est pas grave, pensa-t-elle. *Profitez-en tant que vous le pouvez.*

Christine alla vite aux toilettes, laissant Tom préparer le biberon sur le siège avant. Il chauffa l'eau à l'aide d'un appareil pratique qui se connectait à l'allume-cigarettes. Quand l'eau fut à la bonne température, il ajouta le lait en poudre et secoua vigoureusement le biberon pour s'assurer qu'il était bien mélangé. Il procéda à ces opérations dans un état de suspense exquis, vérifiant dans le miroir toutes les secondes pour s'assurer que le bébé dormait toujours. Il savait par expérience à quel point il était difficile d'assembler correctement un biberon quand la petite couinait de faim. Quelque chose allait toujours mal : le sac en plastique ne s'ouvrait pas, ou bien il glissait du porte-sac, ou encore il y avait un minuscule trou dans le bas, ou vous n'aviez pas bien vissé le fond, ou n'importe quoi d'autre. C'était étonnant le nombre de façons dont on pouvait saboter une opération aussi simple.

Mais cette fois, les dieux étaient avec lui. Il finit de préparer le biberon, extirpa le bébé de son baquet sans la réveiller et la porta jusqu'à l'aire de pique-nique, où ils trouvèrent un banc à l'ombre. Le bébé n'ouvrit les yeux que lorsque la tétine lui toucha les lèvres. Elle chercha un peu en reniflant, puis elle se jeta dessus, s'accrochant dur, et se mit à téter avec une virulence qui fit rire Tom, le biberon faisant des soubresauts en rythme dans sa main. Cela lui rappela la pêche, la secousse lorsqu'on avait une prise, le choc de se trouver relié à une autre vie.

— T'es une petite affamée, hein ?

Le bébé posa le regard sur lui tout en déglutissant et en émettant de petits ronflements – pas un regard d'adoration, pensa Tom, ni même reconnaissant, mais à tout le moins tolérant, comme s'il se disait : *Je ne sais pas qui tu es, mais je pense que ça me va.*

— J'ai bien conscience que je ne suis pas ta mère, murmura-t-il. Mais je fais de mon mieux.

Christine fut partie longtemps, assez pour que le bébé finisse le biberon et que Tom commence à s'inquiéter. Il plaça le bébé en position verticale, lui tapotant le dos jusqu'à ce qu'il émette un mignon petit rot, qui parut beaucoup moins mignon à Tom lorsqu'il sentit l'humidité familière et déprimante sur son épaule. Il détestait l'odeur aigre de régurgitation, la façon qu'elle avait de s'agripper à vos vêtements et de persister dans vos narines, bien plus insidieuse que le caca de nourrisson.

Le bébé commençait à s'agiter, alors Tom l'emmena se promener autour du terrain, ce qu'il sembla apprécier. C'était une modeste aire de repos (pas de restaurant ni de station-service, juste un bâtiment de plain-pied sans intérêt, avec des toilettes, des distributeurs automatiques et des présentoirs offrant des brochures d'information sur les merveilles du Connecticut), mais elle occupait une surface étonnante. Il y avait six tables de pique-nique, un chemin de promenade pour chiens et un parking secondaire pour les camions et les camping-cars.

Alors qu'il passait près des gros véhicules, Tom fut hélé par un groupe de Va-nu-pieds dans un mini-van Dodge bordeaux avec une plaque d'immatriculation du Michigan. Ils étaient cinq, trois garçons et deux filles, tous de l'âge de jeunes étudiants. Tandis que les filles s'extasiaient devant le bébé (elles paraissaient particulièrement charmées par la cible de la taille d'une petite pièce sur son front), un gars aux cheveux roux, un bandana loqueteux noué autour de la tête, demanda à Tom s'il était en route vers Mount Pocono pour la fête du solstice qui devait durer un mois.

— Ça va être déjanté, dit-il avec une grimace, tout en levant un bras pour se gratter diligemment la cage thoracique. Bien mieux que l'année dernière.

— Je sais pas, répondit Tom avec un haussement d'épaules. C'est un peu difficile avec un bébé.

L'une des filles leva les yeux. Elle avait un corps sexy, un vilain teint, et il lui manquait une dent.

— Je peux faire la baby-sitter, dit-elle. Ça me gêne pas.

— Ouais, c'est ça, rit un de ses amis, un beau mec à l'expression déplaisante. Entre deux tournantes.

— Va te faire foutre, lui répondit-elle. Je suis très bien avec les enfants.

— Sauf quand elle tripe, ajouta le troisième gars.

Il était grand et mastoc, un joueur de football américain en graine.

— Et elle est tout le temps en train de triper.

— Vous êtes des salauds, les gars, fit remarquer la seconde fille.

Christine attendait à côté de la BMW et observait Tom d'un air pensif, ses cheveux noirs brillant sous le soleil de l'après-midi.

— T'étais où ? demanda-t-elle. J'ai cru que tu m'avais laissée tomber.

— Je donnais à manger au bébé.

Il lui montra le biberon vide pour qu'elle l'inspecte.

— Elle a tout bu.

— Hum, maugréa-t-elle, sans se donner la peine de prétendre que cela l'intéressait.

— Je suis tombé sur des Va-nu-pieds. Toute une camionnette. Ils disent qu'il y a un grand festival dans les Poconos.

Christine lui dit qu'elle avait parlé à l'une des filles dans les toilettes.

— Elle était tout excitée. Elle disait que c'était la plus grande fête de l'année.

— On pourrait peut-être aller voir, fit Tom prudemment. Si t'en as envie. Je crois que c'est sur la route de l'Ohio.

— Comme tu veux. C'est toi le patron, répondit-elle d'une voix plate, l'air parfaitement désintéressée.

Tom éprouva une soudaine envie de la gifler – pas pour lui faire mal, juste pour la réveiller – et eut du mal à se retenir jusqu'à ce que le sentiment l'ait quitté.

— Écoute, dit-il. Je sais que tu es énervée. Mais tu devrais pas t'en prendre à moi. C'est pas moi qui t'ai fait du mal.

— Je sais, lui assura-t-elle. Je suis pas fâchée contre toi.

Tom jeta un œil au bébé.

— Et ta fille ? Pourquoi t'es si en colère contre elle ?

Christine se frotta le ventre, une habitude qu'elle avait développée pendant la grossesse. Sa voix était à peine audible.

— J'étais censée avoir un fils.

— Oui, répliqua-t-il. Mais tu as eu une fille.

Elle se mit à regarder derrière Tom, observant une famille de blonds qui émergeait d'une Ford Explorer de l'autre côté – deux parents de grande taille, trois petits enfants, et un labrador jaune.

— Tu penses que je suis stupide, c'est ça ?

— Non, dit-il. C'est pas du tout le problème.

Elle rit doucement. C'était un son amer et triste.

— Qu'est-ce que tu me veux ?

— Je veux que tu tiennes ta fille, répondit-il en s'avançant d'un pas et en lui collant le bébé dans les bras avant qu'elle ait le temps de résister. Juste deux minutes, pendant que je vais aux toilettes. Tu crois que tu peux y arriver ?

Christine ne répondit pas. Elle se contenta de lui jeter un regard furieux, maintenant le bébé aussi loin que possible de son corps, comme s'il était la source d'une odeur dérangeante. Il lui tapota le bras en signe d'encouragement.

— Et pense à un nom, lui dit-il.

Le match apaisa Kevin, comme il s'y attendait. Il adorait la manière dont le temps ralentissait sur le terrain de base-ball, la façon dont la concentration se réduisait aux faits sous la main : deux de sortis, troisième manche pour eux, coureurs sur la première et la seconde base, un compte de deux balles et une prise.

— Vas-y, Gonzo ! hurla-t-il du champ extérieur, ne sachant pas si sa voix portait assez pour atteindre les oreilles de Bob Gonzalves, le meilleur lanceur du Carpe Diem, ou si même Gonzo écoutait.

C'était l'un de ces gars qui devenaient hyper concentrés quand ils lançaient et disparaissaient profondément en eux-mêmes. Il n'aurait même pas remarqué si les quelques femmes sur les gradins s'étaient mises à retirer leurs hauts et à crier leurs numéros de téléphone.

Appelle-moi, Gonzo ! Ne m'oblige pas à te supplier !

C'était l'autre aspect que Kevin adorait avec le soft-ball : le fait que l'on pouvait être un homme d'âge mûr, maître de chantiers ventripotent comme Gonzo (qui pouvait à peine courir jusqu'à la première base sans risquer la crise cardiaque) et être tout de même une star, un sorcier du lancer lent, dont les volées perfides par-dessous semblaient flotter comme des choux à la crème en direction du batteur, pour finalement tomber à pic au-dessus de la zone de prises comme un canard abattu en vol.

— T'es le meilleur ! entonna Kevin tout en frappant son gant. Pas de souci !

Il se tenait dans le centre gauche, entre d'immenses étendues d'herbe. Seuls huit joueurs du Carpe Diem étaient venus ce soir, et l'équipe avait décidé de jouer avec une personne de moins dans le champ extérieur, plutôt que de laisser un trou béant dans le champ intérieur. Cela signifiait beaucoup plus de terrain à couvrir pour Kevin, avec le soleil cuivré et bas en pleine face.

Il s'en moquait ; il était juste heureux d'être là, occupé à la meilleure activité qu'un homme pouvait avoir par une belle soirée comme celle-ci. Il était arrivé au stade avec seulement quelques minutes d'avance, sauvé par l'apparition opportune de sa fille à dix-sept heures vingt. Grâce à quoi Kevin avait pu rentrer rapidement et passer son uniforme – un pantalon élastique blanc et un T-shirt bleu pâle avec Carpe Diem écrit en lettres à l'ancienne au-dessus de l'image d'une pinte de bière – puis attraper une pomme et une bouteille d'eau, tout cela sans apercevoir Aimee, et avoir à gérer une situation gênante.

Le lancer suivant était largement en dehors, ramenant le compte à trois balles pour une prise sur Rick Sansome, un batteur tout au plus médiocre. Gonzo ne voulait surtout pas accorder un but-sur-balles à Sansome et avoir à affronter Larry Tallerico avec les bases pleines. Tallerico était féroce, malabar basané et hargneux qui, une fois, avait frappé une balle si loin qu'on ne l'avait jamais retrouvée.

— Facile ! cria Kevin. Fais-le valser !

Il s'essuya le dos de la main sur le front, essayant d'ignorer le sentiment de honte persistant qui l'avait poursuivi toute la journée. Il savait à quel point Aimee et lui avaient été près de commettre une terrible erreur, et il était déterminé à ne pas laisser un tel incident se reproduire. Il était grand, soi-disant un adulte responsable. Il lui revenait de prendre la situation en charge, d'établir les règles de base de manière honnête et franche. Il lui suffisait de s'asseoir avec elle à la première heure, de reconnaître ce qui se passait entre eux, et de lui dire que cela devait cesser.

Tu es une jeune fille très séduisante, commencerait-il. *Je suis sûr que tu le sais. Et on s'est beaucoup rapprochés ces dernières semaines – beaucoup trop.*

Et puis il lui expliquerait, aussi brutalement que nécessaire, qu'il ne pourrait jamais y avoir rien de sentimental ou de sexuel entre eux. *Ce serait injuste pour toi et injuste pour Jill, et je ne suis pas le genre d'homme qui mettrait l'une de vous dans cette position. Je suis désolé si je t'ai donné cette impression.* Ce serait gênant, il n'y avait pas de doute, mais loin d'être aussi embarrassant que de ne rien faire et de feindre l'innocence pendant qu'ils continuaient d'avancer sur le dangereux chemin où ils se trouvaient. Que se passerait-il ensuite ? Une rencontre fortuite sur le palier de la chambre de Kevin ? Aimee vêtue d'une simple serviette, marmonnant une excuse tout en se faufilant, leurs épaules s'effleurant au passage ?

Sansome commit une faute sur la frappe suivante et celle d'après, se cramponnant comme un beau diable. Le nouveau lancer de Gonzo passa si haut au-dessus de la tête du batteur que Steve Wiscziewski dut bondir de sa position accroupie pour l'attraper.

— Quatrième balle ! hurla l'arbitre. But-sur-balles !

Les coureurs avancèrent tandis que Sansome rejoignait à petites foulées la première base. Espérant apaiser Gonzo, Steve réclama un temps mort et se rendit sur le monticule pour une conférence. Pete Thorne quitta sa position d'arrêt-court pour participer aussi. Pendant qu'ils discutaient, Kevin recula dans le champ extérieur, en signe de respect pour la puissance de Tallerico. Avec le Carpe Diem menant par trois points, ils pouvaient se permettre d'accorder un ou deux buts. Ce que Kevin voulait éviter était un scénario où la balle lui volerait au-dessus de la tête, et qu'il ait à partir à sa chasse et faire une longue passe au relais pour éviter un grand chelem.

— Allons-y !

Pete et Steve retournèrent à leurs positions. Talle-rico marcha d'un pas lourd jusqu'au marbre, tapant la surface du bout épais de sa batte et prenant un air surpris et amusé quand il vit que Kevin se tenait aussi loin, à dix mètres environ de la bordure du bois. Kevin retira sa casquette bleue et la secoua en l'air, hélant le gros homme et l'invitant à passer à l'action.

Gonzo se prépara et lança une bonne balle bien grosse qui atterrit juste au-dessus du marbre. Talle-rico se contenta de la regarder tomber, pas le moins du monde impressionné quand l'arbitre cria : « Première prise ». Kevin essaya d'imaginer la conversation qu'il devrait avoir avec Aimee à la table du petit déjeuner, se demandant comment elle allait le prendre, et comment il se sentirait après. Il avait tant perdu ces dernières années – comme tout le monde – et avait travaillé si dur à demeurer fort et à conserver une atti-tude positive, pas seulement pour lui, mais aussi pour Jill, pour ses amis et voisins, et pour tous les autres de la ville. Pour Nora, également – surtout pour Nora, même si cela n'avait pas très bien marché. Et mainte-nant, il sentait le poids de toutes ces pertes, le poids des années passées, et le poids de celles à venir, quel qu'en soit le nombre – trois ou quatre, vingt ou trente, peut-être plus. Il était séduit par Aimee, bien sûr – il l'admettait – mais il ne voulait pas coucher avec elle, pas vraiment, pas dans le monde réel. Ce qui lui manquerait serait son sourire le matin, et le sentiment d'espoir qu'elle lui procurait, la conviction que l'on pouvait encore s'amuser, que l'on était plus que la somme de ce que l'on vous avait pris. C'était dur de penser qu'il fallait abandonner cela, surtout quand il n'y avait rien pour le remplacer.

Le son métallique de la batte en aluminium le fit brusquement sortir de sa rêverie. Il vit l'éclair de la balle tandis qu'elle s'élevait, puis la perdit dans le soleil. Haussant sa main vide pour se protéger les yeux, il recula à pas hésitants, puis se déplaça un peu sur la droite, calculant instinctivement la trajectoire d'un objet qu'il ne pouvait pas voir. Cela avait dû être une excellente frappe, parce qu'il sembla pendant une minute ou deux que la balle avait quitté l'atmosphère de la Terre et ne retomberait pas. Et puis, il l'aperçut, un point brillant dans le ciel, descendant en arc de cercle. Il étendit le bras et ouvrit son gant. La balle se logea dans le creux avec un bruit retentissant, comme si elle se dirigeait là depuis le début et se réjouissait d'avoir atteint sa destination.

Jill demanda si elle devait porter du blanc pour venir dormir, mais Mme Maffey lui dit que ce n'était pas nécessaire.

Viens juste avec un sac de couchage, écrivit-elle. *C'est assez décontracté à la Maison d'Hôtes. Et ne t'inquiète pas pour le Vœu de Silence. On peut chuchoter. Ce sera amusant !*

En geste de « à Rome, fais comme les Romains », Jill choisit de porter un T-shirt blanc stretch sur son jean, puis prépara un sac pour la nuit dans lequel elle mit un pyjama, des sous-vêtements de rechange et quelques articles de toilette. À la dernière seconde, elle ajouta une enveloppe contenant une dizaine de photographies de famille – une sorte de brouillon de Livre des Souvenirs –, juste au cas où sa visite durerait plus d'une nuit.

Aimee n'était pas là en général le soir, mais Jill l'avait entendue se déplacer dans la chambre d'amis, aussi ne fut-elle pas surprise, lorsqu'elle descendit, de la trouver assise sur le canapé du salon. Ce qui la surprit, en revanche, était les valises qui flanquaient les pieds d'Aimee, des sacs à roulettes en toile bleue que les parents de Jill avaient achetés quand Tom était encore au lycée et que toute la famille était partie en Toscane pour les vacances de printemps.

— Tu vas quelque part ? demanda-t-elle, consciente du sac de couchage roulé qu'elle-même tenait à la main.

Elles auraient pu partir en voyage ensemble et être en train d'attendre leur voiture pour l'aéroport.

— Je m'en vais, expliqua Aimee. Il est temps que je vous fasse un peu d'air.

— Oh.

Jill hocha la tête plus longuement que nécessaire, pour lui permettre d'absorber la portée des propos d'Aimee.

— Mon père ne m'a pas dit.

— Il ne sait pas.

Le sourire d'Aimee manquait de son assurance habituelle.

— C'était un peu sur un coup de tête.

— Tu ne rentres pas chez toi, si ?

— Mon Dieu, non. (Aimee parut horrifiée à l'idée.) Je n'y retournerai jamais.

— Alors où... ?

— J'ai rencontré une fille au travail. Mimi. Elle est cool. Elle habite avec ses parents, mais elle a une sorte d'appartement séparé au sous-sol. Elle m'a dit que je pouvais squatter chez elle pendant quelque temps.

— Waouh.

Jill éprouva une pointe de jalousie. Elle se rappela combien c'était extraordinaire quand Aimee était venue emménager chez elle, comment elles étaient devenues aussi proches que des sœurs, leurs vies tout emmêlées.

— C'est bien.

Aimee haussa les épaules ; il était difficile de dire si elle était fière d'elle ou gênée.

— C'est tout moi, non ? Je me fais des amies au travail, et j'emménage chez elles. Et puis je reste beaucoup trop longtemps.

— C'était sympa, murmura Jill. On était heureux de t'avoir.

— Et toi ? se demanda Aimee. Tu vas où ?

— Euh, juste... chez une amie, répondit Jill après une brève hésitation. Tu ne la connais pas.

Aimee opina d'un air indifférent, n'éprouvant plus de curiosité pour les détails de la vie sociale de Jill. Ses yeux firent un tour nostalgique du salon – la télé au grand écran plat, le canapé d'angle confortable, la peinture d'une modeste cahute éclairée par un lampadaire.

— J'aimais vraiment bien ici, dit-elle. C'est le meilleur endroit où j'ai jamais vécu.

— Tu n'es pas obligée de partir, tu sais.

— Il est temps, lui répondit Aimee. J'aurais sans doute dû le faire il y a quelques mois.

— Tu vas manquer à mon père. Tu lui remontais réellement le moral.

— Je lui écrirai une lettre, promit Aimee, s'adressant aux pieds de Jill plutôt qu'à son visage. Dis-lui juste que je le remercie pour tout.

— Pas de problème.

Il sembla à Jill qu'il y avait quelque chose d'autre qu'il aurait fallu ajouter, mais elle ne savait pas quoi, et Aimee ne l'aidait pas. Elles se sentirent toutes les deux soulagées lorsqu'un klaxon retentit à l'extérieur.

— C'est pour moi.

Aimee se leva et regarda Jill. Elle semblait essayer de sourire.

— Bon, on dirait que ça y est.

— Oui, on dirait.

Aimee s'avança d'un pas, se penchant pour une étreinte d'adieu. Jill répondit du mieux qu'elle pouvait de sa seule main libre. Le klaxon retentit de nouveau.

— L'été dernier ? dit Aimee. Tu m'as sauvé la vie.

— C'est l'inverse, lui assura Jill.

Aimee rit doucement et souleva ses bagages.

— Je les emprunte, juste. Je les rapporterai dans quelques jours.

— Quand tu veux, répondit Jill. C'est pas pressé.

Elle se tint sur le seuil de la porte et regarda son ancienne meilleure amie rouler les valises vers la Mazda bleue qui attendait le long du trottoir. Aimee ouvrit le coffre, y rangea les sacs et puis se retourna pour un au revoir de la main. Jill ressentit un vide s'ouvrir en elle tandis qu'elle levait le bras, le sentiment qu'on lui retirait une partie vitale de son existence. C'était toujours pareil quand quelqu'un que vous aimiez partait, même quand vous saviez que c'était inévitable, et que vous n'y étiez sans doute pour rien.

Incroyable, pensa Tom tandis qu'il roulait le long de Washington Boulevard pour la première fois depuis plus de deux ans. *Ça n'a absolument pas changé.*

Il ne savait pas si cela le dérangeait. Peut-être parce qu'il avait lui-même tellement changé depuis la dernière fois où il avait été chez ses parents, il se disait que Mapleton aussi devait avoir changé. Mais tout était exactement à sa place – Le Safeway, le magasin de chaussures discount Big Mike's, Taco Bell, Walgreens, cette horrible tour verte se dressant au-dessus de Burger King, criblée d'antennes téléphoniques et paraboliques. Et puis cet autre paysage, quand il quitta la voie principale pour tourner dans les rues tranquilles où les gens habitaient réellement, le monde de rêves suburbain des pelouses parfaites et des arbustes soignés, des tricycles renversés et des petits drapeaux d'insecticides, leurs bannières jaunes pendant mollement dans l'air du soir.

— On y est presque, dit-il au bébé.

Ils n'étaient plus que tous les deux maintenant, et elle avait dormi tout le long du trajet. Ils avaient attendu une demi-heure sur l'aire de repos, au cas où Christine déciderait de se montrer, mais c'était juste une formalité. Il savait qu'elle était partie, l'avait su dès qu'il était revenu des toilettes et avait trouvé le bébé tout seul dans la voiture, attaché dans son petit siège, levant sur lui un regard glacé et réprobateur. Et, même pire, Tom savait que c'était de sa faute : il avait effrayé Christine, lui collant l'enfant dans les bras de cette façon, alors qu'à l'évidence elle n'était pas prête.

Il fouilla la voiture, mais il n'y avait pas de lettre, pas d'excuse, pas un mot de remerciement ou d'explication, pas même un simple au revoir au fidèle ami qui l'avait soutenue et protégée quand personne d'autre n'était là pour le faire, son compagnon de voyage à travers le pays et presque-petit-copain, le père de substitution de son enfant. Il parcourut aussi le parking à sa recherche, mais ne trouva aucune trace d'elle, ou de la camionnette remplie de Va-nu-pieds en route pour les Poconos.

Une fois le choc initial passé, il essaya de se persuader que c'était pour le mieux, que sa vie serait plus facile sans elle. Elle n'était qu'un poids mort dans la voiture, un fardeau de plus qu'il devait emporter de lieu en lieu, tout aussi égoïste et exigeante que le nourrisson qu'elle avait abandonné, et bien plus difficile à satisfaire. Il s'était bercé d'illusions, s'imaginant qu'elle allait se réveiller un matin et soudain se rendre compte qu'elle était mieux avec lui qu'elle ne l'aurait été avec M. Gilchrest.

Tu as raté ta chance, pensa-t-il. *C'est moi qui t'aimais.*

Mais c'était précisément le problème, celui auquel son esprit ne cessait de revenir tandis qu'il dirigeait la BMW vers l'endroit où il avait autrefois vécu : il l'aimait, et elle était partie. Il était douloureux de penser à elle en train de rouler sur l'autoroute dans cette camionnette pleine de jeunes Va-nu-pieds, parlant tous de la grande fête et de la folle célébration. Christine n'écoutait sans doute même pas, songeant à quel point c'était bon d'être libre, loin du bébé et de

Tom, les deux personnes qui l'empêchaient d'oublier tout ce qui avait mal tourné et quelle idiote elle avait été.

Mais c'était encore plus douloureux de l'imaginer émergeant du brouillard d'ici une semaine ou un mois, découvrant que le pire était passé et qu'elle pouvait de nouveau rire et danser, et peut-être même sortir avec un de ces idiots, petit camé chanceux. Et où se trouverait Tom ? De retour chez lui à Mapleton, avec son père et sa sœur, élevant un enfant qui n'était même pas le sien, languissant encore d'amour pour une fille qui l'avait laissé tomber sur une aire de repos dans le Connecticut ? Était-ce là que son long voyage allait le déposer ? À l'endroit exact où il avait démarré, juste avec une cible sur le front et une couche sale à la main ?

Le soleil s'était couché quand il tourna dans Lovell Terrace, mais le ciel était encore d'un bleu profond au-dessus de la grande maison blanche familiale.

— Petit bébé, dit-il. Qu'est-ce que je vais faire de toi ?

NE PAS HÉSITER. C'était la recommandation numéro un. *Le départ du martyr doit être rapide et indolore.*

— Allez, supplia Meg.

Elle était appuyée contre un mur de briques sous l'escalier extérieur de l'école élémentaire Bailey, sa poitrine se soulevant et s'abaissant à chacune de ses respirations irrégulières. Le canon du pistolet ne se trouvait qu'à deux ou trois centimètres de sa tempe.

— Juste une seconde, dit Laurie. J'ai la main qui tremble.

— Tout va bien, lui rappela Meg. Tu me rends un service.

Laurie prit une grande inspiration pour se calmer. *Tu peux le faire.* Elle s'était préparée. Elle avait appris à tirer au pistolet et avait fidèlement répété les exercices de visualisation inclus dans le mémo d'instructions.

Appuyez sur la gâchette. Imaginez un éclair de lumière dorée transportant le martyr directement au paradis.

— Je ne sais pas pourquoi je suis si nerveuse, dit-elle. J'ai pris une double dose de Temesta.

— N'y pense pas, lui rappela Meg. Fais-le et va-t'en.

C'était le mantra de Laurie pour la soirée, sa tâche en deux mots : *Fais-le et va-t'en.* Une voiture l'attendrait au coin d'Elm et de Lakewood. Elle ne savait pas où ils l'emmenaient, seulement que ce serait loin de Mapleton et très paisible là-bas.

— Je vais compter à rebours à partir de dix, lui dit Meg. Ne me laisse pas arriver à un.

Le pistolet était petit et argenté, avec une crosse en plastique noir. Il n'était pas très lourd, mais il fallait à Laurie toute sa force pour le tenir fermement.

— Dix... neuf...

Laurie jeta un œil par-dessus son épaule, s'assurant que la cour de l'école était vide. À leur arrivée, deux adolescentes bavardaient sur les balançoires, mais Laurie et Meg les avaient regardées fixement jusqu'à ce qu'elles partent.

— Huit... sept...

Les yeux de Meg étaient fermés, son visage tendu par l'anticipation.

— Six...

Laurie ordonna à son doigt de bouger, mais il refusa d'obéir.

— Cinq...

Elle avait dû se donner tant de mal pour s'arracher à sa famille et à ses amis, se retirer du monde, renoncer aux conforts terrestres et aux attachements humains. Elle avait quitté son mari, abandonné sa fille, s'était tue et rendue à Dieu et aux CS.

— Quatre...

Cela avait été difficile, mais elle l'avait fait. C'était comme si elle s'était elle-même arraché un œil, sans anesthésie, sans regret.

— Trois...

Elle était devenue une autre personne, plus forte et plus soumise à la fois. Une servante sans désir, sans rien à perdre, prête à obéir à la volonté de Dieu, à partir quand son tour viendrait.

— Deux...

Mais à ce moment-là Meg était apparue, et elles avaient passé tout ce temps ensemble, et maintenant Laurie se retrouvait à la case départ – faible et sentimentale, pétrie de doutes et de regrets.

— Un...

Meg serra les dents, se préparant à l'inévitable. Au bout de quelques secondes, elle rouvrit les yeux. Laurie aperçut une lueur de soulagement sur son visage, suivie d'un déluge d'agacement.

— Nom de Dieu, s'énerva-t-elle.

— Je suis désolée. (Laurie abaissa le pistolet.) Je ne peux pas.

— Il le faut. Tu as promis.

— Mais tu es mon amie.

— Je sais. (La voix de Meg était plus douce maintenant.) C'est pour cette raison que j'ai besoin de ton aide. Pour ne pas avoir à le faire moi-même.

— Tu n'as pas besoin de le faire du tout.

— Laurie, maugréa Meg. Pourquoi est-ce que tu rends la chose aussi difficile ?

— Parce que je suis faible, admit Laurie. Je ne veux pas te perdre.

Meg tendit la main.

— Donne-moi le pistolet.

Elle parla d'un ton si calme et autoritaire, témoignant d'une foi si profonde en la mission que Laurie éprouva une sorte d'admiration, et même une certaine fierté. Il était difficile de croire qu'il s'agissait là de la jeune femme effrayée qui avait pleuré jusqu'à ce qu'elle s'endorme la première nuit à la Maison Bleue, la Jeune Recrue qui avait du mal à respirer au supermarché.

— Je t'aime, murmura Laurie tout en lui tendant le revolver.

— Je t'aime aussi, dit Meg, mais sa voix était étrangement plate, comme si son âme avait déjà quitté son corps, comme si celle-ci n'avait pas pris la peine d'attendre l'instant prochain de l'explosion assourdissante, ni cet éclair imaginaire de lumière dorée.

Nora savait que c'était ridicule de traverser la ville à pied pour déposer une lettre qu'elle aurait pu tout aussi bien mettre dans une boîte postale, mais c'était une magnifique soirée, et elle n'avait rien d'autre à faire. Au moins, de cette manière, elle était sûre que la lettre ne se perdrait pas ou ne serait pas retardée par la Poste. Elle pourrait la rayer de sa liste et passer à la tâche suivante. C'était le vrai but de cet exercice – faire quelque chose, n'importe quoi pour arrêter d'atermoyer et avancer d'un petit pas dans la bonne direction.

Quitter la ville et commencer une nouvelle existence s'avérait plus difficile qu'elle ne se l'était imaginé. Elle avait eu cet accès frénétique d'énergie la semaine dernière – cette vision exaltante de son avenir de blonde sous un pseudonyme –, mais cela s'était vite estompé, remplace par une inertie bien trop familière. Elle n'arrivait pas à trouver un nouveau nom pour sa nouvelle identité, ne pouvait pas décider où elle voulait aller, n'avait pas appelé l'avocat ni l'agent immobilier pour organiser la vente de sa maison. Tout ce qu'elle avait fait avait été du vélo, jusqu'à ce que ses jambes lui fassent mal, que ses doigts s'engourdissent, et que son esprit soit trop fatigué pour lutter.

C'était la perspective de vendre la maison qui l'avait fait flancher. Il fallait qu'elle s'en débarrasse, elle en était consciente, pas uniquement pour l'argent, mais aussi pour la liberté psychologique que lui procurerait le fait de la laisser derrière, la ligne lumineuse entre l'avant et l'après. Mais comment pouvait-elle s'y résigner alors que c'était la seule maison que ses enfants avaient jamais connue, le premier endroit où ils se rendraient si jamais ils revenaient. Elle savait qu'ils ne reviendraient pas, évidemment – du moins pensait-elle le savoir – mais cela ne l'empêchait pas de se tourmenter, de se laisser aller à imaginer la déception et la stupéfaction qu'ils éprouveraient – le sentiment d'abandon – quand un étranger ouvrirait la porte au lieu de leur mère.

Je ne peux pas leur faire ça, songeait-elle.

Cet après-midi, pourtant, elle avait trouvé une solution. Au lieu de vendre la maison, elle pouvait la louer par l'intermédiaire d'une agence, s'assurant que quelqu'un saurait comment la contacter en cas de miracle. Ce n'était pas la rupture nette dont elle avait rêvé – elle devrait sans doute continuer d'utiliser son vrai nom, du moins pour le bail – mais c'était un compromis acceptable. Demain matin elle irait à Century 21 et s'occuperait des détails.

Elle pressa le pas tandis qu'elle s'approchait de Lovell Terrace. Le ciel commençait à noircir, la nuit s'installant à l'heure paresseuse de la belle saison. Le match de softball de Kevin serait bientôt terminé – elle s'était assuré des horaires en ligne – et elle voulait être loin de ce quartier quand il rentrerait. Elle n'avait aucun désir de le voir ni de lui parler, ne souhaitait pas se rappeler quel homme charmant il était, ni combien elle appréciait sa compagnie. Elle n'avait rien à y gagner, plus maintenant.

Elle hésita un instant devant sa maison. Elle n'y était jamais allée – elle avait insisté pour s'en tenir éloignée – et fut surprise par la taille de cette bâtisse de style colonial, s'élevant sur trois étages et installée bien à l'écart de la rue, avec une pelouse en pente légère assez grande pour une partie de football américain. L'entrée principale était recouverte d'un petit toit en arche, une boîte aux lettres en bronze fixée à côté de la porte.

Allez, se dit-elle. *Tu peux le faire.*

Elle était nerveuse en avançant sur l'allée et en remontant le chemin de pierres qui conduisait aux marches. C'était une chose de concevoir le fantasme de disparaître, de laisser ses amis et sa famille derrière soi, et une autre que de passer à l'acte et de le réaliser. Dire adieu à Kevin était bien réel, le genre de geste sur lequel l'on ne pouvait pas revenir.

Tu ne me reverras pas, lui avait-elle écrit dans sa lettre.

Il y avait une lanterne accrochée sous la voûte, mais elle était éteinte, et l'espace dessous semblait plus sombre que le reste du monde. Nora était si concentrée sur la boîte aux lettres qu'elle ne remarqua pas l'objet volumineux posé sur le perron jusqu'au moment où elle faillit trébucher dessus. Elle eut le souffle coupé lorsqu'elle se rendit compte de ce que c'était, puis s'agenouilla pour voir de plus près.

— Pardon, dit-elle. Je ne t'avais pas vu.

Le bébé dormait profondément dans son siège de voiture, un minuscule nouveau-né aux joues d'écureuil et aux traits vaguement asiatiques, avec un fin duvet de cheveux noirs. Une odeur familière s'élevait de son corps, le parfum aigre-doux caractéristique d'une nouvelle vie. Il y avait un sac à langer à côté du siège auto, avec un mot gribouillé glissé dans l'une des poches extérieures. Nora dut plisser les yeux pour lire ce qu'il disait : *Cette petite fille n'a pas de nom. S'il vous plaît, prenez bien soin d'elle.*

Elle se retourna vers le bébé. Son cœur se mit soudain à battre bien trop fort.

— Où est ta maman ? demanda-t-elle. Elle est partie où ?

Le bébé ouvrit les yeux. Il n'y avait pas de crainte dans son regard.

— Tu n'as pas une maman ou un papa ?

Le bébé forma une petite bulle de salive.

— Quelqu'un sait que tu es là ?

Nora regarda alentour. La rue était vide, aussi silencieuse qu'un rêve.

— Non, dit-elle, répondant à sa propre question. Ils ne t'auraient pas laissé ici toute seule.

Le siège auto se transformait en couffin. Par curiosité, Nora abaissa la poignée et souleva le siège. Ce n'était pas très lourd, pas plus encombrant qu'un sac de courses.

Portable, pensa-t-elle, et le mot la fit sourire.

L'idée de passer la nuit là-bas lui avait semblé sympa. Mais maintenant qu'elle se dirigeait vers Gingko Street, Jill éprouvait une certaine résistance se développer en elle. Qu'est-ce que Mme Maffey et elle allaient faire toute la nuit ? La perspective de parler à voix basse lui avait d'abord paru excitante, voire vaguement illicite, comme des campeurs restant éveillés après le couvre-feu. Mais à la réflexion, cela lui paraissait malhonnête, comme de servir de la glace à des gens le premier soir de leur séjour en cure d'amaigrissement.

Hé, reprenez du caramel chaud ! Vous allez adorer notre cure Perdez Beaucoup !

Elle ne se réjouissait pas autant du fait qu'Aimee soit partie qu'elle ne s'y était attendue non plus. Pas pour elle – elles s'étaient lassées l'une de l'autre depuis un moment maintenant – mais pour son père. Il s'était beaucoup attaché à Aimee ces derniers mois et serait triste de la voir partir. Jill avait été jalouse de leur amitié, et même un peu inquiète, mais elle était aussi consciente de la pression que cela lui retirait, et à quel point son père aurait plus besoin d'elle dans les jours et les semaines à venir.

Pas un bon moment pour le laisser tout seul, pensa-t-elle, passant le sac de couchage de sa main gauche à la droite tandis qu'elle descendait Elm Street.

Elle se figea, alarmée par ce qui semblait être un coup de pistolet provenant des alentours de l'école élémentaire Bailey. *Un pétard*, se dit-elle, mais un frisson glacé lui parcourut le corps, accompagné d'une vision atroce du cadavre qu'elle avait découvert près de la décharge le soir de la Saint-Valentin – le halo liquide autour de sa tête, ses yeux grands ouverts et son regard fixe de stupéfaction, les minutes sans fin qu'ils avaient passé ensemble à attendre l'arrivée de la police. Elle se revoyait lui parler d'une voix rassurante, comme s'il était encore en vie et avait juste besoin d'encouragement.

Seulement un pétard...

Elle ne savait pas combien de temps elle s'était détournée de la rue, tendant l'oreille dans l'attente d'une seconde explosion qui ne se produisit pas. Tout ce qu'elle savait c'était qu'une voiture vira dans sa direction lorsqu'elle se retourna, avançant sans bruit et bien trop vite, comme si elle avait l'intention de la renverser. Le véhicule se redressa à la dernière minute, en parallèle au trottoir, et s'arrêta juste à côté d'elle, une Prius blanche qui se trouvait du mauvais côté de la chaussée.

— Yo, Jill ! cria Scott Frost du siège conducteur tandis que la vitre teintée s'abaissait.

Une chanson de Bob Marley passait sur l'auto-radio, celle à propos de trois petits oiseaux, et Scott souriait de son sourire béat habituel.

— Tu te cachais où ?

— Nulle part, dit-elle, espérant qu'elle n'avait pas l'air aussi secouée qu'elle se sentait.

Il plissa les yeux tout en étudiant le duvet qu'elle avait à la main et le sac pour la nuit qu'elle portait en bandoulière en travers de la poitrine. Adam Frost se pencha de son siège passager, exactement le même visage, positionné un peu au-dessus et en arrière de celui de son frère.

— Tu fugues ? demanda Scott.

— Ouais, lui répondit-elle. Je crois que je vais rejoindre le cirque.

Scott considéra sa réponse pendant quelques secondes, puis eut un rire approbateur.

— Génial, dit-il. T'as besoin qu'on t'emmène ?

La voiture qui l'attendait se trouvait exactement où elle était censée être. Deux hommes étaient installés à l'avant, si bien que Laurie ouvrit la portière arrière, et monta à l'intérieur. Ses oreilles tintaient encore à cause de l'explosion ; il lui semblait être enveloppée du bourdonnement, comme si une barrière solide de son s'était interposée entre elle et le reste du monde.

C'était mieux ainsi.

Elle avait conscience que les hommes la dévisageaient et se demanda si quelque chose n'allait pas. Au bout d'un moment, celui installé dans le siège passager (c'était un type bronzé qui paraissait apprécier les activités de plein air) ouvrit le compartiment à gants et en sortit un sac de congélation en plastique. Il en écarta les bords et le lui tendit.

Ah, oui, pensa-t-elle. *Le pistolet. Ils veulent que je leur rende leur pistolet.*

Elle le souleva avec deux doigts, comme un détective de série télé, et le laissa tomber dans le sac, essayant de ne pas songer à la difficulté qu'elle avait eue à le retirer de la main de Meg. L'homme hocha la tête d'un air sérieux et referma le sac.

Preuve, pensa Laurie. *Cacher la preuve.*

Le conducteur semblait contrarié par quelque chose. C'était un gars plutôt jeune aux joues rondes et aux yeux légèrement à fleur de tête, et il n'arrêtait pas de se tapoter le front, comme s'il essayait de dire à un idiot de réfléchir. Laurie ne comprit le sens du geste que lorsque le type dans le siège passager lui tendit un Kleenex.

Pauvre Meg, pensa-t-elle, tout en portant le mouchoir à son front. Elle sentit une matière humide et collante à travers le papier. *Pauvre brave Meg.*

Le type du siège passager continuait de lui tendre des mouchoirs et le conducteur de se toucher différentes parties du visage pour lui indiquer où elle devait s'essuyer. Cela aurait été plus facile si elle s'était juste regardée dans le miroir, mais tous les trois étaient conscients que ce n'était pas une bonne idée.

Finalement, le conducteur se retourna et démarra la voiture, descendant Lakewood en direction de Washington Boulevard. Laurie s'installa sur la banquette et ferma les yeux.

Brave, brave Meg.

Au bout d'un moment, elle jeta un regard à travers la vitre. Ils quittaient Mapleton et entraient dans Gifford, sans doute en direction de l'autoroute. Au-delà, elle ne savait rien de sa destination et ne s'en souciait pas vraiment. Où que ce fût, elle irait et attendrait la fin, la sienne et celle de tous les autres.

Elle pensait qu'il n'y en avait plus pour très longtemps.

La BMW avait une radio satellite intégrée, ce qui était assez cool. Tom avait essayé d'écouter de la musique quelquefois sur la route après avoir quitté Cambridge, mais il avait dû garder le volume bas pour ne pas déranger le bébé ou irriter Christine. Maintenant il pouvait l'augmenter, sautant du hip-hop traditionnel à Alternative Nation, en passant par de la musique nostalgique des années quatre-vingt et du Hair Metal, quand cela lui chantait. Il évita la chaîne Jam Band, se disant qu'il y en aurait bien suffisamment quand il arriverait aux Poconos.

Il se sentait un peu plus sûr maintenant qu'il se trouvait sur l'autoroute. S'échapper de Mapleton avait été la partie difficile. Il se dirigeait vers la sortie de la ville, puis flanchait et revenait sur ses pas à la dernière minute vérifier que le bébé allait bien. Il le fit à trois reprises, avant de finalement trouver le courage de larguer les amarres, se promettant que tout se passerait bien pour elle. Il lui avait donné un biberon et l'avait changée juste avant de partir, aussi se disait-il qu'elle dormirait sans doute deux ou trois heures, et qu'à ce moment-là quelqu'un serait rentré et s'occuperait d'elle, ou bien l'un des voisins l'entendrait pleurer. Il pourrait peut-être appeler son père de la prochaine aire de repos et lui dire bonjour, faire semblant que c'était une coïncidence, juste pour s'assurer que tout allait bien. Si personne ne répondait, il pourrait toujours appeler la police d'une cabine, leur signaler anonymement qu'il y avait un bébé abandonné dans Lovell Terrace. Mais il espérait ne pas devoir en arriver là.

Au fond de lui, il était convaincu qu'il avait pris la bonne décision. Il ne pouvait pas rester à Mapleton, ne pouvait pas retourner dans cette maison, revenir à ce genre de vie, en tout cas pas sans Christine. Mais il ne pouvait pas prendre le bébé avec lui non plus. Il n'était pas son père, et il n'avait pas de travail, pas d'argent, pas d'endroit où habiter. Elle serait mieux avec son père et Jill, s'ils décidaient de la garder, ou bien avec une famille adoptive aimante qui lui donnerait le genre de vie sûre et stable que Tom ne pourrait jamais lui apporter, du moins pas s'il ne voulait pas être complètement malheureux.

Un jour peut-être lui et Christine pourraient-ils retourner à Mapleton et réclamer son bébé, recréer la famille dont Tom avait rêvé. C'était peu probable, il le savait, et ce n'était pas la peine de s'emballer. Ce qu'il devait faire maintenant était trouver cette fête du solstice, rejoindre les Va-nu-pieds dansant sous les étoiles. Ils étaient sa famille désormais, et c'était là qu'il devait être. Peut-être Christine serait-elle là, et peut-être pas. D'une manière ou d'une autre, cela avait l'air d'une sacrée fête.

Jill était assise sur une chaise longue couleur framboise dans le sous-sol aménagé et regardait la balle aller et venir par-dessus la table de ping-pong. Pour deux camés, les jumeaux Frost jouaient avec une surprenante agilité et intensité, leurs corps relâchés et fluides, le visage tendu de concentration et d'agressivité maîtrisée. Ni l'un ni l'autre ne faisait de bruit, sauf un grognement de temps en temps et l'annonce du score d'un ton détaché avant chaque service. Autrement, c'était juste la conversation hypnotique de la balle-contre-table-contre-raquette-contre-table, à l'infini, jusqu'au moment où l'un des frères prenait l'avantage, reculant pour un smash monstre, que l'autre le plus souvent réussissait à retourner.

Il y avait une magnifique symétrie dans leur jeu, comme si une seule personne occupait les deux côtés de la table, frappant la balle vers lui-même dans une sorte de boucle autosuffisante. Sauf que l'un des joueurs – Scott, celui à droite – ne cessait de chercher le regard de Jill dans l'accalmie entre les échanges, poursuivant une conversation silencieuse, lui faisant savoir qu'il ne l'avait pas oubliée.

Je suis content que tu sois là.

Je suis contente aussi.

Le score était à égalité, huit partout. Scott prit une grande inspiration et frappa un service coupé redoutable, abaissant sa raquette en une diagonale précise. Adam fut pris de court, se penchant vers la droite avant de se rendre compte de son erreur, bondissant de l'autre côté de la table pour produire un revers maladroit, frappant un lob faible qui passa à peine le filet. Et, simplement de la sorte, ils furent de retour dans le rythme, un *plic-ploc-plic* régulier et patient, le flou blanc rebondissant d'une raquette au revêtement orange à l'autre.

Peut-être une personne différente aurait-elle trouvé cela ennuyeux, mais Jill ne se plaignait pas. Le fauteuil était confortable, et il n'y avait nulle part ailleurs où elle aurait préféré se trouver. Elle se sentait un peu coupable, s'imaginant Mme Maffey au portail du complexe de Gingko Street, se demandant ce qui était arrivé à sa nouvelle recrue, mais pas assez coupable pour agir en conséquence. Elle s'excuserait demain, pensait-elle, ou le surlendemain.

Je suis tombée sur des amis, pourrait-elle écrire.

Ou : *Il y a ce mec mignon, et je crois qu'il m'aime bien.*

Ou encore : *J'avais oublié comment cela faisait d'être heureuse.*

La maison était sombre quand Kevin se gara dans l'allée. Il éteignit le moteur et resta assis quelques secondes, se demandant ce qu'il fabriquait ici alors qu'il aurait encore pu se trouver au Carpe Diem avec ses coéquipiers, en train de célébrer leur victoire durement acquise. Il était parti après une seule bière, son humeur festive refroidie par le texto qu'il avait reçu de Jill : *Je suis chez une amie. Au k ou tu te demanderais, Aimee est partie. Elle a dit de te dire au rvoir et merci pr tt.*

En un sens, il était soulagé – c'était plus facile de ne pas jouer la brute, de ne pas avoir à lui demander de s'en aller – mais la nouvelle l'attristait quand même. Il était désolé que cela se soit passé de cette manière, qu'Aimee et lui n'aient pas eu l'occasion d'une dernière conversation dehors sur la terrasse. Il voulait lui dire combien il avait apprécié sa compagnie et lui rappeler de ne pas se sous-estimer, de ne pas se décider pour un type qui ne la mériterait pas ou de se retrouver coincée dans un emploi qui ne lui permettrait pas de s'épanouir. Mais il lui avait dit ces choses de nombreuses fois, et il lui restait à espérer qu'elle aurait absorbé ses paroles pour quand elle en aurait vraiment besoin.

Pour le moment, il n'avait plus qu'à ajouter son nom à la liste des personnes qu'il aimait et qui s'en étaient allées. La liste s'allongeait, et elle contenait des noms plutôt importants. Avec le temps, pensait-il, Aimee lui apparaîtrait sans doute comme une note de bas de page, mais pour l'instant son absence lui semblait plus grande que cela, comme si elle méritait une page entière pour elle toute seule.

Il sortit de la voiture et monta l'allée vers le chemin de pierres bleues qui avait constitué le premier grand projet de Laurie quand ils avaient emménagé dans cette maison. Elle y avait passé des semaines – à choisir les pierres, à envisager la courbe du sentier, à creuser, aplanir et ajuster – et le résultat l'avait emplie de fierté et d'excitation.

Kevin s'arrêta au bord de la pelouse pour admirer les lucioles qui s'élevaient comme des étincelles de l'herbe luxuriante, éclairant la nuit en une série d'exclamations aléatoires, transformant le paysage familier de Lovell Terrace en un spectacle exotique.

— C'est beau, dit-il, se rendant compte au moment même qu'il n'était pas seul.

Une femme se tenait au bas des marches, lui faisant face. Elle semblait tenir quelque chose dans les bras.

— Excusez-moi ? dit-il. Qui est là ?

La femme se mit à avancer vers lui d'un pas lent, presque majestueux. Elle était blonde et mince et lui rappelait quelqu'un.

— Tout va bien ? demanda-t-il. Je peux vous aider ?

La femme ne répondit pas, mais elle se trouvait alors assez près pour qu'il reconnaisse qu'il s'agissait de Nora. Le bébé dans ses bras était un parfait étranger, tels qu'ils le sont toujours quand on les voit pour la première fois, avant de leur donner un nom et de les accueillir dans sa vie.

— Regarde ce que j'ai trouvé, lui dit-elle.

Table des matières

Composé par Nord Compo Multimédia,
7, rue de Fives, 59650 Villeneuve-d'Ascq

Imprimé en France par

FIRMIN-DIDOT

à Mesnil-sur-l'Estrée en août 2013
N° d'impression : 118408

FLEUVE NOIR
12, avenue d'Italie
75627 Paris Cedex 13

Dépôt légal : août 2013
R09642/01